C. J. REDWINE

DESAFIO

TRADUÇÃO
IVAR PANAZZOLO JÚNIOR

Novo Conceito

Título original: *Defiance*

1ª Impressão — 2014

Produção editorial:
Equipe Novo Conceito
Impressão e Acabamento Mark Press 300414

Este livro segue as regras da Nova Ortografia da Língua Portuguesa.

Dados Internacionais de Catalogação na Publicação (CIP)
(Câmara Brasileira do Livro, SP, Brasil)

Redwine, C. J.
Desafio / C. J. Redwine; tradução Ivar Panazzolo Júnior. -- 1. ed.
-- Ribeirão Preto, SP: Novo Conceito Editora, 2014.

Título original: Defiance.
ISBN 978-85-8163-439-5

1. Ficção de fantasia 2. Ficção norte-americana
I. Título.

14-01714 CDD-813.5

Índices para catálogo sistemático:
1. Ficção de fantasia : Literatura norte-americana 813.5

Novo Conceito

Rua Dr. Hugo Fortes, 1885 – Parque Industrial Lagoinha
14095-260 – Ribeirão Preto – SP
www.grupoeditorialnovoconceito.com.br

Para Clint, que sacrificou alegremente o seu tempo livre para apoiar os meus sonhos.
Obrigada por acreditar em mim. Amo você.

CAPÍTULO 1

RACHEL

O peso da piedade que eles sentem parece ser uma pedra amarrada ao redor do meu pescoço. Sinto isso quando me observam brevemente pelo canto do olho, a pele enrugada entre as sobrancelhas franzidas, os sussurros apressados que ecoam pelo céu roxo e acinzentado do crepúsculo como pequenas adagas que arrancam sangue das suas vítimas.

Ele não vai voltar para casa.

É difícil ignorar os poucos cidadãos que ainda estão perto do portão que leva às Terras Ermas, os guardas postados ao lado da entrada e o corpanzil forte e resoluto de Oliver a meu lado, mas eu preciso fazer isso. Não me atrevo a deixar que qualquer sombra de dúvida tome conta de mim.

Olhando para além do perímetro de cinquenta metros de terras calcinadas que mantemos ao redor da Muralha, examino a floresta em busca de algum movimento. As Terras Ermas são um emaranhado de árvores, trepadeiras e escombros de cidades que já não existem mais. Está tudo coberto pelo verde brilhante e escorregadio do início da primavera e os aglomerados de pinheiros e freixos prateados que não nos deixam esquecer de nossa própria fragilidade. Em algum lugar nas profundezas daquela floresta, bandidos rebeldes procuram objetos que possam vender nas cidades-estado. Em algum lugar abaixo dela, o Maldito vagueia, buscando devorar o pouco que resta de uma civilização que outrora já foi grande.

Não me importo com nada disso. Tudo o que quero é que meu pai volte para casa a tempo.

— Garota Rachel — diz Oliver, com a pele negra de seus dedos salpicados de farinha envolvendo gentilmente o meu braço, como se estivesse me preparando para aquilo que de fato quer dizer.

— Ele vai chegar.

— Eu não creio que...

— Ele *vai*. — Cravo as unhas em minhas palmas e me esforço para tentar ver algum movimento na escuridão que cresce cada vez mais, como se eu pudesse trazê-lo para casa utilizando apenas minha força de vontade.

Oliver aperta meu braço, mas não diz nada. Sei que ele acha que meu pai está morto. Todo mundo está pensando a mesma coisa. Todo mundo, menos eu. A ideia de que sou a única com essa convicção faz com que um espasmo de dor corra pelo meu corpo, e, subitamente, eu preciso que Oliver entenda.

Preciso que ele concorde.

— Ele não é somente um mensageiro, você sabe. — Olho para os ombros largos de Oliver, que criam uma sombra grande no chão, e sinto saudade dos dias em que eu era pequena o bastante para subir nas costas dele, sentir o ribombar de sua voz em minha pele enquanto íamos até o portão encontrar meu pai após outra viagem completada com sucesso. — Ele também é um rastreador. O melhor homem do Comandante. É impossível que tenha sido pego de surpresa nas Terras Ermas.

A voz de Oliver continua firme quando ele diz:

— Ele é bom no que faz, garota Rachel. Mas alguma coisa deve ter... Alguma coisa provavelmente o atrasou. Ele não vai voltar para casa a tempo.

Dou as costas para ele, tentando enxergar o ponto onde o perímetro termina e as Terras Ermas começam, mas o sol não é nada além de uma miragem flamejante abaixo da linha das copas das árvores agora, e as sombras já começaram a tomar conta de tudo.

— Último chamado! — grita um dos guardas, flexionando os ombros sob o azul-escuro de seu uniforme enquanto estende a mão para tocar o puxador de ferro a seu lado, e começa a cerrar o portão. Estremeço com um gemido quando ele bate e se fecha com um estrondo de metal contra metal. Os guardas colocam correntes grossas e reluzentes ao redor dos portões, trancando-os até que os guardas do turno da manhã cheguem com a chave para abri-los novamente.

Por um momento nós ficamos ali observando o portão, que agora está fechado. Em seguida, Oliver passa um braço ao redor de mim e diz:

— É hora de irmos.

As lágrimas ardem em meus olhos e eu aperto os dentes com tanta força que eles rangem uns contra os outros. Não vou chorar. Não agora. Mais tarde, depois que meu pai for oficialmente declarado morto e meu Protetorado for transferido para Oliver, vou me permitir sentir a dor de ser a única pessoa que está disposta a acreditar que Jared Adams, o melhor rastreador de Baalboden, ainda está vivo.

Uso o caixote de madeira para subir na carroça que nos aguarda e estendo a mão para ajudar Oliver a subir logo em seguida.

Conforme a carroça avança aos trancos e solavancos sobre os blocos de pedra-ferro que calçam as ruas que levam até o quartel do Comandante, enrolo os punhos fechados ao redor de meu manto e tento ignorar o ardor que sinto na barriga a cada vez que as rodas giram. Oliver estende a mão e tira a borda do manto de meu punho. Sua palma envolve a minha por completo, com a pele morna e o aroma de xarope de plátano e uvas-passas dos pães doces que ele assa. Encosto-me nele, pressionando o rosto contra o linho áspero de sua túnica.

— Lamento — diz ele.

Por um momento, sinto vontade de me enterrar ali. Receber o conforto que Oliver oferece e fingir que ele é capaz de fazer com que eu me sinta melhor. Em vez disso, eu me sento com a coluna ereta, do jeito que meu pai me ensinou.

— Ele não voltou hoje, mas isso não significa que nunca mais vai voltar para casa. Se existe alguém que sabe sobreviver nas Terras Ermas, esse alguém é o meu pai. — Minha voz fica estrangulada por uma onda repentina de agonia, um medo sombrio e secreto de que minha fé nas habilidades de meu pai não será justificada, e que acabarei ficando sozinha. — Não é justo que o declarem morto.

— Provavelmente serei eu quem deve lhe dizer que a vida não é justa, mas imagino que você já saiba disso. — Sua voz é firme, mas seus olhos estão entristecidos. — Por isso, vou lhe dizer que a esperança é uma coisa preciosa, e que você tem razão em não desistir de acreditar.

Olho nos olhos dele, desafiando-o a me contar uma mentira, a dizer que ainda acredita. — Mesmo quando parece que todos já desistiram?

— Especialmente quando parece que todos já desistiram. — Ele dá tapinhas carinhosos em minha mão enquanto a carroça para com um rangido, balançando mesmo depois que as rodas já pararam de se mover.

O condutor vem até a traseira da carroça e abre a portinhola de lona com um puxão. Desço da carroça e observo ansiosamente enquanto Oliver me acompanha. Embora haja apenas algumas rugas suaves lhe marcando a fronte escura, seu cabelo é mais cinzento do que negro, e ele se move com a precisão cuidadosa da idade. Estendendo a mão na direção dele, enlaço meu braço ao redor do dele enquanto ele desce do caixote pesado que usa como degrau. Juntos, nos viramos para encarar o quartel.

Assim como a muralha que cerca a cidade de Baalboden, o quartel é uma parede enorme de pedras cinzentas castigadas pelo tempo e reforçadas por tiras de aço. Janelas escuras foram recortadas no exterior maciço como olhos eternamente abertos e que nunca piscam, e o teto sustenta várias torres de vigília com guardas, cuja única tarefa é retalhar quaisquer invasores antes que eles cheguem a vinte passos de distância.

Não que qualquer cidadão de Baalboden seja estúpido o bastante para desafiar o homem que nos governa com uma ferocidade cujo único equivalente é aquilo que nos aguarda nas Terras Ermas.

Antes que o guarda que vigia o portão com espigões de aço possa abri-lo, outra carroça se aproxima ruidosamente e para atrás da nossa. Olho por cima do ombro e sinto um calor queimar meu rosto quando Logan McEntire vem em nossa direção. O sol poente tinge seus cabelos loiros de dourado.

Espero que a palidez de minha pele não traia meus sentimentos, e tento fingir que não o vi. Já passei tanto tempo, hoje, esperando que meu pai enfim voltasse das Terras Ermas que nem me dei conta que a leitura de seu testamento naturalmente incluiria a presença de seu aprendiz.

Não há problema nisso. Desde que eu não tenha de falar com ele.

— Oliver. Rachel — diz Logan quando chega a nosso lado. Sua voz tem a mesma calma, o eterno tom de *aposto-que-consigo-encontrar-um-algoritmo-para-consertar-isso*, e eu sinto um desejo súbito de provocá-lo para arrumar uma briga.

Exceto pelo fato de que isso daria a impressão de que eu me importo com o fato de ele estar aqui.

E isso *não é verdade*.

Sua presença não vai mudar nada. Meu Protetorado será dado a Oliver, Logan assumirá os deveres de mensageiro que eram do meu pai, e eu continuarei contando os dias até que ele volte para casa, quando a vida poderá voltar ao normal.

Oliver dá um tapinha amistoso nas costas de Logan.

— Que bom que veio — diz ele. Como se Logan tivesse escolha. Como se qualquer um de nós tivesse escolha.

— Parece que tudo aconteceu rápido demais — diz Logan em voz baixa enquanto o guarda abre o portão e faz um sinal para entrarmos. — Jared é forte. Deveríamos dar a ele mais do que os sessenta dias depois da data em que deveria retornar antes de sermos forçados a declará-lo morto.

Olho para Logan, surpresa, e encontro seus olhos azuis fitando os meus, e a convicção feroz neles é exatamente igual àquela que queima dentro de mim. Meus lábios se curvam em um pequeno sorriso antes que eu me lembre de que não vou agir como se me importasse com ele.

Já me importei com Logan McEntire o suficiente para preencher uma vida inteira.

Desvio os olhos e entro no quartel sem qualquer outra palavra.

Oliver e Logan seguem em meus calcanhares. Um dos empregados, vestido de preto, nos conduz até uma sala quadrada e pede licença em voz baixa, saindo e fechando a porta por trás de si.

Cadeiras de madeira com espaldar reto cercam uma mesa longa e encerada, e seis tochas repousam em archotes de ferro enegrecido contra paredes pintadas de branco. O ar daquela sala cheira a fumaça e parece que não é renovado há um bom tempo, mas não sei se o sentimento de sufocação em minha garganta vem da falta de oxigênio ou do fato de o governante de Baalboden, Comandante Jason Chase, estar nos observando na cabeceira da mesa.

A luz das tochas reflete nos galões dourados trançados sobre seu casaco militar engomado, passando pelas dobras da cicatriz que corta caminho de sua têmpora esquerda até sua boca, e morre na escuridão implacável de seus olhos.

— Sentem-se — diz ele.

Obedecemos. Nossas cadeiras se arrastam contra o chão de pedra, um rangido estridente que indica o desconforto. Há dois homens sentados perto da cadeira do Comandante, um de cada lado. Um deles examina, com dedos nervosos, uma pilha de pergaminhos que está à sua frente. O outro exibe uma expressão concentrada, segurando uma pena sobre um tinteiro e uma folha de pergaminho em branco desfraldada sobre a mesa.

O Comandante examina cada um de nós individualmente antes de sentar-se em sua cadeira, mantendo a coluna ereta enquanto observa. Sem ao menos dar uma olhada para os dois homens que o ladeiam, ele diz:

— Oliver James Reece, Logan McEntire e Rachel Elizabeth Adams, vocês foram convocados para tratar de assuntos relativos à morte de Jared Nathaniel Adams.

Inclino-me para a frente com um movimento brusco ao ouvir aquelas palavras, passando na frente de Oliver para olhar nos olhos do Comandante, mas Logan agarra meu braço e me puxa para trás.

— Shhhh — diz ele, contra meu ouvido.

Puxo meu braço da mão dele e engulo o protesto que implora para ser vociferado. Não estamos aqui porque meu pai está morto. Estamos aqui porque o Comandante não nos dará mais tempo para provar que ele está vivo. A raiva borbulha sob minha pele.

O Comandante prossegue.

— Como ele não retornou da missão de mensageiro em que foi enviado a Carrington, invoquei o período de sessenta dias de tolerância até que ele voltasse. Esses sessenta dias terminaram hoje.

O homem gordo escreve furiosamente em seu pergaminho, sem derramar uma única gota de tinta pelo bico da pena. Quero falar. Fazer com que ele registre meu protesto. Qualquer coisa poderia ter dado errado nas

Terras Ermas. Meu pai pode ter adoecido. Ou pode ter sido sequestrado por bandidos. Afastado do caminho de volta pelo Maldito. Nenhum desses eventos é necessariamente fatal. Precisamos apenas lhe dar mais tempo. Meu corpo vibra, a tensão se acumulando dentro de mim até ter de forçar minha boca a continuar fechada para não interrompê-lo.

— Assim, pelo direito de governante e guardião das leis em Baalboden, eu agora declaro que Jared Nathaniel Adams está morto.

O homem pequeno de dedos nervosos organiza a pilha de papéis que está à sua frente, pigarreia e começa a ler o testamento de meu pai. Deixo que as palavras passem por mim, desejando apenas que ele ande logo com isso para podermos ir embora. Mas, quando ele subitamente fica em silêncio e franze a sobrancelha, começo a prestar atenção.

— Algum problema? — pergunta o Comandante, num tom de voz que deixa claro que é melhor não haver nenhum.

— Isso está... ah... só um pouco irregular. Bem, bastante irregular. — Os dedos do homem agarram o pergaminho, apertando suas bordas até que elas começam a se esfacelar.

— Continue — ordena o Comandante.

Sinto um nó apertado se formar no fundo de meu estômago.

— Em relação à questão do Protetorado da minha filha, Rachel Elizabeth Adams, eu indico que seu Protetor... — Outro pigarro. Uma olhada rápida em minha direção.

Não, não em minha direção. Na direção de *Logan*.

Agarro a borda da mesa com dedos úmidos e sinto meu mundo desabar quando o homem diz:

— Eu indico que seu Protetor, até o dia em que ela seja legalmente Tomada, deve ser meu aprendiz, Logan McEntire.

CAPÍTULO 2

LOGAN

Demora um segundo até que eu consiga absorver a notícia. Até que eu me dê conta de que ele disse o *meu* nome. Não o de Oliver. O meu.

Enquanto ainda me recupero do baque, do pânico e do frio na barriga, já começo a tentar formular algum plano. Algo com o qual todos podem concordar que é razoável e justo. Um Protetor é um homem, parente ou marido. Não um órfão de dezenove anos que conseguiu sair de uma vida de pobreza e desamparo para se tornar o aprendiz do melhor rastreador de Baalboden.

Talvez o Comandante intervenha e nos diga que isso é um absurdo. Talvez reconheça que eu não tenho condições de assumir a guarda de uma garota de dezesseis anos. Não quando um homem com a idade e a reputação de Oliver está disposto e tem condições de fazê-lo.

Em vez disso, o Comandante olha por sobre a longa mesa que nos separa e sorri, um leve encurvamento de sua boca que não ajuda a mitigar o desafio do predador que há em seus olhos.

Ele não vai intervir, a menos que eu implore por isso. Pressiono meus lábios um contra o outro, uma linha fina que reflete minha rebeldia. Prefiro combinar todos os elementos da tabela periódica e assumir os riscos pelo resultado a me humilhar perante o Comandante. Mesmo pela causa nobre de dar a Rachel e Oliver aquilo que sei que eles querem. Vou ter de encontrar outra maneira de fazer com que Oliver assuma a guarda de Rachel. Talvez, como seu novo Protetor, eu tenha o poder de delegar a responsabilidade por ela a outra pessoa.

Antes que eu possa seguir essa linha de raciocínio, Rachel se levanta com um salto e diz:

— Não!

Oliver tenta contê-la, puxando-a de volta à sua cadeira, mas ela se desvencilha.

— Não? — O Comandante alonga a palavra intencionalmente, olhando para Rachel com atenção pela primeira vez desde que entramos naquela sala. O medo toma conta de mim quando ele a come com os olhos, como se apreciasse a ideia de lhe ensinar a ficar de boca calada.

Eu já vi aquela expressão nos homens que frequentam os becos escuros da região de South Alley. Nunca indica que coisas boas acontecerão com a mulher que eles selecionaram como sua presa.

A voz de Rachel treme.

— Ele não... eu não posso... isso é loucura.

Eu a agarro pelo braço e a obrigo a se sentar outra vez antes que ela diga algo que pode lhe causar problemas — especialmente problemas dos quais não poderei salvá-la.

— Ela quer dizer que tudo isso é muito inesperado.

— O que eu quero dizer é que não há qualquer possibilidade nesta vida de que eu me submeta a você por livre e espontânea vontade. — Ela me olha com uma expressão dura, mas suas palavras estão entremeadas pelo pânico.

Entendo o que ela sente. Não sei agir como um Protetor. Especialmente, não sei agir como o Protetor de Rachel. E não sei quais palavras posso usar para que ela odeie menos essa situação.

— Você se atreve a ir contra os desejos do seu pai? — O Comandante se inclina para a frente, pressionando as palmas das mãos contra o tampo da mesa.

— Não, ela não está fazendo isso.

— Sim, eu...

— Você *não vai se atrever*. — Encaro o olhar de Rachel e tento indicar, com minha expressão, que ela deve ficar quieta e deixar que eu cuide disso. Não que eu espere que a filha geniosa de Jared fique quieta em relação a qualquer coisa. Mas só pensar no que o Comandante pode fazer com ela caso Rachel o irrite provoca um medo tão forte em mim que quase me faz enjoar.

Ela me olha com uma expressão de absoluto desprezo, puxa o braço até conseguir soltá-lo e olha para o Comandante.

— Ele tem só dezenove anos. Um homem com a idade e a experiência de Oliver não seria uma escolha melhor?

As palavras de Rachel machucam, uma dor súbita e cortante que me atinge de surpresa. O fato de que eu estava prestes a sugerir a mesma coisa não ajuda a diminuir o ardor do golpe.

— Seu pai discorda — diz o Comandante em tom desdenhoso, desviando o olhar como se ela não tivesse mais nada de importante a dizer.

— Mas... eu já tenho quase a idade para ser Tomada. Faltam só três meses. Com certeza, tenho idade suficiente para não precisar ficar sob o teto do meu Protetor oficial...

O Comandante se ergue e faz Rachel se calar apenas com um olhar severo.

— Primeiro você questiona a sabedoria do seu pai sobre o seu destino. Agora está questionando também as leis de Protetorado de Baalboden?

— Senhor, ela está apenas um pouco abalada agora. Foi um dia difícil para ela. — A tranquilidade da voz de Oliver não consegue sobrepujar um toque de nervosismo que ainda está audível.

A expressão no rosto do Comandante faz com que o medo que toma conta de mim se transforme em rocha. Oliver não é capaz de acalmá-lo. Rachel também não, mesmo que tente. Sou o único que resta. Entre o líder que me odiou durante toda a minha vida e a garota que acha que me odeia também.

— Questionar a lei de Baalboden é questionar a mim. — O Comandante transforma cada palavra em uma arma cortante. — Tem certeza absoluta de que quer fazer isso, menina?

Afastando-se da cadeira, ele marcha em direção a nós com o passo deliberadamente vagaroso. As tochas pintam sombras grotescas em seu rosto quando ele passa pelos archotes, e eu me coloco em guarda.

Na Melhor das Hipóteses: tudo o que ele quer é dar um sermão em Rachel, e eu mal posso esperar até que isso termine antes de insistir discretamente, no papel de seu Protetor, que a levemos para casa.

Na Pior das Hipóteses: ele pretende castigá-la fisicamente por se atrever a questioná-lo, e eu terei de intervir. Prometer aplicar-lhe o castigo quando chegarmos em casa. Transferir a atenção dele para mim. É o que um verdadeiro Protetor faria neste momento.

Não tenho mais a falsa esperança de encontrar algum modo de delegar essa função a Oliver. O Comandante não vai permitir, não depois disso. Jared confiou a pessoa que mais amava no mundo a *mim*. Não a Oliver, que ela considera um avô. Não a Roderigo Angeles, o pai da sua melhor amiga. A mim. O aprendiz órfão que ela disse que amava, certa vez. Não entendo por que Jared achou que isso seria o melhor para ela, mas não tenho que entender. Ele ofereceu um lugar à sua mesa a um garoto de rua rejeitado por todos. Não apenas como empregado, mas como amigo. Tenho uma dívida com ele, e tenho de cuidar de Rachel da melhor maneira que puder.

E, por entender qual é a sensação de ter o alicerce sobre o qual sua vida se construiu ser arrancado de você, eu tenho uma dívida com Rachel, também.

O Comandante agora está atrás da cadeira de Rachel, segurando o encosto com os dedos esbranquiçados pela força com a qual o agarra. Está começando a aparentar os setenta e poucos anos que tem. Ainda assim, ele é bem musculoso, e se move com a elegância e leveza de um guerreiro experiente. Apenas um idiota o subestimaria.

— Se não fosse por *mim*, os sobreviventes dos primeiros ataques do Maldito, há cinquenta anos, continuariam vivendo nas ruínas de suas cidades. Sem uma liderança. Sem esperança. Ou você se esquece de que, enquanto o monstro pode devastar outros lugares, ele nunca invade a Muralha de Baalboden?

O Comandante se aproxima ainda mais, a luz da tocha rebrilhando em sua pele para refletir seus tons dourados nos cabelos de Rachel. Suas palavras são tapas ardidos contra o ar.

— Se não fosse por *mim*, o Maldito teria queimado esta cidade até transformá-la em cinzas há várias décadas. — Sua voz está se exaltando, os dedos fechados com força ao redor do espaldar da cadeira de Rachel, como se quisesse quebrá-lo em dois. — Não vou tolerar insubordinação. Não vou tolerar desobediência.

Ele a agarra pelos cabelos e a força a encará-lo. Eu fecho os punhos e me preparo para defendê-la se ele passar desse limite. Ela sibila um rápido gemido de dor, mas olha em seus olhos sem se abalar.

— E não vou tolerar uma reles menina falando comigo como se estivéssemos no mesmo patamar. Você está viva porque eu permito que esteja. Nunca se esqueça disso.

Deliberadamente relaxando os pulsos, abro a boca para oferecer ao Comandante todas as garantias possíveis para que ele se acalme, mas Rachel se adianta.

— Não vou esquecer.

Ela fala como se estivesse realmente assustada e humilhada, embora, se eu a conheço bem, é possível que ela tenha descoberto como mostrar ao Comandante o que ele quer ver. Ele solta os cabelos de Rachel, esfrega a mão no tecido da calça como se houvesse tocado em uma coisa suja, e se vira abruptamente na minha direção.

— Que isso seja uma lição sobre como controlar a sua protegida. Parece que Jared foi um pouco omisso em sua educação.

Ele não faz ideia do quanto Jared foi omisso na tarefa de fazer com que Rachel se rendesse à obediência dócil e meiga que se espera de uma mulher em Baalboden. Tudo o que consigo fazer é assentir rapidamente com um movimento de cabeça, como se estivesse grato pelo conselho.

— É melhor eu levá-la para casa agora — eu digo, esforçando-me imensamente para dar a impressão de que não sinto nada em relação a todo aquele procedimento.

— É verdade — diz Oliver, estendendo o braço para envolver a mão de Rachel. Sua voz está tão tranquila quanto a minha. Nós dois sabemos que não é bom demonstrar emoções na frente do Comandante. — Precisaremos buscar as coisas dela. Ou você está pensando em se mudar para a casa de Jared?

Vai ser muito difícil me ajustar a conviver com Rachel sob o mesmo teto. Acho que não vou conseguir suportar a situação se também tiver de me ajustar a deixar a solidão de meu pequeno sobrado para trás.

— Ela virá morar na minha casa.

Rachel se afasta como se eu houvesse lhe dado um tapa. Naquele momento, ocorre-me que talvez ela não seja capaz de suportar a ideia de abandonar sua casa, também, mas é tarde demais para voltar atrás. Demonstrar dúvidas ou indecisão diante do Comandante é uma das tolices mais extremas que alguém pode cometer. O arrependimento por minhas palavras se mistura com a raiva de ser forçado a assumir uma posição em que minhas únicas escolhas sejam abrir mão de tudo ou esperar que Rachel o faça. Não existe uma resposta certa. Não existe uma solução fácil que, de algum modo, torne isso suportável para nós dois. O peso da nova responsabilidade me dá a impressão de ser enorme, o bastante para me esmagar.

— Podemos ir? — pede Oliver ao Comandante.

Com os olhos escuros brilhando, o Comandante diz:

— Podem. — Mas, quando empurramos nossas cadeiras para longe da mesa e nos levantamos, ele se aproxima de Rachel e olha para mim, com a malícia reluzindo em seu olhar. — Diga-me, menina. Por que você detesta tanto o seu novo Protetor? E não se incomode em tentar mentir. — Os olhos dele deixam de prestar atenção em mim e se concentram nela. — Isso me obrigaria a castigá-la.

O Comandante não parece se incomodar com essa ideia.

Rachel me observa rapidamente, com os olhos azuis implorando. É o mesmo olhar que eu vi há dois anos, na manhã do seu décimo quinto aniversário, quando tudo mudou entre nós. Eu acabara de conquistar o posto de aprendiz de Jared, e ele saiu em uma missão para levar mensagens a Carrington, uma cidade-estado que fica vários dias a leste da nossa. Oliver estava hospedado na casa, como sempre acontecia quando Jared se ausentava, e estava ocupado na cozinha preparando o bolo de limão favorito de Rachel para seu aniversário. Sentei-me com Rachel na varanda dos fundos quando ela pediu. Achei que ela queria apenas falar sobre as saudades que sentia de Jared, ou de sua mãe, algo que era comum a nós dois.

Em vez disso, ela se sentou a meu lado, com as faces coradas, o olhar insistindo em não cruzar com o meu, e disse que estava apaixonada por mim. Percebi a esperança vibrante em suas palavras, ouvi o modo como sua respiração ficou presa na garganta quando eu demorei demais para responder, e me senti desajeitado e idiota.

Ela olhou para mim enquanto eu estava sentado, sentindo o calor do sol do início do verão, tentando encontrar alguma coisa para dizer; algo que não a magoasse, mas que não estimulasse o impossível. Tentei explicar. Dizer a ela que não conseguia pensar em um romance quando tinha de passar por tantas provações. Fazer com que ela percebesse que Jared não hesitaria em acabar com meu aprendizado se pensasse que havia alguma coisa imprópria entre nós. Confirmar que ela ainda era jovem, e que haveria outros rapazes.

As palavras saíram desajeitadas e entrecortadas, e eu não sabia onde colocar as mãos ao perceber a esperança nos olhos dela se transformar em súplica, até finalmente se desfazer por trás de uma muralha de fúria. Estendi o braço, encurtando a distância entre nós como se eu fosse capaz de diminuir os danos, mas ela se pôs de pé com um salto e me deixou ali sentado, sem nada além do eco de minha promessa, dizendo que ela acabaria por me esquecer.

Ela passou cada segundo desde aquele dia provando que eu estava certo. Não consegui vislumbrar qualquer coisa sob a independência feroz que ela usava como uma segunda pele, até agora. Agora, com o Comandante exigindo saber os detalhes que eu sei que humilharam, ela se vira para mim. E eu não pretendo decepcioná-la.

— Receio que me comportei de maneira pouco apropriada com a Senhorita Adams no passado — eu digo, colocando-me um pouco à frente de Rachel, para que o Comandante tenha de lidar comigo ou ser o primeiro a recuar. — Não posso culpá-la por esperar que um bom homem como Oliver fosse a escolha de seu pai.

Ele me estuda com um sorriso torto.

— Há duas possibilidades aqui. Ou Jared não se importava com esse comportamento pouco apropriado, ou nunca soube a respeito.

Faço um sinal afirmativo para o Comandante com a mais leve indicação de respeito antes de me virar para Rachel.

— Vamos buscar suas coisas?

Seu rosto está muito pálido. Até mesmo a luz das tochas se recusa a lhe dar um pouco de cor. Endireitando as costas, ela ergue um escudo feroz de independência, colocando-o de volta em seu lugar e diz:

— Tudo bem. Mas somente até o meu pai retornar. — Em seguida, ela sai da sala.

Começo a segui-la, mas a mão do Comandante se move e agarra meu ombro.

— E quando é que Jared planeja retornar? — pergunta ele.

— Como é?

O tom de voz do Comandante é cruel.

— Ela disse "até o meu pai retornar". Quando vocês esperam que ele retorne? — Sua outra mão repousa na empunhadura da espada, e os dedos pressionam meu manto como se ele quisesse me arrancar sangue.

— Não esperamos o retorno dele — eu digo calmamente, embora minha mente esteja funcionando em alta velocidade. Se o Comandante realmente acha que Jared morreu enquanto viajava pelas Terras Ermas, por que está tão interessado no fato de Rachel acreditar que seu pai vai voltar? — Raquel apenas gostaria que as coisas fossem diferentes.

— Se você sabe alguma coisa que eu não sei a respeito do retorno fracassado de Jared, conte-me agora.

— Não sei de nada.

— Nem pense em mentir para mim — diz o Comandante, com a malícia escorrendo de cada uma das palavras.

A tensão faz com que o silêncio entre nós fique denso. O Comandante não pensa que Jared teve problemas durante sua última missão. E ele certamente não pensa que Jared está morto. Não sei exatamente o que está acontecendo, mas sei, com toda a certeza, que o líder de Jared representa um perigo muito maior para ele do que qualquer coisa que exista nas Terras Ermas.

— Não estou mentindo — eu digo.

O Comandante se aproxima, soltando as palavras como se estivesse disposto a cuspi-las em meu rosto.

— Se eu descobrir que isso é mentira, vou castigar a garota primeiro. Você, entre todas as pessoas, é capaz de entender isso.

A súbita lembrança do corpo de minha mãe jazendo sem vida aos pés do Comandante faz com que seja quase impossível dizer:

— Eu entendo.

Ele solta meu ombro lentamente, e eu me viro para sair da sala, com a cabeça erguida. As costas eretas. O rosto treinado para exibir uma máscara sem qualquer expressão, como se as fogueiras gêmeas do pânico e da fúria não houvessem acendido num lugar muito profundo, onde nem mesmo o Comandante pensa em olhar.

Jared está com problemas. Tenho de pensar em uma solução — algo que eu possa usar para descobrir seu paradeiro antes que o Comandante o faça. E tenho de fazer isso antes que o Comandante decida que sabemos mais do que estamos demonstrando. Enquanto marcho para fora do quartel, seguindo Oliver e Rachel em direção às carroças que nos esperam, começo a planejar.

CAPÍTULO 3

RACHEL

Oliver e eu vamos até minha casa com uma das carroças enquanto Logan decide percorrer a pé a distância considerável entre o quartel e seu pequeno sobrado no canto sudoeste da cidade. Imagino que ele precise de tempo para avaliar o problema de ser meu Protetor e criar um plano para poder lidar com isso.

Exceto pelo fato de que não existe plano para fazer com que seja fácil suportar o fato de viver sob o mesmo teto que Logan. E não existe nenhum plano que me faça aceitar que meu pai foi declarado morto. Isso não é um dos preciosos montes de fios e engrenagens de Logan. Ele não vai ser capaz de consertar.

Entramos em minha casa e somos saudados pelo que resta do aroma dos pães doces que Oliver fez para o café da manhã. Acho que ele voltará a viver em sua casa agora, e este pequeno retângulo amarelo, com o piso de tábuas que rangem quando pisamos nelas e a bela e generosa varanda dos fundos, não será mais a casa de ninguém.

Permaneço na sala, querendo desesperadamente poder reverter a decisão de Logan e continuar morando aqui.

— Garota Rachel, já escureceu. Se não sairmos logo, não conseguiremos chegar à casa de Logan ainda esta noite.

— Então ficaremos aqui.

— Não podemos. — Oliver acaricia meu braço com a mão e indica a janela da frente da casa com um movimento de cabeça. — Creio que o

Comandante tinha dúvidas sobre se você iria cumprir sua parte no testamento que o seu pai deixou.

Afasto-me da janela — e da prova de que não tenho poder para mudar minha situação — e digo:

— Preciso de um minuto para me despedir.

Caminho pela casa, tocando em alguns fragmentos de minha infância e deixando que as lembranças me engulam por inteiro.

O vão da porta onde meu pai fez alguns furos, entalhando a data todos os anos no dia de meu aniversário para acompanhar meu crescimento.

A sala de treinamento de combate, com as estantes de armas, onde meu pai ensinou o que eu precisava saber para me defender.

A mesa da cozinha, na qual meu pai e eu comentávamos sua completa falta de talento para cozinhar. Deslizo os dedos pelo tampo pesado de madeira. Essa também é a mesa em que Logan se tornou parte de nossas vidas, quando ainda era um garoto sujo e magricela com olhos famintos, escondendo-se atrás do manto de Oliver. Eu o observei conforme os anos se passaram. Observei quando ele absorvia o conhecimento e as habilidades como se fosse um cobertor seco deixado sob uma tempestade, até que ele se transformou no tipo de homem capaz de conquistar o respeito de meu pai. E eu, num arroubo de tolice, pensei que estivesse apaixonada por ele.

A memória queima dentro de mim, um chão de brasas sobre o qual eu juro a mim mesma que vou parar de andar descalça. Não quero pensar em Logan, ou na época em que eu sentia carinho ou esperança pelo que poderíamos ser. Não quando estou me despedindo de tudo, já que Logan não se deu o trabalho de entender o quanto seria difícil, para mim, perder meu pai e minha casa na mesma noite.

A tristeza cresce, densa e quente, tentando me sufocar. Meus olhos ardem, e eu enfio as unhas no tampo da mesa quando um único soluço escapa de mim.

Não vou me deixar abalar.

Não vou.

Recuso-me a entrar na casa de Logan com os olhos marcados pelas lágrimas e os lábios trêmulos. Sufocando o próximo soluço que agita meu corpo, pisco para afastar as lágrimas e fecho os punhos. Meu pai já teria retornado se pudesse. Ele não vai voltar para casa. Não sem ajuda.

Meus olhos se concentram na porta que ainda está aberta da sala de treinamento de combate enquanto uma ideia — uma ideia ridícula, ousada, quase impossível — começa a criar raízes. Meu pai não conseguirá voltar para casa sem ajuda, e o Comandante não mostrou qualquer vontade de enviar um grupo de busca. Mas meu pai não precisa de um grupo de busca sancionado. Não depois de passar anos me treinando para conseguir sobreviver nas Terras Ermas, tirando-me de Baalboden às escondidas para que eu pudesse ir com ele em algumas das missões mais curtas e tendo a certeza de que eu era capaz de me defender contra qualquer ameaça.

E não quando existe alguém que saiba rastrear como Logan.

A lembrança da fé que Logan tem nas habilidades de sobrevivência do meu pai é um fragmento de consolo ao qual eu me agarro com uma força desesperada. É doloroso ter de admitir, mas Logan é muito melhor do que eu quando é preciso traçar um plano. Se há alguém que pode me ajudar — se existe uma única pessoa em Baalboden que pode *querer* me ajudar —, esse alguém é Logan.

A tristeza diminui, escondendo-se por trás de uma determinação forte e fria. Entro na sala de treinamento, prendo uma bainha de couro ao redor da cintura e guardo uma faca dentro dela.

Vou encontrar uma maneira de sair da Muralha e trazer meu pai para casa. Logan pode escolher entre me ajudar e ficar fora do meu caminho.

CAPÍTULO 4

LOGAN

Ela está morando sob o meu teto há doze horas. Passamos uma hora tentando preparar e comer uma refeição sem esbarrar um no outro acidentalmente e sem trocar qualquer palavra. Em geral, porque ela parecia estar chocada e perdida, e eu não tinha nada a dizer que pudesse melhorar a situação.

Passei as duas horas e meia seguintes escutando-a andar de um lado para outro no minúsculo cômodo do andar de cima enquanto eu trabalhava em um projeto para criar um aparelho de rastreamento, e disse a mim mesmo que ninguém deveria ter tamanho poder sobre minha capacidade de concentração.

Durante as outras oito horas e meia, nós dormimos. Ou, pelo menos, ela dormiu. Espero que tenha dormido. Fiquei acordado por mais horas do que consigo me lembrar, tentando ouvir algum soluço ou ruído em sua respiração que indicaria a intensidade da dor que ela sentia. Ela permaneceu em silêncio, e eu permaneci sem dormir.

Agora, a luz da manhã castiga meus olhos, e meu cérebro parece incapaz de concluir até mesmo os exercícios mais rudimentares de lógica. Doze horas na função de Protetor e eu já tenho certeza de uma coisa: trazer Rachel para morar neste pequeno sobrado de alvenaria não foi uma de minhas melhores ideias.

A modesta pensão que recebo como aprendiz de Jared é o bastante para que eu possa custear um lugar para morar, e sobra um pouco para comprar equipamentos eletrônicos e comida. Não faço a menor ideia sobre como vou conseguir fazer com que o pagamento seja suficiente para cobrir as necessidades de Rachel também. Mesmo assim, considerando o estado de nosso relacionamento, o dinheiro é o menor de meus problemas atualmente.

Estou sentado num sofá de couro remendado quando ela desce do andar de cima, com a luz do sol entremeada nos cachos ruivos de seus cabelos e brilhando como uma chama. Seu rosto está pálido e sereno, em contraste com o brilho feroz em seus olhos enquanto ela olha para tudo o que há ao redor, exceto para mim.

Eu deveria dizer alguma coisa.

Qualquer coisa.

Não, não simplesmente qualquer coisa. Ela teve um dia difícil ontem. Provavelmente precisa de palavras de conforto e compaixão.

Eu devia ter convidado Oliver para vir tomar o café da manhã conosco.

Ela anda pela sala de estar, passando por uma pilha de livros e deslizando o dedo pela superfície da cornija que emoldura a lareira, levantando uma pequena nuvem de poeira ao fazê-lo.

Será que algum dia eu me dei conta de que havia poeira ali?

O silêncio entre nós é desconfortável. Limpo a garganta e tento pensar na saudação mais conciliatória que sou capaz de dizer. Como você está? Gostou de dormir em meu quarto minúsculo, em vez da cama confortável em que sempre se deitou? Está um pouco frio lá fora. Você trouxe aquele manto pesado quando fez suas malas para se mudar para cá porque eu não consegui pensar direito no que estava fazendo, e deveria deixar que você continuasse a morar em sua casa?

Se essas perguntas parecem tão idiotas saindo da minha boca quanto parecem dentro de minha cabeça, não posso nem sonhar em verbalizá-las. Talvez fosse melhor simplesmente lhe oferecer alguma coisa para tomar no café da manhã.

Seus ombros estão tensos quando ela se afasta da lareira em direção ao bloco de pinheiro que eu uso como mesa de cozinha. Sua superfície está coberta de papéis, tinteiros, fios e pedaços de cobre. No centro, ao lado de projetos desenhados cuidadosamente, está o início da invenção que eu espero que vá resolver toda essa situação.

Seus lábios estão pressionados um contra o outro com força, e os cantos estão encurvados para baixo.

Posso dizer que lamento. Ela vai perceber a sinceridade em minha voz. Vou dizer que sinto muito, e depois...

Ela estende a mão e toca os fios que estão presos delicadamente a minha nova invenção. Levanto-me com um salto, espalhando livros pelo chão, e digo:

— Não toque nisso!

Ela fica paralisada e olha para mim pela primeira vez.

— Digo... Ainda não terminei de montar esse aparelho, e ele precisa... Você dormiu bem? É claro que não. Você trouxe o seu manto, não é? Porque o tempo está... bom, vou preparar alguma coisa para o café da manhã.

Estou parecendo um idiota. Ser o único responsável por uma garota — não; ser o único responsável por *Rachel* — aparentemente provocou um curto-circuito em minha capacidade de formar frases coerentes. Em parte porque Rachel é a única garota com quem eu conversei, e nós paramos de conversar há dois anos. E em parte porque, desde que ela disse que me amava, eu sinto um constrangimento insuportável quando estou perto dela.

Ela me observa com uma expressão dura, e pressiona deliberadamente o dedo contra o aparelho incompleto que está a sua frente. Sua expressão me desafia a começar uma briga, e eu poderia aceitar o desafio sem pestanejar. Talvez ajude a aliviar um pouco a pressão causada pelas emoções voláteis e incontroláveis de ontem.

Mas Rachel não precisa lidar com minha tristeza ou raiva. Precisa encontrar uma válvula de escape para suas próprias emoções. Qualquer outra garota de Baalboden iria querer a simpatia e as almofadas de seu Protetor para manter todas as dificuldades a distância. Mas, enquanto as outras foram criadas para ser dependentes e obedientes, Rachel foi ensinada a pensar e agir por si mesma. Sei exatamente como posso ajudá-la.

— Que tal um treino de combate?

Ela franze as sobrancelhas e lentamente afasta a mão dos fios.

— Um treino?

— Sim.

Ela olha ao redor, como se estivesse procurando alguma armadilha.

— Por quê?

— Porque já faz dois anos e meio que você conseguiu me deixar no chão. Acho que já tive tempo de me recuperar. — Não que eu deseje facilitar as coisas para que ela me derrote. Ela me odiaria se eu fizesse isso.

Sorrio enquanto ando em sua direção e quase tropeço em um monte de livros empilhados sem qualquer cuidado.

Por que é que eu nunca guardo as coisas em seus devidos lugares?

Ela ergue o queixo.

— Eu só treino com...

Jared. Ela só treina suas habilidades de combate com Jared, mas não consegue terminar a frase. Seus lábios tremem antes que ela os pressione novamente em uma linha fina e obstinada.

— Eu lamento. — Estendo a mão na direção dela, mas ela não olha para mim, e eu deixo a mão cair. — Queria ser capaz de mudar as coisas. Gostaria de não ter que fazer com que você se mudasse para cá. Em vez disso, eu devia ter deixado que você ficasse em sua própria casa. Queria que Oliver fosse nomeado seu Protetor, para que você se sentisse mais confortável. E queria que Jared...

Não consigo dizer que queria que ele não estivesse morto, porque não creio que ele esteja. O Comandante também não acha que ele está morto. Espero ser o primeiro a provar que essa teoria está certa. Se não conseguir terminar minha invenção e encontrar o rastro de Jared nas Terras Ermas antes que o Comandante descubra seu paradeiro, receio que Jared terá de enfrentar o tipo brutal de morte que apenas o nosso líder é capaz de infligir.

O olhar duro de Rachel fica mais suave, transformado em algo mais alegre e ardente.

— Você não acredita que meu pai está morto, não é?

Nego com um movimento de cabeça.

— Eu sabia. Eu tinha esperança de que poderia contar com você. — As faces de Rachel são tomadas por um leve rubor, e ela se aproxima. Uma onda de calor e carinho toma conta de meu peito ao perceber a fé que ela tem em mim. Se ela puder aprender a confiar em mim, talvez possamos começar de novo. Reconstruir nossa amizade e descobrir como fazer essa situação impossível funcionar.

Ela diz:

— Estive pensando em maneiras de sair de Baalboden para encontrá-lo. Se houver algum dia sancionado em que os salteadores podem vir para vender suas coisas na cidade, nós...

O calor dentro de mim se transforma em gelo enquanto ela fala. Várias ideias malucas sobre escapar brotam de sua boca, uma após a outra, um conjunto de armadilhas perigosas que certamente irão esmagá-la sob as botas inclementes do Comandante. A lembrança de seu chicote golpeando as costas de minha mãe com uma precisão cruel me acerta com um choque doloroso.

Jared está contando comigo para proteger Rachel. Oliver também. E, como o Comandante já suspeita de que sabemos onde Jared está, o risco de sermos apanhados em uma tentativa de fuga é muito alto.

Alto demais para permitir que ela me acompanhe.

Ela vai brigar comigo por isso. Provavelmente vai me odiar. Mesmo assim, como ela já me detesta, não tenho nada a perder se continuar em seu caminho.

— Não vamos sair de Baalboden para ir procurar Jared — eu digo, com a voz baixa.

O silêncio súbito que surge entre nós fica cheio de tensão.

— Mas você disse que acha que ele está vivo. — Ela parece estar confusa e magoada. O arrependimento deixa um gosto amargo em minha boca, mas não posso deixar que ela coloque tudo em risco. Jared nunca desejaria que sua filha morresse para tentar salvá-lo.

Eu também não quero que ela morra. Talvez ela não goste de mim agora, mas eu não me esqueci de que, de todos os cidadãos de Baalboden, apenas Oliver, Jared e Rachel conseguiram olhar para mim e enxergar algo de valor.

— Logan?

Forço-me a olhar em seus olhos. Forço-me a memorizar a maneira como olham quando não estão preenchidos pela animosidade ou pela raiva. Em seguida, escondo meu arrependimento em algum canto e me concentro na tarefa mais importante: manter Rachel em segurança até que possa deixá-la sob os cuidados de Oliver e sair para as Terras Ermas a fim de procurar sozinho por Jared. Não sei o que Jared pode ter feito para criar tal inimizade com o Comandante, mas ele se tornou minha família. Não posso simplesmente me afastar do problema e não fazer nada.

— Eu realmente acredito que ele está vivo — eu digo. — Mas nós não vamos sair para procurá-lo. É uma missão suicida. Algo que ele nunca lhe permitiria...

— Não me diga o que meu pai permitiria que eu fizesse!

— Rachel...

Seu rosto está pálido como o de um cadáver, os olhos faiscando com a fúria e a frustração.

— Quer dizer que você está disposto a ficar aqui, nesta sua casa, fazendo seja lá o que faz o dia inteiro, enquanto meu pai está em algum lugar lá fora, precisando da nossa ajuda?

Não é isso que eu quero dizer a ela. Estou a dez dias de terminar uma invenção que construí especificamente porque não suportava ficar sentado aqui, sem fazer nada, enquanto Jared está desaparecido nas Terras Ermas. Mas, se eu disser isso a ela, será como se eu estivesse lhe dando permissão para vir comigo. E não estou disposto a fazer isso.

Aperto os dentes e digo:

— Nós não vamos a lugar nenhum.

Seu lábio se encurva, numa expressão de desprezo que parece dizer que acabei de chegar ao patamar mais baixo a que alguém pode chegar, e se afasta. A decepção de Rachel dói, mas eu encaro seu olhar sem pestanejar.

— Lamento, Rachel.

Ela vira as costas para mim e sai da casa.

CAPÍTULO 5

RACHEL

Logan não faz *nada* além de passar horas e horas debruçado sobre a mesa da cozinha, mexendo com fios e pedaços de metal. Sinto vontade de socá-lo toda vez que entro na sala. Nós mal trocamos olhares. Sequer conversamos. Ele não vai mudar de ideia, e eu não estou disposta a implorar. Não preciso que Logan me acompanhe pelas Terras Ermas enquanto procuro pelo meu pai. Tudo o que preciso é encontrar um jeito de passar pela Muralha.

Três dias depois de me mudar para a casa de Logan, descobri suas manoplas magnéticas, perfeitas para deslizar em segurança pelas vigas de aço que reforçam a Muralha. Três dias depois *disso*, sem perceber, ele me mostrou a oportunidade perfeita para escapar.

Agora eu seguro o manto enrolado ao redor de meu corpo enquanto ando por entre o grupo esparso de pessoas que vão de tenda em tenda no Mercado Baixo, pechinchando o preço de produtos alimentícios, esfregando tecidos entre os dedos para verificar sua qualidade e sussurrando conforme eu avanço.

Já faz treze anos desde que uma mulher se atreveu a caminhar pelo Mercado Baixo sem seu Protetor. Ela pagou por suas ações com a própria vida.

Puxando o capuz de meu manto sobre a cabeça, certifico-me de que ele esconde cada mecha de cabelo ruivo que faz com que eu seja reconhecida tão facilmente. Não gosto da ideia de arriscar minha vida ao andar sozinha pelo Mercado Baixo, mas estou desesperada pela chance de fazer algo que ninguém mais parece estar disposto a fazer — procurar pelo meu pai do lado de fora da Muralha.

O Mercado Baixo está disposto de maneira que faz lembrar as costas de um homem. A rua principal forma a espinha e leva em direção à Torre Norte, enquanto ruelas e becos menores se estendem lateralmente como costelas. Meu coração bate um pouco mais rápido conforme vou para o lado esquerdo da rua principal e começo a caminhar.

A primeira tenda que alcanço é uma mesa longa coberta com alguns caixotes de peras suculentas e melões de casca grossa. Uma mulher e seu Protetor apertam as frutas entre os dedos antes de encher sua bolsa, murmurando entre si enquanto pesam as mercadorias. Ignoro-os e continuo andando. Uma olhada para o céu me diz que tenho cerca de trinta minutos até o crepúsculo e o último chamado para o fechamento dos portões.

Poças d'água pontilham a via acidentada, o resquício de uma chuva rápida no início da tarde. Passo pelo açougueiro, que está limpando suas facas e recolhendo o que resta dos cortes de carneiro, e torço o nariz quando o cheiro ferruginoso do sangue seco do animal toma conta do ar, misturando-se ao cheiro da lama.

Duas tendas adiante, chego ao fabricante de velas e à primeira das ruelas que vão na direção oeste. Baixo a cabeça, escondendo tanto os cabelos quanto o rosto sob o capuz. Ninguém me interpela quando viro à esquerda, embora eu sinta os olhares das pessoas queimando através do couro pesado de meu manto. Provavelmente imaginando qual Protetor é tão idiota a ponto de aceitar que sua protegida ande pelo Mercado Baixo sem qualquer escolta.

É claro que Logan não aceitaria isso. Ou não vai aceitar, quando descobrir. Neste momento, entretanto, tenho certeza de que ele está conversando sobre componentes eletrônicos com vendedores que estão bem longe daqui; mesmo assim, puxo ainda mais o manto para me esconder e tentar não me parecer tanto com... Rachel. Caso alguma coisa aconteça.

Um homem à minha esquerda está alardeando uma coleção de facas de caça com bainhas de couro. Dando uma rápida olhada em suas mercadorias, coloco a mão por dentro do manto e deslizo os dedos pela bainha que está presa a minha cintura. As facas que ele tem são boas.

A minha é melhor.

Deixando minha faca em paz, eu continuo andando. Fiz o percurso até a tenda de Oliver com meu pai mais vezes do que sou capaz de me lembrar, e nunca há nenhum guarda no lado oeste do Mercado Baixo a esta hora do dia. Mesmo assim, ando rapidamente e procuro ficar nas laterais da rua, evitando atrair atenção demais.

Já estou a meio caminho de meu destino quando alcanço uma carroça aberta, cheia de sacas de lentilhas secas, cebolas e favas. Três homens estão apoiados na lateral da carroça, observando enquanto a filha do mercador enche alguns sacos de estopa com as favas. Evito passar muito perto deles, mas paro de andar quando um dos homens solta um assobio baixo, três notas em sequência, que servem de aviso. Sinto um calafrio correr pelas minhas costas.

Esse aviso só pode significar uma coisa: guardas. No Mercado Baixo, durante o crepúsculo.

Não posso perder tempo imaginando o que os guardas estão fazendo justamente aqui, exatamente no dia em que decidi quebrar as leis mais sagradas dos livros. Meu coração bate com força, um ritmo trovejante e irregular, e começo a procurar uma rota de fuga.

Não tenho qualquer intenção de deixar que me apanhem.

CAPÍTULO 6

LOGAN

— Tubos de cobre. Diâmetro de 15 milímetros. — Algo que eu poderia encontrar em qualquer lugar. — Uma bobina de fios de cobre. Diâmetro de 1,3 milímetro. — Um pouco mais difícil de achar, mas sou relativamente exigente em relação a meus fios. Mesmo assim, não é um pedido tão incomum. Levo um segundo para acalmar meus nervos antes de fazer meu pedido final.

— Mais alguma coisa? — pergunta o proprietário.

Esperando não dar a impressão de que estou preocupado com as consequências de cometer uma traição, digo:

— Vou precisar de um barril de ácido, também.

É neste momento que todos os outros mercadores que visitei no dia de hoje decidiram que meu dinheiro não era mais bem-vindo em seus bolsos. Estou esgotando a lista de todos os possíveis fornecedores em Baalboden, mas não há mais ninguém com quem eu possa ter acesso a esse produto a menos que eu queira lidar com os salteadores que estão vendendo coisas do lado de fora do portão.

E eu não quero.

Prefiro que os guardas que patrulham o perímetro não saibam que estou usando substâncias instáveis em minhas invenções.

O mercador me olha da cabeça aos pés, manipulando lentamente a torneira de um enorme barril de madeira cheio de cerveja dourada e opaca.

— Acho que não entendi direito.

Mantenho a voz baixa e repito o pedido enquanto me apoio no canto mais distante do balcão do bar Thom's Tankard. A madeira, de um marrom escuro e fosco, está pegajosa com os resíduos de bebidas derramadas e batatas fritas, e eu preferiria engolir soda cáustica em vez de pedir qualquer coisa que houver no cardápio. Mas não vim aqui pela comida.

Thom bate uma caneca pesada de madeira cheia de cerveja em minha frente, embora eu não tenha pedido nada para beber.

— Não vendo essas coisas.

É claro que vende. Ou, se não vende, sabe onde posso consegui-las. Thom conhece quase todos os comerciantes que vendem produtos no mercado negro de Baalboden.

— Sabe onde posso encontrar?

Ele faz um muxoxo com os ombros enormes e pega um pedaço de pano sujo para esfregar o tampo do balcão engordurado, como se limpá-lo houvesse repentinamente se tornado uma prioridade.

Estou cansado de dar de cara com becos sem saída. Se eu não puder convencê-lo a me dar o que preciso, não conseguirei terminar minha invenção atual. Se não terminar minha invenção atual, não vou poder sair para as Terras Ermas e encontrar Jared. E, se eu não encontrar Jared, Rachel e eu vamos ter de ficar juntos até a cerimônia da Toma, quando outro infeliz vai ter a chance de tentar domar o gênio forte de Rachel e evitar que ela seja jogada nas masmorras do Comandante.

Desejo boa sorte a esse homem.

— Quanto quer pelas peças? — pergunto a Thom. Talvez, se perceber que eu não estou disposto a ir embora, ele negocie comigo. *Alguém* tem de negociar comigo. Não podem estar todos com medo das possíveis repercussões.

— Garoto, você deve ser idiota.

Eu rio, um som curto sem qualquer toque de alegria. Sou muitas coisas — protetor, órfão, inventor, pária —, mas não sou idiota.

Mesmo assim, estou um pouco desesperado.

Pela aparência do lugar, Thom também está. As tábuas do piso estão lascadas e empenadas. As paredes estão manchadas pela fuligem porque ele usa tochas para iluminar o lugar, em vez de lampiões. E o estoque de cerveja que ele tem atrás do balcão já parece estar pela metade. Não tenho todo o dinheiro para impedir a lenta decadência que está tomando conta deste lugar.

Mas, por baixo da decadência, eu sinto outra coisa. Nos cantos escuros, nos olhos tensos e observadores da garçonete que olha repetidamente para fora, por entre as janelas enegrecidas, e nas conversas sussurradas dos seis homens sentados atrás de mim — os únicos outros clientes da taverna —, um tom sutil de mistério envolve a sala em meio à atmosfera de segredos.

Quanto Thom estaria disposto a pagar para proteger esses segredos dos olhos curiosos do Comandante e de seus guardas? Eu pego dois objetos pequenos e circulares de madeira que trouxe dentro de meu manto e os coloco no balcão.

— Está vendo isto aqui?

Ele resmunga e dá uma rápida olhada para o grupo que está no canto. Interessante. Estou imaginando que ele não é o líder do grupo, ou não olharia para eles em busca de permissão para continuar nossa discussão. E eles não estariam se escondendo no canto da taverna se tivessem boa reputação com o Comandante. Isso significa que estamos todos do mesmo lado.

Só preciso fazer com que eles enxerguem isso.

Aumentando a voz apenas um pouco para ser ouvido pelo grupo da mesa, mas com cuidado para não deixar isso óbvio demais, eu digo:

— São discos de vigilância modificados. Podem alertá-lo sobre a aproximação de um guarda que venha de qualquer direção, num raio de vinte e cinco metros. Você instala uma bateria em cada um deles... — eu pego uma pequena bateria do lote que montei na semana passada — ... e coloca um do lado de fora da casa. Ele envia um pulso sônico a cada trinta segundos e faz uma leitura das marcações nos pulsos de cada cidadão que esteja por perto. Se alguma dessas marcações tiver o código militar, o disco que está do lado de fora aciona um alarme instalado no disco que fica atrás do balcão. Um raio de vinte e cinco metros lhe dá pelo menos quarenta segundos de antecedência. O bastante para modificar qualquer comportamento suspeito antes de ser apanhado.

Eu sinto, mais do que ouço, o silêncio abrupto que se forma no grupo atrás de mim.

— Ficarei contente em fazer uma demonstração do uso do aparelho, mas, assim que eu terminar, espero poder levar os meus tubos, os fios e o meu barril de ácido.

Uma voz grave fala por trás de mim.

— Você é Logan McEntire, não é?

Virando-me, encaro o grupo. A pessoa que falou comigo é um homem de cabelos negros armados, barba salpicada de fios prateados e olhos escuros, avaliando-me com uma concentração intensa.

Faço que sim com a cabeça, lentamente, tentando lembrar o nome daquele homem, mas sem conseguir.

— Sou, sim.

— Acho que os bons mercadores da área de North Hub não têm o que você precisa. Ou, se tiverem, você não é exatamente a pessoa a quem eles esperam ser vistos vendendo essas coisas, não é?

— Não.

O silêncio se adensa entre nós, interrompido apenas pelo lento gotejar da cerveja que pinga do barril atrás de Thom e pelos movimentos discretos da garçonete, que olha outra vez pela janela, como se estivesse procurando a rua em busca de alguma coisa.

— Você se arrisca quando tenta mostrar abertamente aparelhos como esses. — O homem faz um gesto na direção dos discos que estão no balcão, a meu lado. — Se for pego, vai para a masmorra ou para algum lugar pior.

— Os guardas não me incomodam mais do que incomodam vocês.

— E o que você pensa sobre isso?

— Você acha que eu devo ter alguma opinião a respeito?

Seu olhar é penetrante.

— Se a minha mãe fosse chicoteada até morrer por quebrar a lei e eu fosse declarado um pária quando tinha seis anos de idade, eu acho que eu teria alguma opinião a respeito. Especialmente em relação ao homem que manejou o chicote.

Aquelas palavras arranharam uma cicatriz que estava curada há um bom tempo, abrindo-a novamente e arrancando sangue fresco. Ele tem razão. Minha mãe quebrou a lei e pagou o preço. E, em um exemplo perpétuo das consequências da desobediência, o Comandante declarou que eu seria um pária, indigno de qualquer coisa além de uma vida nas ruas até completar a maioridade, aos dezessete anos. É impossível separar a lei e seus castigos do Comandante, já que ambos são a mesma coisa em Balboden, mas eu tentei. É a única maneira de viver aqui sem que eu sinta vontade de matá-lo.

— Ela não deveria ter quebrado a lei — eu digo, embora seja difícil soar sincero.

— Ou talvez a lei não devesse exigir o açoitamento para uma mulher apanhada andando pelas ruas da cidade sem o seu Protetor. — O homem me observa atentamente.

Esse é o meu teste. O círculo pelo qual eu devo saltar para convencê-los a permitir que Thom negocie comigo. Com a lembrança dos últimos momentos de minha mãe ardendo em meu cérebro, é fácil concordar com ele.

— Talvez não devesse.

— Aposto que você está se perguntando que diabos estamos fazendo aqui, discutindo coisas que parecem traição.

— Aposto que vocês estão se perguntando que diabos eu estou fazendo aqui, tentando comprar materiais que são proibidos por lei.

O homem sorri, abrindo uma enorme fenda de dentes brancos em meio a sua barba negra e prateada.

— Eu sou Drake. Já faz algum tempo que venho querendo conversar com você.

Tento abrir um sorriso igual ao dele, mas minha mente está ocupada com outras coisas. Drake pode ter sido um amigo de minha mãe e esperou até agora para oferecer sua amizade, ou acha que tenho um perfil aceitável para ser recrutado naquilo que parece ser um grupo de oposição ao Comandante.

Mas isso não vai acontecer. Não que eu não sinta o mesmo que eles, mas minha mãe é um ótimo exemplo de que o preço da rebeldia não equivale às compensações irrisórias da transgressão.

Além disso, tenho uma invenção para terminar, um mentor para buscar nas Terras Ermas e uma protegida muito independente para manter longe de problemas. Já tenho muito com o que me ocupar.

— Alguma chance de eu poder fazer negócios com o seu agente, aqui? — eu indico Thom com um movimento de cabeça.

— Thom, dê as coisas que ele pediu. Aceite os discos como pagamento.

Thom precisa de um dia inteiro para conseguir o ácido. Assim, eu concordo em voltar na noite seguinte para concluir a compra. E, como não sou nenhum idiota, levo um dos discos de vigilância comigo quando saio. Ele o receberá assim que entregar o restante de meu pedido.

Andando a passos rápidos em direção à próspera região de North Hub, onde Rachel está passando o dia com Sylph, sua melhor amiga, aprendendo a oferecer um jantar para convidados, eu tento afastar a imagem incômoda de minha mãe morrendo sob os estalos do chicote do Comandante. Tenho anos de prática nisso, e a imagem desaparece antes que eu percorra quinze metros. A pequena faísca de insubordinação que se acendeu dentro de mim naquela taverna suja leva um tempo bem maior para se dissolver.

CAPÍTULO 7

RACHEL

Não deveria haver guardas neste canto do Mercado Baixo, mas eu não duvido nem um pouco do assobio de aviso. Minha pulsação acelera, ecoando incessantemente em meus ouvidos, e cerro os pulsos para manter as mãos firmes. Recuso-me a ser pega. Parando ao lado do homem que deu o alerta, eu me viro e finjo que estou conferindo um saco de cebolas brancas enquanto examino a área.

Homens sós ou mulheres com seus Protetores continuam a andar de uma tenda para outra, mas há certa rigidez em seus movimentos agora. Assim como uma presa percebe instintivamente que há um predador por perto.

Meus olhos passam por cima das tendas de lona ancoradas no chão com espigões de ferro, detendo-se nas sombras entre as tendas rústicas, até finalmente percebê-lo.

O guarda está postado no espaço estreito entre a tenda que exibe os vestidos de seda que Madame Illiard costura para a cerimônia da Toma e a tenda pintada de verde das Ervas Medicinais de Parsington.

Ele não está sozinho — eles nunca estão —, mas não é tão fácil identificar seus parceiros. Leva alguns minutos até que eu consiga vê-los. Encobertos por seus mantos. Carregando sacos e cestos. Tentando dar a impressão de que são somente mais um grupo de cidadãos.

Meu coração está batendo com tanta força que começo a me preocupar com a possibilidade de que o homem a meu lado conseguirá ouvir.

Preciso de um plano. Algo que me mantenha fora da masmorra, mas que, ainda assim, me ajude a chegar a meu destino em tempo.

O primeiro guarda ergue a mão, e eu percebo o Identidisc negro, brilhante e reluzente, uma fração de segundo antes que a luz verde brilhe, mandando um pulso sônico que se alastra num raio de setenta metros, examinando as marcações individuais que são tatuadas no antebraço esquerdo de todos os cidadãos assim que nascem. Meus dedos querem subir pelo pulso para tocar o bracelete magnético que Logan insiste que eu use para impedir que o disco leia a marcação em meu pulso, mas eu fecho os dedos e continuo imóvel.

Assim que o guarda baixa os olhos para ler as informações do Identidisc, eu começo a andar.

Passando ao lado da carroça, entro em uma tenda onde há várias panelas de ferro fundido e espero pela minha oportunidade. Não demora muito. Os cidadãos sabem que não é bom ficar olhando para os guardas quando eles estão por perto. Os grupos de pessoas começam a andar vagarosamente pela rua outra vez, embora as conversas estejam bem mais discretas, e a maioria parece não desejar nada além de deixar o Mercado Baixo para trás.

É uma ótima ideia. Meu coração bate forte, como se quisesse pular para fora do peito, e luto para conseguir pensar com clareza, mas preciso fazer isso. Tenho de planejar. Encontrar uma solução que não termine comigo presa entre dois guardas, tentando encontrar algum argumento que possa me livrar de um açoitamento como o que custou a vida da mãe de Logan.

Logan.

O que é que Logan faria?

Logan não estaria nessa situação em primeiro lugar, porque já teria mapeado todas as possibilidades, com a mesma precisão meticulosa que aplica a todas as coisas. É uma característica que normalmente me deixa irritada, mas que, de repente, parece bem mais atraente. Não que eu esteja disposta a admitir isso para ele. Nunca. Mesmo assim, pensar como Logan me dá uma ideia, e eu começo a procurar pelo que preciso.

Não leva muito tempo até que eu consiga encontrar uma oportunidade para sair. Um homem — sozinho, idoso e com os ombros encurvados — passa lentamente em frente a meu esconderijo. Saio da tenda, acompanhando seus passos, e baixo os olhos como se houvesse sido ensinada a respeitar as pessoas que estão acima de mim.

O homem não parece perceber minha presença, o que me salva de ter de inventar uma explicação plausível para o fato de fingir que ele é o meu Protetor. Quando ele para, interessado em um par de botas que está à venda em outra tenda, começo a acompanhar o próximo homem sozinho que passa por mim rumo a oeste, sem diminuir o passo.

Ele dá uma rápida olhada em minha direção, franze o cenho e sussurra:

— O que está fazendo? Onde está o seu Protetor?

Arregalo os olhos e tento parecer surpresa.

— Desculpe. De costas, vocês são muito parecidos... eu pensei... — Começo a gesticular, agitando as mãos de maneira a transmitir uma imagem de fragilidade e preocupação. — Ele disse para esperar aqui enquanto ia até a tenda de Oliver, mas havia guardas e eu fiquei assustada. — Minha voz vacila um pouco.

A expressão do homem fica ainda mais séria, e ele se aproxima.

— Ele devia saber que não é uma boa ideia deixá-la sozinha. — Em seguida, olha de um lado para outro na rua. — Há algo estranho acontecendo hoje.

Entrelaço meus dedos uns nos outros e considero a ideia de produzir algumas lágrimas. Isso parece fazer com que a maioria dos homens fique de joelhos. Exceto por Logan, maldita seja aquela alma teimosa. Não que eu *quisesse* que Logan ficasse de joelhos para mim. Pelo menos, não mais.

O homem assente uma vez, como se estivesse concluindo algum debate interior.

— Vou levá-la até a tenda de Oliver. Fique perto de mim e mantenha os olhos no chão, como mandam os bons modos.

Mordo a língua com força, quase cortando-a ao meio para não lhe dizer, com todos os detalhes, onde deve enfiar suas ideias sobre *bons modos*. Em vez disso, olho cuidadosamente para meus pés e sigo o Protetor que tomei emprestado enquanto ele avança por entre a multidão cada vez menor, a caminho da tenda de Oliver.

Depois de virar a esquerda em duas esquinas, chegamos ao limite oeste do mercado. Passo ao redor de uma mulher que se esforça para enfiar um peru depenado no cesto de palha que leva amarrado às costas, e me aproximo da tenda de Oliver. O aroma caseiro dos pães trançados com passas cortado pela doçura pungente de bolos de laranja me cerca, e meu estômago me lembra de que não me incomodei em comer nada desde o início da manhã. Oliver está sozinho em meio a mesas de madeira encimadas por toalhas de algodão cheias de migalhas e cobertas por bandejas que exibem os últimos pães e bolos que ele ainda tem para vender.

Virando-se para mim, o homem que me escolta pergunta:

— Onde está o seu Protetor, jovem dama?

Oliver balança a cabeça negativamente, fazendo com que sua papada balance em seu rosto. E tira um pão glaceado da pilha que sempre prepara para as crianças que vêm visitá-lo. Ele sabe que são os meus favoritos.

— Não é um dia propício para você estar no mercado, garota Rachel.

— Rachel? — pergunta o homem.

Dou de ombros e o capuz de meu manto cai um pouco. O homem percebe um vislumbre de meus cabelos ruivos e solta alguns palavrões escabrosos.

— A filha de Jared Adams?

Faço que sim com a cabeça e pego o pão doce que Oliver joga para mim.

— Você mentiu para mim. — E a frase não é nenhum elogio.

Arranco um pedaço do pão.

— Desculpe-me por isso. Eu precisava chegar até Oliver sem que os guardas me incomodassem.

— Sem que os guardas a incomodassem? *Incomodassem?* — O rosto do homem fica vermelho. — Não viu os uniformes deles? Dois galões dourados no ombro esquerdo, com o distintivo de uma garra logo abaixo.

A doçura morna e espessa do pão glaceado se transforma em serragem em minha boca. Não eram somente guardas. Eram membros do batalhão pessoal do Comandante Chase, o Esquadrão dos Brutos. Uma sessão de chicotadas seria a menor de minhas preocupações caso fosse apanhada.

E *não fui*. Porque eu sou capaz de pensar rápido.

Dando-lhe as costas, ignoro quando Oliver agradece discretamente o homem antes que ele vá embora. Não encaro os olhos castanhos e carinhosos de Oliver enquanto retiro o bracelete de cima da marcação no meu pulso e me inclino para a frente para que seu *scanner* faça a leitura.

Ele agarra meu braço, e o tom bonito e escuro de mogno de sua pele contrasta bastante contra a palidez da minha. Ele fala com a voz suave:

— Hoje não, garota Rachel.

— Mas como eu vou poder lhe pagar pelo pão?

— Coloque o bracelete de volta onde estava e deixe-o aí. Você é praticamente a minha neta. O pão é um presente.

Deslizo o bracelete de volta para o lugar de onde o tirei e me encosto contra o peito enorme de Oliver quando ele abre seus braços para mim. O cheiro morno de seus assados está impregnado nele, e me enche com lembranças de épocas mais felizes, quando eu podia subir em seu colo, escutar sua voz grave recitando algum conto de fadas e sentir que meu mundo voltava a se encaixar em linhas quase perfeitas outra vez.

— Por que você veio até aqui hoje?

Dou de ombros e coloco os braços ao redor dele. Quero ter um último momento com ele antes de sair sozinha para enfrentar os perigos das Terras Ermas.

Ele retribui o abraço:

— Aconteceu alguma coisa entre você e Logan? Tenho certeza de que deve ser uma questão de... ajuste.

Meu riso soa quase como um soluço, e eu o engulo de volta. Há dois anos, eu me jogaria de cabeça em qualquer oportunidade de passar mais tempo ao lado de Logan. Meu peito ainda queima quando me permito lembrar da ocasião em que o convidei a vir à minha casa para comer bolo no meu aniversário, e me certificar de que conseguiria ficar a sós com ele na varanda dos fundos para lhe dizer que eu achava que ele era diferente. Especial. Um homem como o meu pai.

O tipo de homem com quem eu queria me casar.

A humilhação que senti com a maneira incrivelmente lógica como ele rejeitou meu amor está agora coberta pela raiva, já que Logan se recusou a me ajudar a procurar pelo meu pai. Toda vez que o vejo, sinto vontade de bater nele.

Abro um pequeno sorriso para Oliver quando me afasto.

— Está tudo bem. *Eu* estou bem. Obrigada.

— Se você está bem, por que se arriscou desse jeito para vir até aqui? — O sorriso dele é gentil, mas por trás do carinho há a enorme expectativa de que eu lhe conte a verdade.

E, como ele é o que mais se aproxima de uma família para mim, eu conto a maior parte da verdade para ele, sem que tenha de transformá-lo em cúmplice.

— Preciso dizer adeus.

— Para Jared? — Ele olha na direção da Muralha, e eu deixo que ele presuma que vim até os limites de Baalboden para me sentir próxima de meu pai pela última vez. — Seu pai não iria querer ver você se arriscando desse jeito. — Ele ergue a mão e toca meu rosto, e o amor brilha em seus olhos, enchendo-me com um calor que consegue ser doce e amargo ao mesmo tempo.

— Foi meu pai quem me ensinou a assumir riscos. — Fico na ponta dos pés e dou um beijo em sua bochecha castigada pelos anos. A saudade que sinto dele já dói em mim, mas a dor da saudade de meu pai é ainda maior. Afastando-me de Oliver, dou a volta ao redor de uma das mesas e vou em direção aos fundos da tenda, ocupando-me com as fivelas de meu manto para que não tenha de olhar para ele.

— Aonde você pensa que está indo? — pergunta Oliver. Há um toque de apreensão em sua voz agora.

— Vou para a Muralha.

— Não posso permitir. — Ele começa a vir em minha direção.

— Eu vou assim mesmo. — Continuo na direção dos fundos da tenda.

— O que vou dizer a Logan se deixar que você se exponha ao perigo? — pergunta Oliver, ainda vindo em minha direção, embora nós dois saibamos que ele não vai conseguir me pegar.

Que eu lamento? Que as coisas que eu disse há dois anos não fazem mais sentido? Que ele é o culpado por tudo isso, já que não me escutou e não me ajudou a procurar meu pai? Eu encolho os ombros, cubro os cabelos com o capuz do manto outra vez e toco a bainha presa a minha cintura.

— Diga-lhe que ele demorou demais para decidir — anuncio, saindo da tenda de Oliver e indo na direção da sombra da Muralha.

CAPÍTULO 8

LOGAN

— Vim buscar Rachel — eu digo quando Maria Angeles abre a porta de sua casa. — Espero que as garotas tenham gostado de aprender a oferecer um jantar para convidados.

Na verdade, eu espero que Rachel não tenha escandalizado a família Angeles ao expressar seu desgosto em relação a preparar uma mesa com mais de um garfo por pessoa, a menos que você espere usar o segundo garfo como arma. Meus lábios tremem, e eu preciso sufocar um sorriso irônico antes que tenha de explicar à maravilhosa imagem da Sra. Angeles o que é que eu acho tão engraçado.

Ela abre a boca, fecha-a em seguida e olha para mim com firmeza.

— Rachel? — pergunta, como se não tivesse certeza. Como se eu estivesse na soleira de sua porta para buscar outra pessoa.

O medo se forma em meu estômago, e uma faísca corre pela minha espinha.

— Eu a deixei aqui há duas horas. Ela disse... bom, não importa o que ela disse. Ela está aqui?

A Sra. Angeles faz que não com a cabeça, vira-se e fala por cima do seu ombro:

— Sylphia, venha até a porta, por favor.

Sylph obedece imediatamente, mas, quando me vê, solta um gemido e seus passos começam a vacilar. A voz da Sra. Angeles estala como se fosse um chicote.

— Onde está Rachel?

— Não sei. — Sua voz treme. Não tem nenhum talento para mentir. Sou grato por isso.

— Sylph, por favor. Se Rachel for apanhada... — a imagem do corpo de minha mãe surge espontaneamente em minha cabeça, jazendo no meio da rua de pedras, ensanguentado e lacerado, enquanto um grupo de cidadãos se afasta devagar. O ar fica rapidamente denso demais para respirar.

Sylph olha para o chão.

— Ela só queria passar a tarde na tenda de Oliver.

— Eu podia levá-la até lá. — Meu tom de voz é mais ríspido do que Sylph merece. Não foi ela quem planejou isso. O medo serve para impulsionar a raiva que faz meu corpo vibrar junto com cada batida do coração. Não consegui proteger minha mãe dos castigos horríveis do Comandante. Mas posso proteger Rachel. Tenho de protegê-la. Não consigo suportar a ideia de ter de acrescentar mais um fracasso a minha lista.

— Ela queria passar algum tempo lá sem que... — Sylph não prossegue, mas eu sou capaz de preencher os espaços em branco naquela conversa. Rachel queria estar com Oliver sem ter de se preocupar com minha presença, olhando por cima de seus ombros, escutando suas conversas, dizendo a ela quando é hora de ir embora e por qual rua devemos seguir em nosso caminho de volta para casa.

Não posso culpá-la por detestar as restrições que a lei de Baalboden coloca sobre ela, mas a prova de que ela prefere se arriscar a um açoitamento em público do que passar seu tempo comigo machuca mais do que eu quero admitir. Quase me esquecendo de dizer adeus a Sylph e sua mãe, saio correndo pelas ruas de North Hub.

Enquanto atravesso o Mercado Baixo, percebo o número incomum de guardas que estão presentes. Lampejos rápidos de barras douradas sobre uma garra no uniforme de um deles atraem minha atenção.

O Esquadrão dos Brutos.

O pânico rapidamente começa a me cercar, ameaçando encher minha cabeça com ruídos indesejados, e eu me esforço para afastá-lo. Rachel está bem. Ela tem de estar. Vou chegar até ela antes que o Esquadrão dos Brutos perceba uma garota andando pelo mercado sem seu Protetor. Em seguida, vou trancá-la dentro de seu quarto no andar de cima de minha casa pelo tempo que for necessário até que eu consiga concluir meu plano e ir procurar Jared.

Chego à tenda de Oliver em tempo recorde, passando esbaforido pela entrada, e digo:

— Onde ela está?

Oliver indica a saída dos fundos com um aceno impaciente.

— Aí está você! Demorou bastante para chegar. Ela me deixou falando sozinho há quinze minutos. Ela sabe que eu nunca conseguiria pegá-la. — Ele indica o corpanzil pesado com um gesto, e em seguida esbraveja: — Por que você ainda está parado aí? O Esquadrão dos Brutos está lá fora!

— Para onde ela foi?

— Para a Muralha.

Avanço e afasto a peça de lona que cobre a saída. Eu devia saber que, se me recusasse a elaborar um plano para escapar de Baalboden com ela, Rachel entraria de cabeça na tarefa de criar seu próprio plano.

O beco que fica atrás da tenda de Oliver passa por trás das outras tendas que ficam no lado oeste do Mercado Baixo antes de se juntar a uma das últimas ruas pavimentadas deste lado da cidade. Mantenho-me perto da sarjeta, com a cabeça baixa, fingindo não estar fazendo nada além de voltar rapidamente para casa.

Nuvens escuras cobrem o céu, e uma brisa fria está soprando, indicando que uma tempestade se aproxima. Calculo que não vai levar mais de dez minutos até que as nuvens despejem as chuvas do início da primavera sobre a cidade, reduzindo a visibilidade a praticamente zero.

Acelero o passo. Posso encontrar o rastro dela no meio da chuva, se precisar, mas não é isso que me preocupa. Uma rápida olhada nas ruas me mostra que o número de guardas aumentou nos últimos minutos. Não acredito em coincidências, o que significa que, de algum modo, Rachel deixou algum indício sobre suas intenções. Ela é inteligente, sabe se livrar de dificuldades e é capaz de manejar armas, mas não é páreo para o Esquadrão dos Brutos.

Também prefiro não ter de enfrentar o Esquadrão dos Brutos, mas não tenho a intenção de deixá-la cair nas garras deles.

Saio do beco, viro à direita e corro pela rua, segurando o manto com firmeza ao redor do corpo. Tenho a expressão serena. Há um guarda na porta do mercador de feno, outro par do lado do Mug & Ale, a taverna de Jocey, e tenho certeza de ver o brilho de uma espada no telhado acima de mim quando viro à esquerda para entrar em um beco entre o armorial e um galpão abandonado. Fingindo que estou ajustando meu manto, observo a rua.

Ninguém parece estar me seguindo. Isso não quer dizer que eu não deva me preocupar com o guarda no telhado, mas tenho reflexos rápidos.

O beco serpenteia para longe da rua e termina abruptamente na borda de um terreno com grama amarelada e alta, chegando até minha cintura, com uns cinquenta metros de largura. Além do gramado está a Muralha. Imensas barras verticais unidas por toneladas de concreto, espessas como uma coluna de doze homens colocados ombro a ombro, envolvem a cidade, mantendo as Terras Ermas longe de nós e os cidadãos sob o punho do Comandante. A cada cento e vinte metros existe uma torre de observação. Os guardas responsáveis por cuidar da Muralha passam a maior parte de seu horário de trabalho em uma das torres. Mas, três vezes por dia — na hora da alvorada, ao meio-dia e durante o pôr do sol —, eles desligam os detectores de movimento e deixam suas torres para fazer um exame cuidadoso da seção da Muralha que devem vigiar.

Chego à borda do campo assim que as primeiras gotas de chuva batem no chão, o sol se põe atrás da Muralha e o zunido baixo dos detectores de movimento cessa. Os guardas que estão na torre mais próxima saem sob a chuva forte, empunhando suas espadas, máscaras de visão noturna sobre os olhos, e caminham em direção ao norte com uma precisão incrível.

Rachel se ergue do meio do gramado. O pânico que eu lutava para manter afastado ganha vida conforme ela mantém o corpo agachado e corre por entre o terreno em disparadas curtas — avança alguns passos, dá um salto, rola sobre o próprio corpo até se agachar outra vez e repete tudo novamente. Por baixo da cortina de chuva, auxiliada pela escuridão que cai rapidamente, ela é apenas uma sombra.

Se eu posso vê-la, o guarda que está no telhado acima de mim também pode. Em segundos, ouço o silvo suave de um corpo caindo no chão e assumo uma postura defensiva. Ele pousa alguns passos a minha direita, com a atenção inteiramente concentrada em Rachel. Salto para a frente, desferindo um soco na lateral de sua cabeça, e arrasto seu corpo inconsciente de volta para baixo do beiral do telhado. Um exame rápido da área confirma que nenhum outro guarda está perseguindo Rachel. Se eu conseguir alcançá-la antes que seja vista pelos guardas da torre de vila, talvez consiga evitar o desastre completamente. Vou atrás dela a toda a velocidade.

Ela chega à Muralha antes que o brilho suave das máscaras de visão noturna desapareça completamente na distância. Imagino que tenhamos pouco menos de dez minutos até que os guardas retornem. Pouco menos de dez minutos para capturá-la, sufocar a discussão inevitável e trazê-la de volta à relativa segurança da cidade antes que ela nos coloque na lista de execuções do Comandante.

As rajadas fortes de chuva impedem que eu tenha certeza, mas parece que ela acabou de soltar a saia e começou a subir a escada, vestindo uma calça justa. A fúria ocupa o lugar do meu pânico e me faz agir. Caso um guarda a veja vestida assim, não hesitará em tomar o que acha que ela está oferecendo livremente, e eu serei obrigado a matá-lo.

Ela chega ao topo da muralha antes que eu alcance a base. A chuva bate em mim com força, mas eu quase não sinto. Os degraus estão escorregadios, então envolvo as mãos em meu manto de couro, agarro o metal da escada e subo o mais rápido que posso.

Na Melhor das Hipóteses: Ela está fazendo uma tentativa insensata de descer às escondidas pela lateral da Muralha e entrar nas Terras Ermas, e eu ficarei com a tarefa ingrata de impedir que ela consiga. Mas ela não foi notada por nenhum guarda.

Na Pior das Hipóteses, 1: Os guardas da torre retornam muito rápido, e eu os convenço a nos deixar ir embora.

Na Pior das Hipóteses, 2: O Esquadrão dos Brutos a encontra, e nós temos que lutar para escapar deles.

Na Pior das Hipóteses, 3: O Comandante Chase descobre esse ato de traição, tenta puni-la por isso e eu empunho minha arma contra o homem que governa toda Baalboden, espalhando o terror com punhos de ferro.

Subo a escada rapidamente, rezando para que não seja tarde demais.

CAPÍTULO 9

RACHEL

Passo rapidamente por cima do rebordo da Muralha e corro para dentro da torre de vigia redonda, feita de pedra, que está alguns metros a minha esquerda. A chuva castiga o passadiço enquanto seguro com força as manoplas magnéticas que surrupiei da pilha de invenções de Logan antes que ele me levasse até a casa de Sylph. Sinto os círculos de metal gelados contra a pele, e logo os prendo a minhas palmas. Não tenho muito tempo antes que os guardas retornem.

Passo cuidadosamente a mão diante do archote de ferro que contém uma tocha ao lado do pórtico, e a manopla puxa meu braço violentamente contra o suporte. Preciso usar quase toda a minha força para conseguir me libertar. Estas manoplas vão aderir facilmente às escoras de metal do lado de fora da Muralha e aguentar meu peso enquanto desço. Detesto admitir, mas Logan é um gênio.

Não que eu esteja disposta a dizer isso a ele algum dia.

Puxo o manto para mais perto do corpo. A chuva está caindo em rajadas opacas. Terei sorte se conseguir enxergar dois metros a minha frente. E isso significa que os guardas também não serão capazes de me ver.

Mas também significa que não conseguirei ver o que estará a minha espera nas Terras Ermas. Não estou muito preocupada com bandidos ou animais selvagens. Se houver algo que eu não possa matar, pelo menos posso me esconder. Meu pai me treinou bem. Encarar o Maldito, entretanto, é um problema totalmente diferente.

Não sabemos quanto tempo a besta-fera permaneceu em seu covil sob a superfície, mas sabemos como ela foi libertada. Um empresário rico em busca de uma nova fonte de combustíveis renováveis comprou terras por todo o globo, contratou equipes e, em um dia infeliz, mandou todos os seus funcionários perfurarem uma camada de rocha metamórfica no fundo da crosta terrestre. Em vez de encontrar uma nova fonte de combustível, as equipes de perfuração encontraram criaturas imensas que soltavam baforadas de fogo e rastreavam suas presas pelo som. Enlouquecidas pelo barulho das civilizações que viviam acima deles, ou talvez guiadas simplesmente pelo instinto primitivo de destruir qualquer coisa que pudesse ser capaz de destruí-las, as criaturas subiram à superfície e aniquilaram quilômetros e quilômetros de áreas densamente povoadas a cada vez que surgiam, vindas das profundezas da Terra.

No caos que veio a seguir, todas as organizações militares posicionaram seus esquadrões mais experientes em áreas densamente povoadas com o plano de montar ciladas para as feras. Era uma missão suicida. Ninguém era capaz de prever onde as criaturas surgiriam, e quaisquer tropas que não estivessem posicionadas de acordo eram imediatamente mortas. Vários esquadrões tiveram sorte e conseguiram explodir um ou dois monstros antes que eles revidassem e matassem a todos.

Num último esforço desesperado, o governo do nosso continente mandou tudo que ainda restava — uma equipe de soldados jovens e inexperientes, junto com um punhado de geólogos — às profundezas da Terra para prender a nossa besta-fera de volta em seu covil. A equipe liderada pelo Comandante Chase fracassou em sua missão, e, quando retornou à superfície, não havia mais nenhum governo. Nada de lei e ordem. Nada além de pânico, fogo e um monstro sobrevivente que estava sistematicamente matando os sobreviventes.

O Comandante e sua equipe assumiram o controle, organizaram os esforços humanitários e provaram várias vezes que, por razões que se recusavam a revelar, o Maldito restante nunca os atacava, nem ninguém que estivesse por perto. Não demorou muito até que os sobreviventes declarassem seu apoio aos homens protegidos e os proclamassem seus novos líderes. Em cerca de uma década, nove cidades-estado governadas pelo Comandante e os outros membros de sua equipe se estendiam pelo nosso continente, oferecendo abrigo e proteção aos cidadãos. Em troca, as pessoas deveriam apenas jurar lealdade ao líder da cidade onde residiam.

Abandonar a proteção de Baalboden significa arriscar um encontro com a fera, especialmente porque o Comandante construiu sua cidade-estado mais perto da toca da criatura do que as cidades governadas pelos outros líderes. Basta um movimento em falso e ninguém mais encontrará qualquer vestígio meu.

É por isso que não posso cometer erros. Minhas mãos tremem enquanto repasso meu plano.

Sair correndo pelo pórtico. Agarrar o beiral da Muralha. Saltar por cima dela. Bater as mãos contra as vigas de metal quando estiver caindo. Deslizar até o chão e escapar em meio à escuridão traiçoeira das Terras Ermas, sem levar nada comigo além do meu conhecimento e da minha faca.

Pode dar certo. Tem que dar certo.

Respiro fundo e passo pelo pórtico correndo.

Não avanço mais de três metros antes de me chocar contra um obstáculo firme e inabalável. Dedos fortes se movem para agarrar meus braços e eu ergo os olhos.

Comandante Chase.

O terror rasga uma trilha flamejante pelo meu corpo, e eu mal consigo respirar.

Estou morta.

Ele me observa fixamente durante um minuto excruciante, depois me empurra pelo pórtico em forma de arco da torre de vigilância, com dois membros de seu Esquadrão dos Brutos vindo logo atrás. Um deles usa uma pederneira para acender o lampião que repousa sobre a mesa, e a luz súbita dói em meus olhos. A fúria queima nos olhos sombrios do Comandante, e meus joelhos ameaçam ceder sob o peso de meu corpo.

Damos três passos para dentro da torre antes que ele me largue, empurrando-me na direção da mesa. Tropeço na barra de meu manto e caio no chão, girando o corpo no ar para ficar de costas para ele.

Preciso de um segundo para arrancar as manoplas magnéticas de Logan das mãos e enfiá-las no bolso interno de meu manto. Posso estar prestes a morrer, mas não preciso levar Logan comigo. Disfarçando minhas ações enquanto me levanto lentamente, sinto um leve toque de alívio quando as manoplas deslizam para dentro do bolso sem maiores incidentes.

— Você está escondendo segredos de mim. — Não há espaço em seu tom de voz para evitar o inevitável. Os dois guardas que o acompanham se aproximam, um de cada lado, com as mãos já ao redor das empunhaduras das suas espadas.

Faço que não com a cabeça, e ouço as batidas de meu coração quando o sangue corre furiosamente por minhas orelhas.

Ele ergue a mão direita, com a palma voltada para mim, e os guardas sacam suas espadas.

— Conte a verdade, menina, ou morra. Para mim, não faz diferença.

— Eu estava tentando sair dos limites da Muralha — eu digo, com a voz frágil. — Quero encontrar o meu pai.

Ele assente uma vez, e o guarda que está a meu lado encosta a lâmina de sua espada contra meu pescoço. Ergo o queixo quando o metal morde minha pele, mas me recuso a implorar por clemência. Ele deveria ter enviado um rastreador quando ficou evidente que meu pai não retornaria de sua última missão. Se não teve qualquer piedade de seu melhor mensageiro, ele certamente não terá nenhuma por mim.

— Eu sabia. — Ele cospe as palavras em mim. — No dia em que o testamento de Jared foi lido, eu percebi que você sabia alguma coisa sobre o paradeiro dele. — O sorriso que ele abre me deixa enjoada. — É bom saber que o esforço extra de mandar segui-la está prestes a render frutos. Agora, onde é que ele está?

— Não sei.

Seu sorriso se estende até tocar a linha grossa da cicatriz que marca o seu rosto.

— É claro que você sabe onde ele está. Provavelmente ele está à sua espera do outro lado da Muralha. Nenhuma menina sai para as Terras Ermas sozinha. — Sua voz está cheia de desprezo, e sua mão ainda está erguida, como se pudesse fechar o punho a qualquer momento, dando ao guarda a permissão para me matar.

— Por que não? — eu pergunto, orgulhosa pelo fato de que minha voz só treme um pouco.

O sorriso dele se desfaz lentamente.

— Você está precisando de alguém que a ensine qual é o seu lugar.

Mordo meu lábio para que ele não trema, e tento ignorar a lâmina de prata que raspa a pele de minha garganta, deixando-a em carne viva.

— Onde ele está? — pergunta o Comandante.

— Não sei.

Ele saca sua própria espada e se aproxima. O guarda afasta a lâmina de meu pescoço, mas não a embainha de volta.

Posso sentir o cheiro morno e úmido da lã da jaqueta militar do Comandante misturado com seu hálito úmido e malcheiroso. Meus joelhos parecem ter se transformado em algo líquido, e eu sou obrigada a apertar os dentes para que eles não batam uns contra os outros enquanto os olhos sombrios do Comandante me devoram.

— Você está mentindo. — O lábio dele envolve as palavras enquanto elas caem como pedras entre nós. — Se não sabe onde ele está, como espera encontrá-lo?

— Eu ia rastreá-lo.

— Rastreá-lo? — O Comandante dá um passo atrás e olha para o guarda que está ao meu lado. — Ela queria *rastreá-lo*. — Os dois riem.

A raiva me faz endireitar a coluna.

— Sou capaz de fazer isso.

— Olhe para si mesma — O Comandante brande a espada contra mim, e eu vacilo quando a ponta corta o ar ao lado de meu rosto. — Nada além de uma menina que se acha capaz de rastrear um de meus melhores mensageiros nas Terras Ermas, tendo apenas uma calça e um manto como proteção. Mulheres como você são a principal razão para a necessidade do protocolo de Proteção. Só assim podemos nos salvar dessas tolices.

— Não é tolice. Eu sei o que estou fazendo. Meu pai me treinou.

Em meio ao silêncio súbito que segue minha declaração, ouço a chuva bater forte do lado de fora da torre quando as gotas caem sobre o passadiço de pedra. Ouço também o som baixo das vozes dos homens que estão perto da torre, do lado de fora. Antes que eu consiga fazer qualquer coisa além de olhar na direção da porta, o Comandante Chase avança contra mim, e sua expressão me faz lembrar a de um predador que se prepara para saltar sobre sua presa.

— Ele a treinou?

Eu faço que sim com a cabeça e engulo em seco, tentando sufocar o nódulo gelado que está se formando no fundo da garganta. Tenho de convencê-lo de que meu pai ainda está vivo e que estou qualificada para encontrá-lo. O plano de sair às escondidas da Muralha pode estar em frangalhos, mas não há nada que me impeça de sair às Terras Ermas em uma missão autorizada pelo Comandante. Nem mesmo Logan poderia contestar isso.

Bem, ele contestaria mesmo assim. Mas não poderia me impedir.

— E como foi que ele se certificou de que você, uma menina, seria capaz de sobreviver nas Terras Ermas?

— Ele fez com que eu o acompanhasse em algumas das suas missões de mensageiro.

Um toque de crueldade brilha no rosto dele, e ele sorri, uma paródia horrível de alegria. Recuo um passo e esbarro na mesa atrás de mim.

Mais guardas entram naquela sala, empurrando outro homem para dentro. Mal consigo olhar para eles, mas me sinto congelar quando percebo quem eles pegaram.

Logan.

Sinto o coração apertar, uma dor súbita que faz com que seja muito difícil olhar nos olhos de Logan enquanto ele está ao lado do Comandante, com os cabelos encharcados e seus olhos azuis fixos nos meus. Eu sou a responsável por isso. Ele só veio até aqui porque está tentando ser um bom Protetor. Independentemente do quanto eu esteja furiosa por ele se recusar a ajudar a descobrir onde meu pai está, Logan não merece sentir o peso da ira do Comandante.

Talvez, se eu conseguir distrair o Comandante com o que tenho a oferecer para empreender a busca pelo meu pai, ele poupe Logan de qualquer reprimenda severa que um Protetor recebe quando sua protegida desaparece.

O Comandante Chase nem se incomoda em olhar para ele. Em vez disso, ele se aproxima de mim, cercando-me entre ele e a mesa.

— Você acompanhou o seu pai na sua penúltima missão?

Abro a boca para falar, mas Logan nega com a cabeça em um movimento frenético:

— Não.

O Comandante olha rapidamente por cima do ombro.

— Ah, o seu Protetor chegou. — Ele move a espada até que a ponta pressione a pele macia sob meu queixo. Agarro a borda da mesa com as mãos úmidas e tento permanecer absolutamente calma. — Não diga mais nenhuma palavra, ou ela morre.

Logan cerra os punhos, mas aperta os dentes e permanece em silêncio.

A espada do Comandante continua firme enquanto ele fala:

— A verdade, por favor. Você acompanhou seu pai em sua penúltima missão?

— Sim. — Eu sussurro a palavra, mas mesmo esse movimento sutil faz com que minha pele raspe na lâmina. A dor é forte e rápida, e um fio morno de sangue lentamente serpenteia pela minha pele, escorrendo até o pescoço.

— Para onde vocês foram?

— Rowansmark. — Mais dor. Mais sangue.

Logan faz um som que me lembra um vira-latas faminto acossando sua próxima refeição.

O Comandante sorri.

— E este é o momento em que você me entrega seus segredos ou a sua vida. — A ponta da espada pressiona ainda mais o meu queixo, e as lágrimas fazem meus olhos arder. — Aconteceu algo incomum na viagem para Rowansmark?

Olho para Logan. Seu rosto está branco. Percebo em seus olhos que ele implora pelo meu silêncio, tão intenso como se ele suplicasse aos gritos. Mas acredito que o Comandante está realmente disposto a me matar. E só existe uma maneira de conseguir sair de Baalboden para rastrear meu pai. Tenho de dizer a verdade.

Tento afastar o queixo da ponta da espada e espero não estar cometendo o maior erro de minha vida.

— Sim.

CAPÍTULO 10

LOGAN

O sangue escorre pelo pescoço de Rachel, e seu corpo treme. Uma coisa ruim enche meu peito, implorando para que eu a liberte. Foi tolice se arriscar tanto para ir procurar Jared. Foi também de uma coragem inacreditável. Sei que ela acha que está pronta para pagar o preço por esse ato de coragem, mas não consigo aguentar a ideia de ver morrer outra mulher com quem me importo.

Eu devia ter percebido isso antes. Assim, Rachel talvez não estivesse presa entre a mesa e a ponta da espada do Comandante. Examinando o lugar onde estou, começo a catalogar minhas opções.

Chegaram mais dois guardas da torre, voltando da inspeção da Muralha ao pôr do sol. A sala dá a impressão de estar abarrotada, e o cheiro de corpos quentes e de mantos encharcados pela chuva empesteia o ar.

— Bem, vamos cuidar do problema mais imediato. — O Comandante afasta a espada da garganta de Rachel, e o aperto que sinto no peito parece afrouxar um pouco. Temos uma chance. Desde que ele pense que temos algo a lhe oferecer, teremos uma chance.

A luz do lampião reflete na pedra vermelho-sangue que o Comandante exibe incrustada em um anel no quarto dedo da mão esquerda. A garra dourada de um dragão dividindo a joia ao meio reluz suavemente, e eu desvio o olhar.

Ele está observando Rachel.

— Você disse que algo incomum aconteceu. O que houve?

Ela olha rapidamente para mim, mas não há nada que eu possa fazer para impedir que isto prossiga. Não até saber o que ele realmente quer, e descobrir como podemos convencê-lo de que nos manter vivos pode lhe dar o que ele quer.

— Alguém entregou um pacote a meu pai. Não foi nada oficial. Aconteceu quando estávamos quase saindo de Rowansmark — diz ela.

Os olhos sombrios do Comandante brilham.

— Ele o abriu?

Ela hesita por uma fração de segundo antes de dizer:

— É claro que não.

Ele se aproxima dela, com a mão agarrando a empunhadura da espada até que as veias em suas mãos saltem com a tensão.

— Estamos em paz com Rowansmark há quase quatro décadas. Você sabe por quê?

— Porque nenhuma cidade tem a tecnologia necessária para destruir a outra? — pergunta Rachel, olhando nos olhos dele enquanto recita uma frase que já ouvi Jared repetir várias e várias vezes. Sinto um frio na barriga. Agora não é hora de questionar abertamente as ações do Comandante. Aqueles que trabalham como mensageiros conhecem bem a animosidade que existe entre o Comandante Chase e seu ex-Major James Rowan. A maioria das missões enviadas a Rowansmark envolvem espionagem, e são disfarçadas como negociações comerciais. O Comandante faz questão de saber tudo que James Rowan pode estar tramando.

Pergunto a mim mesmo se Jared desapareceu porque Rowan está ocupado em fazer exatamente a mesma coisa em relação ao Comandante.

— É uma teoria interessante — diz ele. — Foi seu pai que disse isso depois de abrir o pacote?

— Ele nunca chegou a abri-lo. Pelo menos, não na minha frente.

— Onde está o pacote?

— Ele o escondeu durante a viagem de volta.

— Porque planejava retornar a Rowansmark? — sua voz corta o ar, cheia de fúria, e Rachel dá um salto.

— Ele nunca faria isso! Meu pai é leal a Baalboden!

— Você tem uma chance de provar isso para mim. Onde foi que ele escondeu o pacote? — O braço que empunha a espada se retesa quando ele ergue a lâmina diante do rosto de Rachel.

— Não tenho certeza. Mas sei qual foi o caminho que tomamos, e conheço os esconderijos do meu pai — diz ela, com tanta confiança que tenho certeza de que o Comandante acreditará que precisa dela para ajudá-lo a encontrar o pacote. Agora ele precisa ser convencido a me enviar junto com ela. Não existe qualquer possibilidade de que eu permita que Rachel ande pelas Terras Ermas sozinha com o Esquadrão dos Brutos do Comandante.

— Eu sei onde o pacote está — eu digo.

Todos os olhos se voltam para mim. Procuro o olhar sombrio do Comandante e fixo meus olhos nos dele.

— Mais segredos? — ele pergunta suavemente, e gira sobre os calcanhares, ficando de frente para mim e apontando a espada para minha garganta com uma firmeza impressionante. Os guardas do Esquadrão dos Brutos que estão a meu lado seguram meus braços com mais força, mas eu não me debato. Não vou dar esse prazer ao Comandante.

— Rachel tem razão. Ela conhece o percurso da viagem e os locais seguros que utilizaram no trajeto. Mas Jared me falou sobre o pacote. Coisas que não queria compartilhar com Rachel.

A expressão do Comandante está tingida pela malícia, e a tensão na sala me preenche como se estivesse viva.

— Diga-me o que ele lhe falou — ordena ele.

Não posso. Revelar qualquer informação agora acabaria com minha utilidade, e provavelmente com a de Rachel também. Além disso, não tenho nenhuma informação para revelar. Estou contando com a possibilidade de que ele deseje muito o pacote, e que não esteja disposto a colocar meu blefe à prova. Não quero nem considerar as consequências caso eu esteja errado.

— Não tenho certeza de que sou capaz de descrever com exatidão os locais que ele mencionou. Acredito que eu precise vê-los com meus próprios olhos para ter certeza — eu digo. — Rachel pode me guiar até as proximidades do lugar, e eu posso prosseguir a partir dali.

Ele rosna para mim.

— Você acha que a sua vida tem algum valor para mim, Logan McEntire?

Não existe resposta certa para essa pergunta. Se eu disser que sim, serei morto para provar o contrário. Se eu disser que não, qualquer chance que eu tenha de acompanhar Rachel desaparecerá, e eu provavelmente serei morto por tentar interferir.

— Quem deve decidir sobre o valor da minha vida é o senhor. — Eu quase engasgo quando digo *senhor*.

O Comandante bate com a superfície plana da lâmina da espada em meu ombro, cortando minha pele. Rachel geme e enfia a mão por baixo de seu manto. Tenho uma suspeita terrível de que ela tem uma arma escondida ali.

Ela vai acabar sendo morta por tentar me defender se eu não for capaz de dar um fim a essa situação, mas não sei como vou fazer isso. Meu estômago se retorce enquanto imagino várias possibilidades para tentar encontrar uma saída. Não há nenhuma, a menos que o Comandante acredite que somos indispensáveis para lhe trazer o que ele quer.

Por favor, acredite que somos necessários para conseguir o que deseja.

— Jared Adams tem algo de que eu preciso — diz ele. — Você e a garota vão buscar o pacote para mim.

Sinto uma onda de alívio correr pelo meu corpo.

— Entendido.

Ele cospe as palavras para mim.

— Escute o que eu vou lhe dizer, inventor que gosta de brincar com as palavras. Você pode ser substituído. A garota pode ser substituída. Não vou hesitar nem por um segundo se tiver que derramar o sangue dela e encontrar outra para tomar o seu lugar. Você realmente pensa que a vida de qualquer cidadão importa em comparação com aquilo que eu decido de que Baalboden precisa?

Antes que eu possa fazer qualquer coisa a não ser respirar fundo, em um suspiro rápido e tomado pelo pânico, ele gira o corpo e avança sobre Rachel com a espada em punho.

CAPÍTULO 11

RACHEL

— Rachel! — Logan se joga para a frente, lutando para se desvencilhar dos membros do Esquadrão dos Brutos que o seguram no lugar.

Minhas costas batem contra a mesa quando a espada do Comandante penetra profundamente no peito do guarda que está a meu lado. O homem solta um ruído gorgolejante do fundo da garganta e ergue a mão para agarrar a lâmina enterrada em seu peito. O sangue se empoça em sua palma e escorre pelo metal prateado em uma trajetória sinuosa, enquanto ele lentamente desaba no chão. Seu olhar está fixo no rosto do Comandante até que a expressão nele se endurece no olhar distante dos mortos.

Não consigo nem lembrar como fazer para meu corpo se mover.

O Comandante encosta a sola da bota no ombro do guarda, agarra a empunhadura da espada com as duas mãos e puxa. A lâmina se solta do corpo com um som úmido de sucção, lançando gotas de sangue no ar enquanto o anel no dedo do Comandante brilha, úmido, sob a luz das tochas.

Sinto que vou engasgar, e o Comandante segura a espada ensanguentada contra minha garganta. Minha faca parece inútil em meus dedos torpes. Era muito mais fácil imaginar como seria matar um homem antes de perceber como as coisas realmente são.

— Eu disse que iria lhe ensinar qual era o seu lugar — diz o Comandante, tranquilamente.

Não consigo falar em meio ao enjoo que sobe por minha garganta. O cheiro metálico do sangue domina meus sentidos. Prendo a respiração, mas isso apenas me obriga a engolir o ar infestado pelo sangue até que eu sinta vontade de gritar.

Ele sorri. Estendendo a mão, dedilha uma longa mecha de meu cabelo. Minha boca fica seca, e me sinto uma idiota por segurar o cabo da faca que trago escondida sob o manto como se ela pudesse me salvar.

O Comandante olha para Logan, deixando que o meu cabelo deslize lentamente por seus dedos.

— Eu planejava ameaçar a vida dela para conseguir a sua cooperação incondicional, mas mudei de ideia. Seria uma pena extinguir um espírito tão forte antes que alguém tenha a oportunidade de domá-la, não acha?

Um sentimento obscuro e desesperado desperta dentro de mim, mordendo minhas entranhas como se fosse bile. Quero afastar sua mão com um tapa, mas, com a espada ainda encostada em minha garganta e Logan nas mãos dos guardas, não posso me mover.

Logan parece estar prestes a vomitar, mas, por trás de sua palidez, eu percebo algo que nunca soube que ele seria capaz de sentir: fúria. Se o Comandante também percebe, ele não demonstra. Está ocupado demais olhando para mim como se eu fosse sua próxima refeição. Estremeço ao perceber o brilho predatório. Não sei se ele quer me matar ou se pretende me tomar para si.

— Senhor... — Logan começa.

— Em vez disso, decidi que os termos do serviço que você prestará a mim serão os seguintes: dê-me a sua palavra de que retornará com aquilo que me pertence, e deixarei que você viva. Caso contrário, a garota precisará ser colocada sob os cuidados de outro Protetor enquanto você sai para buscar o pacote para mim. — Ele estende a mão e enxuga uma gota de sangue que caiu em meu rosto, e eu sinto um calafrio. — Tenho certeza de que conseguirei encontrar um homem disposto a cuidar dela.

— Isso não será necessário. — A voz de Logan treme.

— Sua palavra?

— O senhor a tem.

— Você terá alguns dias para juntar o equipamento que julgar necessário e planejar sua viagem. Avise-me quando estiver pronto para partir. Enviarei alguns guardas para acompanhá-lo.

Abruptamente, o Comandante se afasta de mim, limpa a espada no manto do homem morto a nosso lado e marcha em direção à porta. — Joguem esse lixo nas Terras Ermas — diz ele para o outro guarda da torre. Em seguida, ele e seu Esquadrão dos Brutos desaparecem em meio à noite.

CAPÍTULO 12

LOGAN

Não consigo falar por causa da raiva que toma conta de mim enquanto deixamos a Muralha para trás e caminhamos pelas ruas desertas do Mercado Baixo. A imagem do Comandante olhando para a calça justa de Rachel enquanto esfregava o dorso da mão em seu rosto manchado de sangue domina minha cabeça, e eu esmurro a parede de madeira da tenda a meu lado.

Rachel dá um pulo, assustada, e me observa pelo canto dos olhos. Ela só percebeu o homem que me tornei depois que Oliver e Jared demonstraram algum interesse por mim. Não tem ideia das coisas que sou capaz de fazer quando estou acuado.

Mas eu sei, e socar uma parede é a melhor opção que existe para mim, a menos que eu decida fazer algo bem mais destrutivo com a raiva que sinto. Como sacar minha espada contra o Comandante.

— Está se sentindo melhor? — pergunta Rachel, e eu soco a parede outra vez para não descontar minha raiva nela. Não que ela não mereça uma boa parte.

Agito a mão e seguro seu braço enquanto nos afastamos do Mercado Baixo. Tenho de me acalmar. *Pensar*. Agora, o Comandante tem certeza de que Jared recebeu um pacote que não entregou. E ele sabe que transformou Rachel em uma ferramenta útil devido à ideia de que será capaz de salvar o seu pai.

E nada disso teria acontecido se ela não houvesse tentado fugir de dentro dos limites da Muralha.

— Você está me machucando — ela diz, enquanto acompanha meus passos por entre as ruas iluminadas por tochas.

— Você tem sorte — eu digo.

— Por você estar machucando o meu braço? — A voz de Rachel está pontilhada por sua insolência habitual, mas eu percebo a insegurança que há por trás disso.

— Você tem sorte por eu não estar torcendo o seu pescoço.

Ela decide ficar quieta, e eu afrouxo a pressão dos dedos.

Passamos pela riqueza obscena da região de Central Square, onde casas de vários pavimentos brilham sob as luzes dos lampiões pendurados em frente às portas, onde ninguém que mora ali dentro sabe o que é passar fome. Quando eu era um garoto sozinho e arredio, costumava andar por Central Square à noite, imaginando as vidas perfeitas das famílias que viviam dentro de toda aquela beleza e desejando pertencer a uma delas. Isso aconteceu antes que Oliver e Jared estendessem a mão para mim, e eu aprendi que uma pessoa encontra sua verdadeira família naqueles que a escolhem. A riqueza não tem nada a ver com isso.

Deixando Central Square para trás, nós vamos em direção ao sul. As casas ficam menores. Com uma distância cada vez maior entre as tochas, os becos ficam mais escuros e eu examino as ruas o tempo todo, catalogando ameaças em potencial, ignorando aquelas que sei que posso enfrentar com os olhos fechados e planejando rotas de fuga para aquelas que talvez não tenhamos condições de evitar.

— O que deu na sua cabeça? — eu pergunto a ela quando viramos uma esquina e chegamos a South Edge. Aqui as tochas nas ruas já desapareceram, e as únicas luzes visíveis brilham timidamente por trás de janelas cobertas com tábuas. Eu solto o braço de Rachel e busco minha espada enquanto ela desembainha sua faca. Só um idiota anda desarmado pelas ruas de South Edge.

— Eu estava pensando que meu pai precisa ser resgatado — diz ela, ríspida.

Alguma coisa se move em um beco a nossa esquerda, e eu giro para trás do corpo de Rachel, continuando a caminhar em seguida, colocando meu corpo e minha espada entre ela e a escuridão esmagadora da entrada do beco.

— Deixe ver se eu entendi direito. — Mordo cada uma das palavras para não cuspi-las. — Você quer resgatar o seu pai, e, por isso, decide pular a Muralha sozinha? Por acaso está querendo morrer?

— Não seja idiota. — Ela fala como se estivesse rangendo os dentes. — Eu não sabia que o Comandante tinha mandado seus guardas nos seguirem.

— É claro que não sabia. Está tão transtornada com o desaparecimento de Jared que se recusa a prestar atenção em qualquer outra coisa. — Arrependo-me daquelas palavras assim que elas saem de minha boca. Eu também não percebi que estávamos sendo seguidos, e, como seu Protetor, isso era uma de minhas responsabilidades.

Pressiono a palma contra a cintura de Rachel, a suas costas, e a levo até o outro lado da rua. O calor de sua pele se irradia pela minha e passa uma sensação de conforto.

O que serve apenas para provar que minha capacidade de pensar logicamente parece não estar funcionando direito. Estou começando a me preocupar com o fato de que ser responsável por Rachel, de algum modo, tenha acabado por afetar permanentemente minha cabeça.

Ela se afasta da minha mão.

— Pelo menos um de nós sente alguma coisa em relação ao desaparecimento do meu pai.

— Quem disse que eu não sinto a falta dele? — Uma sombra sai debaixo de um batente de porta atrás de nós. Quatro ou cinco centímetros mais alto do que eu, mas eu devo ter sete ou oito quilos de vantagem sobre ele. Além disso, o homem está mancando. Mesmo assim, envolvo o braço dela outra vez com a mão e a puxo para atravessar o quintal de alguém, passando por cima de uma cerca baixa, até chegarmos a uma rua paralela àquela em que estávamos andando.

Ele não nos segue.

— Você está me escutando? — pergunta ela, e eu percebo que ela estava falando durante todo esse tempo.

— Agora, estou.

— Típico. Eu estava perguntando como você é capaz de dizer que sente a falta dele. Tudo o que você faz é ficar sentado, dia após dia, fazendo desenhos...

— Desenhos? São planos e esquemas elaborados para uma invenção que...

Ela agita a faca no ar, como se pudesse cortar minhas palavras e arrancar sangue delas.

— Fazendo desenhos, montando seus brinquedinhos...

Agora chega.

— Você não despreza os meus brinquedinhos tanto assim. Estava até mesmo planejando usar as minhas manoplas para pular por cima da Muralha, não é? — Minha voz está ficando mais alta. Meus *brinquedinhos* estão prestes a nos dar uma maneira de encontrar Jared e ficar longe das vistas do Comandante.

Claro, não cheguei realmente a conversar sobre isso com ela. Achei que a estaria protegendo, mas talvez, se eu houvesse confiado nela, não estivéssemos na situação atual.

Ela ergue o punho como se quisesse me atacar.

— Todos os brinquedos, planos e livros do mundo não vão nos ajudar a resgatar o meu pai. E você passa o tempo inteiro sentado, como se tivéssemos todo o tempo do mundo para ir procurá-lo! — A voz dela fica embargada, e eu estendo os braços para trazê-la para junto de mim, tirando-a do caminho de uma carroça puxada por mulas que passa pela rua.

— Nós não temos muito tempo, é verdade. Posso sentir isso. Você não sente também? — A voz de Rachel vacila, e eu fico chocado ao perceber as lágrimas rolando por seu rosto, escorrendo por uma trilha quente entre as gotas geladas de chuva que ainda deságuam sobre nós.

Eu nunca a vi chorar antes. Nem quando era uma garotinha treinando com armas de homens grandes, machucando-se com bastante frequência. Nem quando começou a florescer na adolescência, olhando para mim na varanda dos fundos de sua casa e abrindo seu coração para mim. E, logo em seguida, rejeitei seus sentimentos. Nem mesmo quando ficou claro que Jared não iria voltar. A fúria em mim afunda sob uma dor súbita e pungente, e tudo o que eu desejo é ser capaz de ter uma conversa civilizada com ela.

Viramos a esquina que marca a divisão entre South Edge e Country Low. Quero encontrar as palavras perfeitas para confortá-la, mas não consigo. Assim, caminho em silêncio enquanto os casebres frágeis se transformam em casas pequenas e aconchegantes, e os tufos de grama suja entre elas se expandem em jardins, hortas e pequenos pomares. Embora não haja tochas iluminando as ruas aqui, a escuridão agora é amistosa.

Minha casa surge em meu campo visual, e ela acelera o passo para me deixar para trás, pisando forte nos degraus de pedra, alcançando a porta de madeira antes de mim. Pendurando seu manto encharcado em um gancho ao lado da porta, ela entra na parte principal do sobrado enquanto eu acendo os dois lampiões pendurados ao lado da entrada.

Ela está revirando a cozinha com movimentos bruscos, por causa da raiva ou da tristeza. Provavelmente ambas. Atravesso a sala até que chego a menos de três metros de onde ela está.

— Eu sei que estamos ficando sem tempo. Mas você tem que confiar em mim. Eu sei o que estou fazendo.

Ela se assusta ao ouvir o som de minha voz tão perto, e lança um olhar feroz por cima do ombro antes de ir em direção ao caixote de madeira que serve como despensa, no canto da cozinha.

— Eu sei o que você está fazendo, também. Você vai entrar nas Terras Ermas comigo. E, por falar nisso, desculpe. — Ela abre a despensa e começa a revirar seu conteúdo.

Desculpar-se por quê? Por ter de levá-la comigo? Será que ela realmente me odeia tanto assim? A mágoa que vem junto com esse pensamento é uma dor lenta e incômoda que me pega de surpresa. Minha voz se eleva quando eu a sigo e pergunto:

— Você está realmente me pedindo desculpas?

Desta vez, ela bate a cabeça quando pula, assustada com o som de minha voz. Virando-se, ela empurra um saco de carne de carneiro curada em meus braços e explode:

— Pare de me seguir assim.

Eu pego o saco antes que ele caia e a encaro com uma expressão séria.

— Por que você está tirando comida da minha despensa? — Eu deixo a carne curada sobre a mesa atrás de mim enquanto ela pega dois potes empoeirados de pasta de figo, esbarrando e derrubando um saco de batatas no decorrer do processo.

— Estou preparando as coisas para a viagem, é claro.

— Espere um minuto.

Ela empurra os potes de pasta para mim e revira os olhos.

— Tudo bem. Vou terminar de me desculpar. Não queria que você se envolvesse. Eu devia ter chegado ao outro lado antes que você fosse capturado. Assim, não estaríamos com tantos problemas.

Bato os potes de pasta contra o tampo da mesa ao lado da carne seca.

— Como você é capaz de dizer isso?

Ela fecha os punhos e os coloca sobre os quadris, ignorando as batatas que rolam a seus pés.

— Eu já estaria longe daqui, Logan. No meio das Terras Ermas. E, se você tivesse ficado quieto quando lhe perguntaram por que estava na Muralha, nada teria mudado para você.

— Nada... — Meu estômago se revira quando percebo o quanto a opinião que ela tem a meu respeito é ruim.

— Você estaria livre para inventar, ler e tornar a vida dos cidadãos deste lugar melhor. E o seu dever estaria cumprido. — Ela chuta uma batata, jogando-a para o outro lado da cozinha enquanto algo começa a queimar dentro de mim.

Olho para ela, irritado.

— E qual seria esse dever? Aquele que eu jurei à memória do homem que considero meu único amigo de verdade? — Inclino-me na direção dela conforme minha voz fica mais alta. — Aquele a quem jurei pessoalmente que iria protegê-la, quando percebi o quanto você fica perdida se ele não está por perto?

Ela recua um passo e esbarra na despensa.

— Não estou perdida.

— Você está *perdida*, sim. E todos sabem disso. Três meses até a Toma. De repente, todos os homens da cidade começam a olhá-la como se você fosse... — Eu fecho a boca e viro as costas antes que diga o que realmente estou pensando. Aquilo que todos os homens que param para olhar a beleza ardente, o espírito indomável e os belos cabelos ruivos estão pensando.

Ela está gritando agora.

— Como se eu fosse o quê? Patética? Uma pobre garotinha que precisa de um homem a cada vez que sai de casa? Não sou assim. Meu pai cuidou para que eu não fosse. Você devia ter ido procurá-lo junto comigo na primeira vez em que lhe pedi. Você devia ter ido!

Giro para encará-la, e avanço em sua direção até que a distância entre nós possa ser medida em respirações. Ela está tremendo. Eu também estou. Ela me observa com olhos cheios de mágoa, e eu quero arrancar toda a feiura das nossas vidas, mas não sei como.

— Rachel.

Seus cabelos estão ensopados. Gotas reluzentes de água deslizam suavemente por sua pele pálida. Ergo a mão lentamente, mas ela não se esquiva quando pressiono minha palma contra seu rosto, deixando que a água escorra por nós dois. As pontas de meus dedos estão calejadas e manchadas de tinta, ásperas contra a maciez de sua pele. Ela parece frágil e feroz, e eu sinto o desejo de ter mais do que essa animosidade que existe entre nós.

— Você tem razão — eu digo, em voz baixa. — Eu devia ter ido atrás dele. Vai se sentir melhor se eu lhe disser que sempre tive a intenção de ir?

— Quando? — ela sussurra.

— Quando eu terminar de construir o dispositivo de rastreamento que pretendo usar para encontrá-lo.

A pele de Rachel fica mais quente sob minha mão, conforme sua raiva se transforma em algo hesitante e suave.

— Eu devia ter lhe contado o que estava fazendo. — Meu polegar desliza pela face de Rachel, como se percorresse uma trilha, interceptando outra gota de água. — Eu devia ter confiado em você. Desculpe.

— Não, eu é que peço desculpes. Desculpe por lhe julgar mal. Desculpe por fazer com que fôssemos apanhados esta noite. — Ela se aproxima de mim.

Meu olhar se fixa nos lábios dela, e eu não consigo ver nada além de um fino fio de água que desce por sua pele, acumulando-se no canto da boca, e escorrendo lentamente na direção do pescoço. Ela ergue uma mão trêmula e pressiona os dedos contra os lábios. Prende a respiração, um som fraco que me faz perceber o quanto nós dois estamos próximos.

Uma onda de calor corre pelo meu corpo, e eu aproximo meu rosto do dela.

— Logan? — A voz de Rachel é suave, mas o som de meu nome traz um pouco de meu bom senso de volta.

Afasto-me dela rapidamente e solto um palavrão.

CAPÍTULO 13

LOGAN

— Desculpe — eu digo, recuando outro passo.

Ela desvia os olhos e cruza os braços sobre o peito. — Desculpá-lo por quê? Por falar palavrões?

— Sim. Não. Digo... sim, mas... — A onda de calor que toma conta de meu corpo se esvai conforme a realidade fria volta a assumir o controle.

Eu quase *beijei* Rachel.

Perceber aquilo não é tão chocante quanto o fato de que, apesar de nossas diferenças, da situação em que estamos agora e da impossibilidade prática de tudo isso, eu ainda sinto o desejo de encostá-la na parede e sentir seu sabor.

Esse pensamento coloca meu autocontrole em perigo. Preciso falar sobre outra coisa, *pensar* em outra coisa, e rápido. Olhando ao redor para buscar inspiração, eu percebo a invenção que ainda não está terminada sobre a mesa e digo:

— Está vendo isso aqui?

É claro que ela está vendo. Não é cega.

— Estamos mudando de assunto?

— Rachel... — Sim, estamos mudando de assunto. Não sei o que dizer para explicar minhas ações, mas as únicas saídas que tenho são falar sobre aparelhos ou sair para caminhar na chuva.

— Tudo bem. — Ela não olha para mim. — O que há de tão especial nisso aí que precisa ser discutido exatamente neste momento? — diz ela, fazendo um gesto na direção da mesa.

— É algo que vai nos levar até o seu pai.

Ela ergue os olhos até encontrar os meus, com uma expressão cautelosa e esperançosa.

— Como?

Fico feliz por ela pedir uma explicação sobre algo que posso responder rapidamente.

— A marcação no pulso do seu pai tem um dispositivo de rastreio embutido. Todas as marcações têm uma. O sinal é de curto alcance, assim como todos os nossos aparelhos. Foi projetado para funcionar somente dentro da Muralha.

Isso não é novidade para ela. Todos os aparelhos são feitos especificamente para a cidade-estado onde serão usados. Como não existe uma rede de cabos nas Terras Ermas, não há como enviar nenhum sinal de longo alcance. Um dispositivo localizador só pode ser usado fora da Muralha se você estiver a até duzentos metros de uma pessoa. Como não temos uma ideia relativamente precisa do paradeiro de Jared, poderemos acabar vagando por anos sem conseguir nenhum "bip".

— A invenção em que estou trabalhando é um localizador projetado para detectar indícios do sinal do seu pai, mesmo que ele já tenha se afastado.

— Como isso é possível? — A cautela e a esperança estão começando a se transformar em entusiasmo.

— Navegação e determinação da distância pelo som. O sinal de localização de um mensageiro usa um sonar ativo, enviando pulsos sônicos que deixam um eco inconfundível no ambiente. Os guardas são capazes de encontrar um mensageiro se usarem um Identidisc para receber esses ecos, conforme são enviados pelo localizador.

— Então por que não podemos simplesmente roubar um Identidisc e usá-lo para rastrear o meu pai?

Eu faço que não com a cabeça.

— Porque os Identidiscs não foram projetados para detectar sinais emitidos há mais de duas semanas.

— Por que não?

Eu sorrio.

— Porque não fui eu que os criei. Além disso, não vamos roubar nada. Não podemos nos arriscar a mostrar o que estamos planejando ao Comandante. O aparelho que eu estou construindo usa um sonar passivo; ou seja, recebe ecos sem precisar enviar os próprios sinais. Eu estou fazendo ajustes para que ele receba somente os resquícios dos ecos do sinal individual de Jared.

— Mas, se já faz meses que ele passou em uma área...

— O som nunca desaparece verdadeiramente. Estou construindo uma bateria forte para o aparelho. Assim, se ele esteve em uma determinada área nos últimos seis meses, vou captar seus ecos e conseguiremos encontrá-lo.

Ela sorri, e um carinho genuíno enche seus olhos.

— Você é um gênio. Obrigada.

Aquelas palavras fazem com que eu me sinta orgulhoso.

— Por nada.

Ela aponta para a invenção que ainda não está terminada.

— Por que você decidiu ser o aprendiz do meu pai? Qualquer um pode ver que inventar aparelhos é o que você mais gosta. Por que quis treinar para ser mensageiro?

Meus olhos se encontram com os dela por um momento, ponderando os riscos de dizer o segredo que trago comigo há tantos anos. Podemos não gostar um do outro durante uma boa parte do tempo, e podemos nos entender com certa regularidade, mas ela é totalmente leal. O fato de saber que eu posso confiar nela liberta as palavras, e elas transbordam como se estivessem apenas esperando a oportunidade de serem ouvidas.

— Porque eu *odeio* viver em Baalboden. Toda vez que olho para as ruas de pedra, vejo minha mãe morrendo. Toda vez que olho para a Muralha, lembro quem a matou e me declarou um pária quando eu era apenas uma criança. Se eu tiver que passar o resto da vida aqui, eu posso... eu não sei se posso ser o homem que quero ser enquanto viver aqui.

Ela assente, com os olhos fixos nos meus.

— Imaginei que, se aprendesse a ser um mensageiro, algum dia o Comandante me enviaria sozinho para cumprir alguma missão.

— E você aproveitaria para desaparecer?

— Sim.

A voz de Rachel é forte.

— Já parou para imaginar o que isso iria causar nas pessoas que se importam com você?

Sinto a garganta apertar quando digo:

— Eu não imaginava que você fosse sentir a minha falta. Além disso, você chegou a pensar no que aconteceria comigo se conseguisse desaparecer esta noite?

Seu rosto se tinge com um delicado tom rosado.

— Eu também não imaginei que você fosse sentir a minha falta.

Eu sorrio, e demoro um minuto para perceber que meu bom senso está novamente arrefecendo e deixando que o impulso de beijar Rachel tome conta de mim. Desta vez não é porque meu corpo pede, e sim porque a afeição em sua voz me atrai.

O que é um indício claro de que eu preciso mudar de assunto mais uma vez, com urgência.

— Não precisamos nos preocupar com isso agora — eu digo. — Vamos partir juntos. Me dê uma semana e o dispositivo localizador estará pronto. Podemos partir logo depois da cerimônia da Toma.

Eu ignoro a maneira como o sorriso de Rachel ilumina a cozinha, e concentro-me na mesa.

— É melhor eu voltar ao trabalho.

— É melhor eu dormir um pouco.

A voz de Rachel parece um sussurro quando ela passa por mim para ir ao andar de cima.

Sento-me na mesa da cozinha e encaro o dispositivo localizador, afastando todos os pensamentos que envolvem Rachel e me distraem. Espero que o Comandante esteja disposto a conceder uma semana para me preparar para a viagem. Preciso desses sete dias. Dois dias para terminar o localizador de Jared. E mais cinco para construir um para Rachel.

Não vou deixar que me peguem de surpresa outra vez.

CAPÍTULO 14

RACHEL

Já faz três dias que empreendi minha tentativa desastrosa de fuga. Logan passa a maior parte do tempo mexendo com circuitos e diagramas borrados de tinta. Eu passo a maior parte do tempo afiando armas e treinando para trespassar o coração de um homem enquanto me esforço para esquecer o som horrível e úmido que uma espada faz quando sai de dentro de um corpo. Temos pouca coisa para fazer juntos até a noite chegar, quando ele deixa seu trabalho de lado e eu guardo as espadas, e sentamos em sua pequena varanda para jantar e observar o sol se pôr lentamente por cima das torres da Muralha.

Falamos sobre o meu pai. Sobre Oliver. Sobre técnicas de combate.

O fato de que nenhum de nós faz ideia do que há no pacote ou a razão pela qual meu pai se recusou a entregá-lo. Falamos sobre qualquer coisa, exceto o estranho quase beijo que trocamos na noite em que tentei pular a Muralha. A importância silenciosa daquele momento parece pressionar meu coração, fazendo com que seja difícil olhar para Logan sem sentir o desejo de algo que eu sei que nenhum de nós realmente quer.

Logan deixou muito claro há alguns anos que não queria um romance. E eu sou uma garota diferente daquela menina de quinze anos com estrelas nos olhos que pensava estar apaixonada. O quase beijo não foi nada além de um amontoado de emoções, um amontoado de tensões, e uma fração de segundo na qual baixei a guarda. Não vai acontecer outra vez.

Durante o café da manhã, Logan anuncia que precisamos ir até a cidade comprar componentes e peças. Normalmente ele não pediria que eu o acompanhasse. Mas, com os guardas vigiando o sobrado dia e noite, deixar que eu fique em casa sozinha é um risco que ele não está disposto a correr.

Não me incomodo em discutir. Estou ansiosa para deixar o confinamento da casa de Logan, e surpresa ao perceber que sinto muita vontade de acompanhá-lo nas compras. Conseguimos chegar a estabelecer uma trégua frágil, e andar ao lado dele sobre a rua de terra batida que leva à região central da cidade me faz bem.

O sobrado de Logan está abrigado entre o pomar de macieiras de um vizinho e um terreno de plantio que pertence a um dos mercadores ricos de Center Square. No ano passado o mercador plantou milho, e os caules quebrados das plantas colhidas ainda estão visíveis no chão, erguendo-se como se fossem dentes serrilhados. Um guarda se ergue do meio do campo de milho quando passamos e outro sai do meio do pomar. Eu resmungo alguma coisa em voz baixa.

— Não os provoque — diz Logan, cutucando-me com o ombro.

— Talvez eles é que devessem estar preocupados em não nos provocar.

Ele ri, e o som faz minha pele formigar. Subitamente, percebo como os ombros de Logan preenchem seu manto. Como o seu cabelo brilha que nem mel sob a luz do sol da manhã. O formigamento que corre por minha pele se transforma numa necessidade quase dolorosa, algo que eu não sei como saciar.

— Você não sabe ser diplomática, não é? — pergunta ele, mas não sinto nenhum tom de zombaria em sua voz.

— Qual é a vantagem de ser diplomática? Prefiro simplesmente sacar a minha arma e partir para cima. — Cutuco o ombro dele em resposta, e o calor se espalha por mim quando ele pisca o olho e deixa o braço ao redor do meu enquanto caminhamos.

Deixamos o milharal para trás. O guarda que estava no pomar nos segue a cerca de vinte passos de distância. Sinto vontade de me virar e dizer-lhe exatamente o que penso sobre seu trabalho idiota e seu chefe idiota.

Logan parece pressentir minhas intenções, porque desliza uma das mãos até a base de minhas costas, faz uma leve pressão e diz:

— Lembre-se: às vezes, a diplomacia é o melhor lado da guerra.

O calor de sua mão faz com que eu sinta como se pequenas faíscas estivessem correndo pelo meu corpo.

— É muito mais fácil conseguir que a diplomacia funcione se você deixar o seu inimigo de joelhos, desejando que você não lhe corte a cabeça.

— Você realmente precisa encarar todas as situações sem nada além da sua cabeça e a sua faca? — ele pergunta.

— Você realmente precisa encarar todas as situações com mais cuidado do que uma avó quando anda pela Praça do Mercado?

— Isso se chama "um plano bem calculado".

A mão dele se afasta e eu sinto um calafrio.

A estrada de terra batida se mescla às pedras enlameadas que calçam as ruas de South Edge. O cheiro podre e fétido das pilhas de lixo empesteia o ar da manhã, e as poucas pessoas que estão do lado de fora de suas residências miseráveis caminham pela rua olhando para os próprios pés. Outro guarda sai de trás de uma casa castigada pelos elementos, com a mão na empunhadura da espada enquanto observa nossa passagem.

Claramente, o Comandante espera que fujamos. Que encontremos alguma maneira de sair dos limites da Muralha sem seu conhecimento para pegar seu precioso pacote e desaparecermos em seguida. Não é uma ideia tão ruim. Se meu pai pensava que o pacote era algo que o Comandante não devia receber, eu não pretendo trazê-lo de volta a Baalboden. Mantendo a voz baixa, eu digo:

— Talvez devêssemos encontrar uma maneira de nos esconder e sair da cidade.

Logan solta um ruído estrangulado.

— Não.

— Mas eu não gosto da ideia de ter que viajar com os guardas.

— E eu não gosto da ideia de ser apanhado cometendo traição.

Livro minha faca da bainha e seguro-a por baixo do manto quando entramos na parte principal de South Edge. Não que eu espere que haja perigo em plena luz do dia, ainda mais com a presença óbvia dos guardas atrás de nós, mas não pretendo me arriscar. Logan está com a mão na empunhadura da espada, os olhos constantemente examinando nossos arredores, procurando ameaças. Nós dois sabemos que a verdadeira ameaça está no quartel feito de pedra e aço que se ergue na parte norte da cidade.

— Precisamos viajar sem os guardas. Meu pai arriscou tudo para que o Comandante não visse aquele pacote. Não podemos trazê-lo de volta — eu digo, silenciosamente.

— Não, não podemos. Mas também não podemos simplesmente pular a Muralha. Nem passar pelo portão. É isso que o Comandante espera que façamos. E não há outra saída.

— Então, talvez seja hora de procurar outras opções.

Ele fica com aquele olhar distante no rosto que, agora, eu associo às muitas horas que ele passa rabiscando desenhos incompreensíveis enquanto murmura consigo mesmo como se fosse um louco. Estalo os dedos diante de seu rosto. Ele volta a prestar atenção com um sobressalto, e diz:

— Você tem razão. Preciso de outras opções. E isso significa que terei que estender um pouco o passeio de hoje.

— Não vejo problemas nisso.

Ele sorri para mim, e nossa troca de olhares se estende por um momento antes que vire o rosto, contente por ele confiar em mim como alguém que está no mesmo nível que ele.

Os guardas que nos seguem desaparecem quando entramos na região do Mercado Baixo, mas não demora muito até que eu perceba um homem alto nos seguindo. Eu conto a Logan quando entramos na rua principal que vai para o oeste, passando ao largo de uma mulher e seus filhos que enxotam galinhas para dentro de uma gaiola que seu Protetor está segurando.

— Eu o vejo — diz Logan. — Parece ser Melkin. Acho que, como estamos perto do portão, o Comandante acha que precisa colocar um rastreador para nos seguir. Só para garantir.

Dou uma olhada rápida no corpo de Melkin, magro como o de um espantalho.

— Ele não parece muito competente.

— Com o seu pai nas Terras Ermas, Melkin é o melhor rastreador que o Comandante tem a seu serviço.

— Acho que devemos encarar isso como um elogio.

Ele ri e agarra meu cotovelo quando uma carroça em alta velocidade passa por nós, abrindo caminho por entre as pessoas e nos forçando a sair do meio da rua rapidamente.

— E então, qual é o plano para hoje?

— O plano é o seguinte: você ficará com Oliver enquanto eu despisto os nossos perseguidores e vou buscar os componentes de que preciso.

Puxo meu braço com um tranco.

— Nada disso.

— Vou deixá-la com Oliver para passar o dia em sua companhia, Rachel. Não temos mais nada a discutir.

— Temos muita coisa a discutir — eu digo. — Não quero passar o dia todo enfurnada na tenda de Oliver. Estamos em pé de igualdade nessa situação, e quero ajudá-lo a encontrar os seus componentes.

— Bem, isso não vai ser possível.

Sinto várias linhas de expressão que indicam rebeldia se formar em meu rosto. Será que ele realmente acha que dizer que não posso fazer alguma coisa vai me impedir? Como continuo em silêncio, Logan olha para mim e franze as sobrancelhas.

— Escute — diz ele. — As coisas que preciso encontrar não estão em estabelecimentos respeitáveis.

Ergo meu queixo e olho para ele, com ar de superioridade.

— Você está agindo como se pretendesse manter a pobre e delicada Rachel longe de qualquer possibilidade de perigo.

Ele ri, tenta sufocar o riso quando vê o meu rosto, e depois ri novamente.

— Delicada? Você seria capaz de esfregar a cara de praticamente qualquer pessoa de Baalboden nas pedras da rua. Eu nem sonharia em dizer que isso é delicadeza.

— O que você quer dizer com *praticamente qualquer pessoa*? — Eu me esforcei muito nos meus treinamentos de combate para aceitar esse tipo de insulto calada. — Posso ganhar de qualquer um que vier me atacar.

— Você não pode ganhar de mim.

— Quer apostar? Você vai falar com uma voz bem mais fina quando eu lhe derrubar. Isso se eu não arrancar os seus pulmões.

O sorriso dele é uma lenta jornada de carinho que ilumina seu rosto e permanece em sua expressão, alcançando-lhe os olhos.

— Vou aceitar o seu desafio.

Minha boca estúpida e traidora sorri antes que eu lembre que estou irritada com ele. Arrancando rapidamente qualquer expressão de meu rosto, eu bato com o pé nas pedras do calçamento.

Ele se aproxima de mim e diz:

— Eu não estou lhe menosprezando, Rachel.

— Então por que não me leva com você?

— Porque eu preciso de componentes que nenhum mercador idôneo me venderia. E o lugar aonde vou também é a base de algumas pessoas que falam como se estivessem conspirando contra o Comandante.

— É mesmo? — eu agito os pés, quase saltitando enquanto penso no que um grupo como esse pode fazer por nós se decidirmos escapar antes da hora.

Ele agita a mão no ar e diz, seriamente:

— Não vou me envolver com eles, e você também não. Fazer parte de um esquema como esse é uma boa maneira de garantir que nenhum de nós tenha qualquer chance de sair de Baalboden para procurar o seu pai.

— Certo, eu entendo. Mas mesmo assim...

— Esse grupo já desconfia de mim, mas você não precisa passar por isso.

— Tudo bem. Mas eu ainda acho que...

— Se formos pegos, quem é que vai procurar por Jared? — Ele estende o braço e pega na minha mão. Deslizo meus dedos por entre os dele sem pensar, pressionando aquela palma calejada contra a minha e estudando o senso de dever implacável que arde em seus olhos. — Se eu for visto negociando com traidores, vou assumir a culpa sozinho. Você ainda terá a oportunidade de partir.

A irritação que eu sentia se dissolve, substituída pela gratidão e por algo ainda mais profundo. Algo que aperta meu peito e faz meu coração doer. Eu o julguei mal. Muito mal. A única coisa maior que a lealdade que ele sente em relação a meu pai é o juramento de que irá me proteger.

Eu não mereço isso. Não mereço, mas ele não é capaz de perceber. Ele leva suas responsabilidades a sério, e, agora que sou parte do fardo que Logan precisa carregar, ele prefere se arriscar a encarar a masmorra a me decepcionar.

O calor que há entre nossas palmas parece me queimar, e olhar em seus olhos faz com que eu sinta que todos os meus segredos estão lentamente subindo à superfície, sussurrando minhas verdades sem permissão.

Afastando minha mão, eu recuo e olho para baixo.

— Obrigada. — Não é a palavra mais adequada, mas, se eu abrir a boca outra vez, tenho medo do que vou dizer. Em vez disso, eu o sigo em silêncio até a tenda de Oliver, com a sensação de sua palma tocando a minha por um longo tempo, um bom tempo depois que o calor da sua pele se esvai.

CAPÍTULO 15

RACHEL

Estou presa na tenda de Oliver há várias horas, ajudando-o a vender seus pães e bolos, quando ele finalmente diz:

— Por que não vamos dar uma volta?

Não é preciso perguntar duas vezes. Eu pego nossos dois mantos e seguro o pedaço de lona que faz as vezes de porta da tenda para que ele passe. Ele sai da tenda e joga o manto por cima dos ombros para afastar a brisa gelada da tarde.

Passando meu braço por entre o dele, eu inspiro profundamente o ar tomado pelos aromas do Mercado Baixo — cera de velas, mantos de couro, carne de carneiro, frutas e legumes expostos ao sol, poeira.

— Está pronto? — eu puxo seu braço e ele ri quando começamos nosso passeio.

Passamos ao redor de um pequeno grupo de homens pechinchando o valor de um jumento de pelagem cinza com orelhas caídas, mantendo os passos lentos para acomodar o caminhar vagaroso de Oliver.

— Fico feliz por você finalmente haver aceitado a... ausência... do seu pai — diz ele.

Eu gemo e olho para meus pés. Não aceitei nada disso, mas não quero contar nossos planos a Oliver antes da hora em que partiremos. Talvez seja egoísta de minha parte, mas não consigo suportar a ideia de trazer a sombra de uma despedida iminente sobre nosso dia.

Ele me faz parar na frente de uma tenda que vende espetinhos fumegantes de carne e cebola.

— Dois, por favor.

— São caros demais — eu sussurro para ele, embora saiba que ele não me dará ouvidos.

Ele abre um de seus sorrisos largos e gentis, com os olhos escuros brilhando.

— Com quem mais eu vou gastar o meu dinheiro? Já sei que você não vai me deixar lhe comprar nenhuma daquelas coisas bonitas e cheias de babados que as garotas da sua idade adoram ter, e não estou a fim de lhe comprar mais uma arma para aumentar a sua coleção.

— É porque eu não gosto de coisas bonitas e cheias de babados. E não há nada errado em ter uma bela coleção de armas.

As bordas do sorriso de Oliver refletem um pouco de tristeza.

— Talvez eu seja o culpado por isso. Jared não sabia como criar uma garota, e, quando me contratou para cuidar de você nas ocasiões em que teve que se ausentar, eu também não agi de maneira muito melhor.

Acabo franzindo as sobrancelhas quando como meu espeto, sentindo os sucos escorrerem pelo palito e queimarem as pontas de meus dedos.

— Ou talvez eu seja simplesmente assim. Não há nada de errado comigo.

Ele passa o braço ao redor de mim.

— Eu não disse que há algo errado com você. Você é uma garota maravilhosa. Eu apenas me preocupo por não ter feito o bastante para compensar o fato de que sua mãe não estava por perto para ajudar a criá-la.

Encosto a cabeça contra seu ombro, e dou uma mordida na carne deliciosa.

— Você e meu pai são as únicas pessoas de que eu preciso.

— Agora, Logan também.

Será que preciso de Logan? Começamos a tatear às cegas o que parece ser o início de uma amizade sólida, mas eu ainda tento evitar os momentos mais constrangedores de nossas conversas. Momentos em que ele se lembra da ocasião em que eu disse que o amava, e que ele disse que eu acabaria por superar isso. A lembrança de sua palma tocando a minha faz meu coração bater um pouco mais rápido, e eu puxo Oliver para longe da tenda que vende os espetinhos.

Oliver limpa a garganta ruidosamente.

— Como seu pai não está por perto e sua mãe está morta, eu acho que cabe a mim explicar como as coisas funcionam entre um homem e uma mulher.

— O quê? Não! — Eu balanço violentamente a cabeça. *Nada* pode ser mais constrangedor do que ouvir Oliver me explicar coisas como de-onde-vêm-os-bebês.

— A menos que você prefira ter essa conversa com Logan.

Pelo jeito, parece que pode haver algo mais constrangedor, sim.

— Pare com isso, agora.

Viramos a esquina ao passar pela loja do alquimista e seguimos rumo ao portão, ainda cheio com os cidadãos que vieram para fazer negócios com a turba de bandidos que improvisou um acampamento temporário nos limites do perímetro de Baalboden. O sol paira no céu como uma laranja madura, embora a brisa ainda sopre com os últimos resquícios do frio do inverno.

— Você está quase na idade de ser Tomada. Logo, os homens irão olhá-la de uma certa maneira. Até mesmo Logan poderá olhá-la de maneira diferente.

Eu me lembro da intensidade nos olhos de Logan quando estávamos bem próximos, em sua cozinha. A sensação do toque de sua mão em minha pele. O momento em que percebi que havia julgado mal suas intenções e sua coragem. Não sei se Logan está me olhando de um jeito diferente agora, mas sinto que sou capaz de enxergá-lo claramente pela primeira vez em todos esses anos, desde que o conheci. A nova compreensão que tenho em relação a ele faz meu coração doer um pouco pelos dois anos de amizade perdida que meu orgulho ferido exigiu de mim.

— Não quero que você aceite ser Tomada por qualquer homem que mal pareça decente e que tenha um teto para lhe oferecer. Você vale mais do que toda essa cidade reunida, garota Rachel. Não se esqueça disso.

— Você é suspeito.

Ele ri, um som rico e carinhoso que vibra em meu rosto quando eu o abraço.

— Talvez eu seja. Mas, quando chegar a hora, não aceite qualquer coisa. Tenha a certeza de que o homem que a escolher a enxergue como você realmente é, e que a ame por isso.

— Prometo que seguirei seu conselho.

— Tenho certeza de que terei muito orgulho de você no dia em que eu a vir usando um daqueles belos vestidos no palco da Toma. Só espero poder viver o bastante para ser um bom bisavô para seus filhos. — Ele termina de comer seu espetinho de churrasco e joga o palito longe.

— É claro que vai. — Uma dor forte me rasga por dentro quando percebo que, se Logan e eu desaparecermos nas Terras Ermas com meu pai, Oliver nunca me verá ser Tomada, e nunca será o bisavô de meus futuros filhos. Olho ligeiramente para um guarda que passa por nós, resplandecente em seu belo uniforme militar, e meus passos vacilam quando o impacto total de nosso plano me atinge. Oliver não irá simplesmente deixar de assistir aos momentos importantes da minha vida. Ele será a única pessoa na cidade que poderá pagar o preço de nossa traição. Não tenho dúvidas de que o Comandante irá torturar e matar Oliver como exemplo do que acontece com aqueles que incorrem nos crimes de desobediência e deslealdade.

Aperto a mão de Oliver com mais força e tomo uma decisão. Logan terá de encontrar uma maneira de tirar Oliver de Baalboden junto conosco. Recuso-me a deixá-lo para trás.

Estamos quase passando pelo portão quando o chão sob nossos pés treme. Pequenos pedregulhos e grãos soltos de areia pulam e deslizam por cima das pedras da rua. Em algum lugar fora do portão, alguém grita.

Olho fixamente nos olhos de Oliver, e ele me empurra para a beira da estrada quando os cidadãos que estão mais próximos do portão entram em pânico. Esbarrando e derrubando uns aos outros, Protetores puxando suas mulheres, eles passam correndo por nós. Eu me afasto da rua de pedras e chego até o espaço gramado entre o portão e a rua que leva ao mercado. Oliver está logo atrás de mim.

As vibrações no chão ficam mais intensas, e eu aperto o braço de Oliver com força.

— Vai surgir do lado de fora da Muralha — diz ele. Sua voz dá a impressão de que ele está carregando um peso que não consegue suportar.

Eu olho por entre o portão que ainda está aberto e sinto meu estômago afundar. Há cidadãos de Baalboden ali. Eles saíram das muralhas para aproveitar o dia em que os salteadores têm permissão para vender seus produtos nos arredores da cidade, e não conseguirão voltar para dentro da Muralha antes que o Maldito chegue.

Enquanto termino de compor aquele pensamento, vários cidadãos conseguem passar pela multidão amontoada às bordas das Terras Ermas e correm na direção da segurança do portão. Outros se precipitam para cima de árvores ou entram nas carroças dos bandidos, embora eu não consiga imaginar como isso poderá ajudá-los a escapar. Um guarda sai da torre do portão a cavalo e passa por nós a toda a velocidade, sem dúvida indo ao quartel do Comandante.

— Volte! Rachel, volte! — Oliver me puxa quando outra onda de cidadãos aterrorizados luta para se afastar do perigo e voltar para o Mercado Baixo.

Um homem corpulento com um manto esfarrapado me acerta uma cotovelada no peito, e eu giro para sair do caminho antes que o homem cavalgando uma mula que vem logo atrás dele possa me esmagar sob os cascos de sua montaria.

— Rachel! — grita Oliver quando o mesmo homem grandalhão é jogado para fora da estrada pela mula e tromba com Oliver, o que faz com que ambos rolem pelo chão. O chão treme com tanta força que é difícil manter o equilíbrio, mas eu luto para chegar até onde eles estão, seguro no braço do homem e o tiro de cima de Oliver.

Atrás de mim, os gritos são sufocados por um rugido bruto e primal de fúria. Viro a cabeça rapidamente para ver o corpo negro e reluzente do Maldito surgir numa explosão, vindo das profundezas da terra. Parece um imenso dragão sem asas, com quase a metade da altura da Muralha, e tão largo quanto ela. É a primeira vez em minha vida que vejo o monstro, e todos os meus instintos gritam dizendo-me para correr, mas não consigo desviar os olhos. Além disso, correr significa deixar Oliver para trás, e isso é algo que não vou fazer. Preciso acreditar que a lenda que diz que o Maldito nunca ataca o interior da Muralha de Baalboden seja verdadeira.

Agitando sua cauda serpentina como se fosse um chicote, a besta-fera esmaga dois cidadãos que estavam correndo para o portão, mas sua atenção está concentrada na horda de bandidos e cidadãos a sua frente. O horror vibra pelo meu corpo conforme a criatura abre sua boca e fustiga as carroças e pessoas mais próximas com fogo.

— Rachel, fuja! — Oliver está berrando para mim, mas eu mal consigo ouvi-lo em meio à gritaria.

As pessoas estão em chamas, jogando-se no chão e tentando apagar o fogo, mas o monstro continua cuspindo jatos de fogo contra qualquer coisa que se mova. Enjoada, eu me viro e seguro em Oliver. Quero chorar, dar voz ao choque e ao horror que crescem dentro de mim, mas não foi isso que meu pai me ensinou. Perder a cabeça no meio de uma crise é a melhor maneira de *tornar-se* parte da crise.

Em vez disso, passo meu braço por dentro do de Oliver e o puxo.

— Levante. Não podemos ficar aqui.

O homem com o manto esfarrapado ainda está deitado onde eu o derrubei, com os olhos fixos na destruição que ocorre do lado de fora do portão. Eu lhe dou um soco no ombro.

— Ei! Ajude-me a levantá-lo.

Ele desvia o olhar da carnificina e nem sequer olha para mim.

— Ajude-o você mesma — diz ele, erguendo-se rapidamente. E desaparece antes que eu consiga dizer que ele é um covarde imundo.

Começo a praguejar e firmo os pés para conseguir erguer Oliver do chão. Atrás de mim a criatura urra, as pessoas gritam desesperadas, e o fogo arde com violência. Recuso-me a olhar. Quando termino de ajudar Oliver a ficar em pé, ouço o tropel de cavalos contra o calçamento de pedras da rua. Ergo os olhos. O Comandante está montado no cavalo do guarda e galopando diretamente na direção do portão, agitando o chicote enquanto incita o animal aterrorizado rumo a uma destruição inescapável.

Oliver envolve minha cintura com os braços quando o Comandante chega ao portão, que está abarrotado com cidadãos desesperados fugindo do ataque. Não diminui o galope nem por um segundo. Em vez disso, ele brande o chicote, forçando as pessoas a irem para a lateral da Muralha. Um homem não é capaz de se mover rápido o bastante, e o Comandante passa com o cavalo por cima dele. O homem jaz no chão, encolhido ao redor de si mesmo e imóvel, após a passagem do Comandante.

Ele vai morrer. Será desintegrado bem a nossa frente. O medo e uma esperança amarga se juntam dentro de mim até que eu não possa mais separar os sentimentos. Não quero que Baalboden seja jogada num caos e perca sua liderança, mas não posso fingir que choraria a morte dele.

O monstro golpeia com a cauda, errando o Comandante por pouco. Sua montaria é tomada pelo medo e se recusa a avançar, apesar dos repetidos açoites que recebe. Abandonando o cavalo, o Comandante salta para o chão e marcha em direção à criatura. As pessoas ainda cambaleiam para dentro do portão, queimadas e mancando. Nas Terras Ermas, pouco resta dos bandidos e dos cidadãos castigados pelo fogo do Maldito.

Antes que o Comandante possa alcançar a fera, ela treme, com um calafrio percorrendo toda a extensão do corpo negro e monstruoso. Erguendo o focinho no ar, ela aspira e estremece outra vez. Em seguida, tão subitamente quanto apareceu, ela volta a mergulhar rumo às profundezas da terra, deixando o Comandante sozinho do lado de fora do portão.

— Por quê? — eu olho para Oliver. — Por que o monstro fugiu desse jeito?

Ele olha fixamente para as chamas, com o medo estampado no rosto.

— Algumas pessoas dizem que o Comandante tem poderes sobre a fera.

— Isso é ridículo. O Comandante nem mesmo chegou tão perto do monstro — eu digo, enquanto o Comandante ignora as vítimas das labaredas do monstro e marcha de volta a Baalboden.

— Ninguém mais demonstrou coragem para enfrentar o Maldito em defesa de nossos cidadãos — diz Oliver em voz baixa, como se lhe doesse ter de admitir o fato.

O Comandante alcança o portão e passa por cima do corpo que está ali no chão sem nem sequer olhar para baixo. Sinto a fúria me morder, espantando os últimos resquícios do terror.

— Chicotear as pessoas para saírem da frente é uma demonstração de coragem? Atropelar um homem como se sua vida não valesse nada?

— Shhhh — Oliver agita meu braço quando o Comandante se aproxima de nós. — Não fale assim.

— Alguém tem que falar.

A voz de Oliver é baixa e firme.

— O Maldito nunca ataca dentro das muralhas de Baalboden. Viver sob as leis do Comandante é o preço que pagamos pela nossa proteção. Aqui dentro, estamos seguros.

— Não estamos seguros o bastante. — Olho nos olhos sombrios do Comandante quando ele passa por nós. Seu olhar é penetrante, e minhas mãos ficam úmidas com a maneira como ele olha para mim e depois para Oliver, como se houvesse acabado de se lembrar de algo importante.

Ficamos em pé no gramado até que o Comandante desapareça de nossas vistas. Passo esse tempo todo pensando de que maneira Logan e eu poderemos levar Oliver conosco quando partirmos.

CAPÍTULO 16

LOGAN

Saio do Thom's Tankard, satisfeito com minhas compras, e ando direto para o meio do caos. Cidadãos correm pelas ruas que vêm da parte oeste do Mercado Baixo, empurrando-se e atropelando-se para conseguir uma posição melhor em relação aos outros. Alguns estão chorando, outros gritando, outros em desespero.

Olho na direção do Mercado Baixo e vejo a nuvem de fumaça negra no horizonte.

Rachel. Oliver.

Tudo com o que ainda me importo neste mundo está em algum lugar do Mercado Baixo.

A multidão se move em meio a um pânico irracional. Aqueles que hesitam ou se viram contra a turba são jogados de lado ou pisoteados sem piedade.

Tento ficar à margem da aglomeração e ir contra o fluxo das pessoas. No início é até fácil deixar um ou outro cidadão esbarrar em mim, mas, quando saio de South Edge e entro na área do mercado, a multidão engrossa e meu avanço ocorre mais lentamente.

Preciso encontrar outra rota para chegar à tenda de Oliver. Entrando na tenda mais próxima, eu levo as mãos às botas e puxo minhas facas. Alguns segundos depois, saio pelos fundos e as uso para escalar as paredes até o telhado. Enfio a lâmina, ergo o corpo, enfio a outra lâmina, ergo o corpo outra vez, e depois puxo a primeira faca para que possa fazer tudo outra vez.

Quando chego ao telhado, vejo que a fumaça está vindo do lado de fora da Muralha. E isso significa que Oliver e Rachel provavelmente estão seguros dentro da tenda de pães. Ele nunca iria tentar avançar pelo meio dessa turba com Rachel a seu lado.

Um urro ensurdecedor rasga o ar, e a verdade me atinge com um golpe atordoante. O Maldito está lá fora. Em um dia em que o comércio com os bandidos é sancionado. Qualquer cidadão que esteja ali fora terá sorte se escapar com vida.

Nunca vi o monstro surgir tão perto de Baalboden, e, mesmo que todos os cidadãos saibam que o Comandante alega ser capaz de nos proteger, eu não confio nele. A criatura poderia entrar nos limites da cidade a qualquer momento, e Oliver e Rachel podem morrer.

Não penso. Apenas avanço.

Estou correndo, tomando impulso antes mesmo de perceber o que estou fazendo. Chego à beirada do telhado e salto. Quase não consigo chegar ao telhado seguinte, caindo e batendo os joelhos. A lâmina de uma de minhas facas corta minha palma e o sangue escorre quente por meu braço. Enfio as lâminas de volta em suas bainhas, levanto-me e começo a correr outra vez.

Ao longe, os gritos se misturam com o rugido irracional da besta-fera. Procuro ignorá-los e dou um salto longo em direção à lateral de uma tenda. A lona se enverga precariamente, e eu agarro a haste de metal que sustenta o canto mais próximo de mim. Passando por cima da haste, eu corro e pulo, batendo contra a lateral da próxima tenda.

Enquanto subo ao telhado, ouço cascos de cavalo batendo nas pedras por trás de mim e viro-me para ver o Comandante galopando pela rua, sem se importar com as pessoas que estão desesperadamente tentando sair de seu caminho. O portão está apenas trinta metros adiante. A tenda de Oliver está a pelo menos oitenta metros a minha esquerda. Estou prestes a mudar minha trajetória quando um lampejo de vermelho brilhante perto do portão atrai minha atenção. Aperto os olhos para enxergar por entre as pessoas que correm, e, por um segundo, tenho uma linha de visão clara.

O medo aperta meu peito com dedos gelados, e meus pés se movem antes que meu cérebro termine de me dizer que estou procurando por

Rachel. Apanhada em meio à onda de pessoas que gritam em pânico no portão. Perto demais do monstro para que, caso o Comandante não tenha realmente algum poder sobre ele, Rachel seja uma das primeiras a morrer.

Salto para o próximo telhado e deslizo por ele, saltando no ar sem parar para tomar fôlego.

Se Rachel estiver lá, Oliver com certeza estará com ela. Meu coração bate forte, um ritmo desesperado que me faz avançar. Quase caio com o próximo salto e desço até o chão. É hora de começar a abrir caminho por entre a multidão.

A fera do lado de fora da Muralha ruge e o chão treme, quase me derrubando. O silêncio cai sobre a cidade, súbito e perverso, interrompido apenas pelo som do choro das pessoas e o crepitar do fogo ao longe. Passo ao redor de dois homens que estão a minha frente, com os mantos ainda fumegantes e a pele dos braços queimada, cheia de bolhas rosadas. Acabaram de entrar pelo Portão e agora estão paralisados, olhando ao redor e imaginando qual será o alvo do próximo ataque do monstro.

Não sei se ele voltará a surgir, mas, se isso acontecer, eu estarei na frente de Rachel e Oliver.

Consigo vê-la agora. Está agarrada a Oliver, e, embora seu corpo trema, ela está com uma expressão feroz nos olhos e pronta para a batalha. Um punhado de pessoas passa entre nós, e, quando eu a vejo outra vez, ela está observando o portão com olhos furiosos. Sigo seu olhar e vejo o Comandante passar por cima do corpo de um homem caído. Ele olha Rachel nos olhos, e o pavor toma conta de mim com a maneira especulativa como ele observa Oliver.

Ele sabe que amamos Oliver. Se não seguirmos os planos do Comandante e lhe trouxermos o pacote, ele sentenciará Oliver à morte por nossos crimes. Sinto meu coração doer de maneira súbita e intensa.

Oliver terá de vir conosco. Tenho quatro dias para descobrir um jeito. Enquanto o Comandante desaparece em meio ao Mercado Baixo, eu corro pela rua de pedras e puxo Rachel e Oliver para perto de mim. Oliver me dá um tapinha nas costas e eu vejo o alívio em seus olhos ao perceber que seus dois netos adotivos ainda estão vivos.

Rachel se encosta em mim, mas a tensão que vibra por seu corpo ressoa no meu, também. Eu a puxo para mais perto e observo as chamas devorarem o que resta das carroças dos bandidos, até não restar mais nada.

CAPÍTULO 17

RACHEL

Não saímos do sobrado nos dois dias seguintes enquanto Logan continua a trabalhar em sua invenção e em um plano para tirarmos Oliver de Baalboden em segurança, e eu continuo treinando minhas habilidades de combate com faca. Quando conversamos, o assunto gira em torno de como vamos partir. O que faremos se o Maldito atacar enquanto estivermos nas Terras Ermas. E o que pode haver dentro do pacote que o Comandante tanto deseja. Não tocamos no assunto do nosso quase beijo ou na maneira como ficamos abraçados após o ataque da fera, e sinto certo alívio por causa disso. Não sei como me sinto realmente em relação a tudo o que está acontecendo, e não quero ser a pessoa que vai estragar tudo se tocar no assunto.

Além dos dois guardas, o rastreador Melkin fica no pomar de macieiras durante a noite e outro rastreador vigia o sobrado durante o dia também. Não podemos fazer nada em relação à vigilância constante. Assim, Logan continua a trabalhar em seu aparelho com uma concentração ainda maior, e eu deixo de lado o treino com a faca para praticar com o Cajado de meu pai.

O Cajado é uma das invenções mais úteis que Logan já criou. Parece um bastão sólido para caminhadas, mas uma das pontas foi modificada com um peso que é suficiente para arrebentar o crânio de um homem e a outra tem uma lâmina afiada em ambos os lados, oculta e acionada por uma mola. Passo várias horas treinando até conseguir encontrar o equilíbrio da extremidade mais pesada, batendo-a como se fosse um martelo, e fazer com que Bob, o manequim que usamos para treinar, saia voando com o golpe. Mesmo assim, o movimento ainda me tira o equilíbrio de tal maneira que, se eu tiver de enfrentar dois oponentes ao mesmo tempo, vou acabar trespassada por uma espada antes que consiga plantar os pés com firmeza no chão outra vez. Além disso, ainda não consegui acionar a lâmina oculta depois do golpe inicial sem que o movimento me derrube no chão.

Bob tem mais ou menos a mesma altura de Logan e pesa mais ou menos uns oitenta quilos. Vinte e cinco quilos e doze centímetros de vantagem sobre mim. Meu pai sempre disse que, se eu conseguisse derrubar o boneco, conseguiria lidar com qualquer homem que tentasse me causar problemas.

Duvido que ele estivesse pensando no Comandante Chase quando disse aquilo.

No ano passado, Logan pendurou um fio grosso entre duas árvores e prendeu Bob a ele. O boneco desliza pelo fio, balança e se move de acordo com os golpes que desfiro nele, e, embora não seja a mesma coisa que lutar contra alguém dotado de inteligência, ele me mantém alerta. Posso apunhalá-lo com minha faca, puxá-la de volta, agachar-me e girar ao redor dele para enterrar minha arma em suas costas enquanto ele desliza pelo fio em minha direção. Com o Cajado, a história é outra. Bato o lado reforçado da arma em Bob, mas não consigo girar o lado com a lâmina com a rapidez necessária antes que meu parceiro de treinamento revide e me jogue no chão.

Depois da quarta tentativa fracassada, eu solto o insulto mais criativo que já ouvi meu pai dizer e largo o Cajado na grama a meu lado. Não sou capaz de dominá-lo. Não consigo girá-lo com rapidez para desferir o golpe crucial que pode representar a diferença entre a vida e a morte. Fico deitada na grama com os olhos apertados sob o brilho do sol da tarde e sinto uma vontade súbita de chorar.

Quando meu pai estava a meu lado, eu sempre me senti invencível. Agora eu me sinto como uma ovelha recém-tosada, privada de um escudo que eu nunca pensei que perderia. Seja lá o que houvesse no pacote que ele se recusou a entregar, seja lá o que ele estiver escondendo do Comandante, eu tenho de ajudá-lo. E, para ajudá-lo, tenho de estar preparada para encarar qualquer coisa que as Terras Ermas joguem contra mim. O que significa que não tenho a opção de deixar o Cajado de lado.

Levanto-me lentamente. Agarro o Cajado. Fecho os olhos. Respiro fundo, sentindo o cheiro da grama, da terra aquecida pelo sol, e dos brotos novos que estão lentamente desabrochando no pomar do vizinho. Se eu ficar de olhos fechados, posso imaginar meu pai em pé atrás de mim, com os braços ao redor de meu corpo, as mãos cobrindo as minhas e me abraçando bem ali.

Afasto os pés para aumentar a minha base de sustentação, agacho-me e recordo a última vez que treinamos juntos.

"Deixe os ombros um pouco mais relaxados. Você vai precisar de espaço para se mover." Ele aperta as mãos ao redor das minhas quando elas começam a se juntar. "Não, assim não. Segure com as mãos separadas. Sem apertar. Isso melhora o seu equilíbrio e o controle. Essa é a minha menina."

Relaxo os ombros, aumento a distância entre as mãos e continuo com os olhos fechados.

"Certo. Você tem uma arma em cada extremidade. Só terá alguns segundos para decidir qual delas vai usar." Ele solta minhas mãos, e coloca as palmas calejadas sobre meus ombros. "Um homem grande, correndo em sua direção."

— Que arma ele tem?

"Não importa, Rachel. Ele tem o dobro do seu tamanho e a sua velocidade vai colocá-lo bem perto de você em questão de segundos. Qual das extremidades você usa?" Seus dedos se fecham ao redor de meus ombros, como se desejasse me passar a resposta mentalmente.

— A lâmina. Não há tempo para girar a ponta com o peso. — Eu aciono o mecanismo que libera a lâmina e me agacho, com o sol da tarde pintando redemoinhos vermelho-escuros em minhas pálpebras fechadas.

"Muito bem." Ele aperta meus ombros e dá alguns passos para ficar de frente para mim. "Agora, se você precisar atacar um oponente que seja maior, mais forte e mais rápido, o que você faz?"

— Eu o derrubo. De uma maneira que ele não consiga se levantar para vir atrás de mim.

"Sim. Ele não vai imaginar que uma garota de Baalboden saiba como atacá-lo. Você tem somente uma chance de surpreendê-lo. Aproveite bem essa vantagem. Onde você faz o primeiro corte?" — Os olhos dele são cinzentos e intensos, como o céu antes de a chuva cair, e a determinação feroz que há neles me enche com a mesma sensação.

Sou a filha de Jared Adams. Posso fazer isso.

— Deixo que ele se aproxime, e, em seguida, giro e golpeio a parte interna da coxa enquanto faço o movimento. Corto uma das artérias. — Respiro fundo, imaginando um homem avançando a toda a velocidade contra mim, deixando que ele passe de uma distância confortável. Em seguida, giro e golpeio com um movimento de corte, plantando o pé esquerdo no chão para manter o equilíbrio necessário para o próximo movimento.

"Ótimo! Ele está sangrando, mas ainda não está abalado pela dor, e não percebe o quanto está ferido. Vai tentar correr atrás de você. O que pode fazer para impedi-lo?"

— Cortar o tendão de Aquiles quando ele passa por mim, e depois me afastar dele. — Eu giro e aplico o golpe cortante outra vez, e o Cajado parece começar a se comportar como uma extensão do meu braço conforme estoco, giro e corto no mesmo ritmo da voz de meu pai em minha cabeça.

Ele bate palmas, com orgulho e amor estampados no rosto. "Você conseguiu. Eu sabia que conseguiria. Sempre soube."

— Mas e se eu não conseguir? — eu baixo o Cajado. — E se, algum dia, eu não souber o que fazer? — Sinto a garganta se fechar, e tenho de me forçar para sussurrar. — E se você desaparecer e não houver ninguém mais para me ensinar?

Mas a cena em minha mente fica em silêncio. Não fiz essas perguntas na última vez em que treinamos. Não sabia que devia ter feito. E agora, quando quero desesperadamente preencher os espaços vazios, ouvir sua voz me dizendo o que devo fazer para escapar de Baalboden, como encontrá-lo, e como impedir que o Comandante descubra o que meu pai desejava tanto poder manter escondido, ele se foi.

— Eu posso lhe ensinar — diz Logan discretamente, e meus olhos se abrem.

Ele está a alguns metros de mim, com o rosto coberto pela sombra dos galhos da árvore em que está encostado. Quando ele se aproxima, eu juro para mim mesma que, se chegar a perceber uma expressão de pena em seu rosto, nunca mais falarei com ele. Mas, quando o sol toca seu rosto, não há pena em seus olhos. Em vez disso, eles estão firmes e preenchidos com a mesma determinação que eu sempre vi nos olhos de meu pai.

Ele caminha até chegar aonde estou e estende a mão para deslizá-la ao longo da extremidade reforçada com o peso extra do Cajado que eu ainda estou empunhando.

— Sinto saudades dele — diz Logan. — Aquela autoconfiança incrível que ele sempre trazia consigo. Como se fosse capaz de carregar todo o peso do mundo nas costas sem que isso o abalasse. — Os dedos de Logan tocam levemente os meus, mas nenhum de nós se esquiva do toque.

Minha voz está baixa.

— Sinto saudades do riso dele. Lembra?

Ele sorri.

— Ele enchia uma sala inteira quando estava nela, não é?

Faço que sim com a cabeça, e a dor cruel de me sentir tão sozinha diminui um pouco.

— Sei que não posso tomar o lugar dele, e essa não é a minha intenção. Mas sei como se usa um Cajado. E você precisará dele nas Terras Ermas. Deixaria eu lhe ensinar?

Abro um pequeno sorriso.

— Se você não se importar de ser humilhado por uma garota, seu inventor de meia-tigela.

— Vou fazer você engolir essas palavras.

— Tente.

CAPÍTULO 18

LOGAN

Ela está em minha frente, com os cabelos ruivos e desgrenhados ondulando ao sabor do vento, um brilho feroz em seus olhos. Quero estender a mão e tocá-la. Deixar que um pouco da luz brilhante que ela carrega consigo se derrame sobre mim. Movo a mão na direção dela, mas o pensamento racional começa a funcionar no último segundo. Agarro o Cajado de Jared, em vez disso.

— Ele é grande demais para você. Farei um que esteja adequado ao seu tamanho, e treinaremos com ele.

— Mas o dispositivo localizador...

Levo um segundo para perceber que ela ainda pensa que preciso de tempo para trabalhar no aparelho que usarei para encontrar Jared. Não é o caso. Eu simplesmente preciso de mais um ou dois dias para terminar aquele que estou construindo para localizar *Rachel*. Apenas como garantia, caso o Comandante consiga levar a cabo alguma tramoia que eu tenho certeza que está arquitetando.

— Posso cuidar de ambos — eu digo. — Escute, Rachel. — Espero até que seus olhos encontrem os meus. — Quero que me prometa que, se a qualquer momento o Comandante fizer com que você se sinta ameaçada, você fará exatamente o que Jared lhe ensinou. Ataque-o, derrube-o e fuja.

— Se eu fizer isso enquanto ainda estivermos em Baalboden, todas as pessoas que amo vão pagar o preço. Não posso. — Sua voz é firme, mas seus olhos parecem estar cobertos por uma sombra. Ela sabe a espécie de perigo em que se meteu, mas está determinada, se for necessário, a dar sua vida por Oliver. Por mim.

Como se eu pudesse permitir que ela o fizesse. A raiva me atiça, impulsionada por uma onda fria de medo. Ela não é a minha Protetora. Esse papel é *meu*. E não vou deixar isso de lado até conseguir que ela prometa.

— Você pode, sim. — Quando ela faz um movimento negativo com a cabeça, eu falo com firmeza. — Você pode. Ele é só um homem. Um tirano cruel que não merece o poder do qual vem abusando. — A dor me corta por dentro, agigantando-se em algo que chega quase a ser selvagem quando eu me lembro do calor que se erguia sobre as pedras empoeiradas da rua, do cheiro forte do sangue de minha mãe, do jeito como ela chiava quando respirava lentamente, até que, de repente, parou. E ela morreu.

— Mas...

— Você sabe o que acontece com as garotas de Baalboden que contrariam o Comandante, Rachel? Sabe? — Minha voz fica estrangulada. — Elas *morrem*. Ele as mata. Ele vai matá-la se descobrir o que estamos planejando.

— Logan...

— Ele vai matar você. Está entendendo?

Ela confirma com um movimento de cabeça.

Eu olho para outro lado. Para o pomar distante onde os homens escondidos atrás de árvores esperam que fujamos. Para onde a imagem idílica do início da primavera não é nada além de uma miragem que cobre a verdade sangrenta da vida em Baalboden. Eu olho, mas não consigo apagar totalmente a imagem dos olhos sem vida de minha mãe olhando para longe, muito além de qualquer coisa que eu possa imaginar. A saudade dela é uma dor constante que eu trago comigo.

— Logan?

Viro-me para olhar para ela, preparado para o olhar de pena que certamente vou encontrar, mas ela não demonstra nada disso. Em lugar disso, ela me observa com uma expressão que demonstra uma compreensão inabalável.

— Eu nunca lhe disse o quanto admiro a sua mãe.

A dor em meu peito fica um pouco mais suportável.

— É mesmo?

— Sim. Meu pai me disse que ela era a única mulher em Baalboden que não teve permissão para passar pela cerimônia da Toma novamente depois que seu marido faleceu. Acho que ele morreu antes de você nascer, não foi?

Confirmo com um aceno de cabeça. Minha mãe nunca falou de meu pai. Em vez disso, ela simplesmente me abraçava e dizia que era uma mulher de sorte. Tinha a mim, e quem precisaria de outra pessoa?

— Meu pai também me disse que o Comandante selecionou a si mesmo como o Protetor dela, mas passava várias semanas sem vir vê-la. Não acha isso estranho? Por que ele quebraria o protocolo pela sua mãe, mas não faria o mesmo por mais ninguém?

— Não sei. — Mas gostaria de saber. Talvez, se ele não a impedisse de ser Tomada outra vez, ela ainda pudesse estar viva.

Rachel franze as sobrancelhas e diz lentamente:

— É quase como se o Comandante odiasse você desde o começo. Meu pai disse que ele, Oliver e alguns dos outros homens levavam comida para a sua mãe. Perguntavam se ela precisava de alguma coisa entre as visitas do Comandante.

— Até que Oliver ficou doente. E Jared estava fora da cidade em uma de suas missões. E ninguém mais se lembrou de nós. — Aquelas palavras são difíceis de dizer. As lembranças que elas evocam são ainda piores. Os armários da cozinha vazios. O desespero nos olhos de minha mãe conforme os dias passavam, e nós lentamente começávamos a definhar.

Ela era uma heroína. Não foi justo o Comandante lhe negar a proteção verdadeira. Não foi justo tratá-la de maneira diferente das outras mulheres da cidade. Ela precisou de coragem para ir ao mercado sem permissão. Ela fez isso por...

— Foi por minha causa! Ela fez aquilo por mim, e isso lhe custou a vida. — Não consigo respirar em meio à onda abrupta de culpa e tristeza que me corrói. — Se eu não estivesse morrendo de fome, ela não precisaria ter se arriscado.

Rachel se aproxima até que a única coisa que eu consigo ver é seu rosto.

— Não. Se você não estivesse lá, ela não teria nenhuma razão para viver. Ela o amava, e você valia o risco. E ainda vale.

Nós nos entreolhamos enquanto as palavras de Rachel pairam no ar entre nós. Em seguida ela recua um passo, olha para o chão e diz:

— E então, você vai fazer um Cajado novo para mim ou não?

Concentrar minha atenção no problema mais imediato é fácil. Descobrir o que fazer com as palavras de Rachel, nem tanto. Deixando-as de lado por enquanto, procuro por um bastão que seja pesado o bastante para que possa transformá-lo em um Cajado, e começo a trabalhar.

No final da tarde eu já terminei de construir seu Cajado e já a coloquei para atacar o manequim de treino. A extremidade reforçada com o peso extra acerta Bob com uma pancada sonora, e ela gira o bastão, aciona o mecanismo que libera a lâmina e a enterra com força no coração de Bob quando ele volta a deslizar em sua direção.

Ela sorri e puxa a arma, soltando-a do corpo do boneco.

— Para alguém que passa o dia inteiro debruçado sobre papéis velhos e enfadonhos, até que você sabe criar um bom Cajado.

É hora de ensinar a Rachel com quem ela está lidando.

— Eu não cresci em South Edge sem aprender um truque ou dois — eu digo, enquanto apanho o Cajado de Jared. — Recolha a lâmina. Vamos considerar que um golpe sólido com a extremidade na qual a lâmina fica oculta conta como um ponto.

Ela recolhe a lâmina de volta a seu compartimento, afasta os pés para conseguir uma base mais estável e ergue um pouco os calcanhares. Eu ando na direção dela, com a determinação de protegê-la incendiando-se e transformando-se em algo forte e brilhante em face de toda a coragem que ela demonstra.

— Quer dizer que eu passo os meus dias debruçado sobre papéis velhos e enfadonhos, hein? — Meu bastão sibila quando corta o ar, e ela se esquiva para desviar do golpe. Girando o corpo, eu a toco com a lâmina embainhada antes que ela consiga erguer os braços para se defender.

— Ponto para mim — eu digo, e não me esforço para esconder o sorriso torto que tenho nos lábios.

Ela começa a se mover ao meu redor.

— Foi sorte.

Golpeio outra vez, mas ela está pronta. Bloqueando meu ataque com o centro de seu Cajado, ela rodopia sob meus braços estendidos e bate com a ponta reforçada pelo peso contra minha coxa.

O orgulho impede que eu pragueje ao sentir a dor. Em vez disso, faço um movimento em arco raspando o chão para acertar os pés de Rachel e derrubá-la. Ela salta no ar e rola para a frente quando toca o chão, erguendo-se com o bastão já preparado para o contra-ataque.

A graça e o controle que ela tem sobre seus movimentos faria Jared se sentir orgulhoso. Decido que a emoção e o calor que tomam conta de mim devem ser orgulho, também.

— Você é rápida. Isso é bom — eu digo, avançando contra ela.

— Você também não é tão ruim, engenhoqueiro.

Nós bloqueamos, defendemos e nos afastamos. Ela é forte e rápida, mas eu me preocupo com a possibilidade de que não seja capaz de antecipar situações inesperadas. Recuo um passo, oferecendo a abertura para um ataque, e ela avança, girando a ponta reforçada de seu bastão como se fosse um açougueiro que quisesse cortar a cabeça de uma ovelha. Espero até o último instante; ajoelho-me no chão e a golpeio com meu ombro, usando-o como um aríete. O impulso que ela tomou faz com que ela passe por cima de mim e caia no chão, batendo o rosto contra a grama.

Ela cospe as folhas de grama que entraram em sua boca e solta alguns palavrões, mas percebo em seus olhos um respeito renovado em relação a mim.

Eu rio, e o temor que sinto por ela perde a força, transformando-se em algo que posso usar para me concentrar no planejamento dos próximos movimentos. Ela olha fixamente para mim, com um pequeno sorriso se formando em seus lábios, e a afeição em seu rosto faz com que eu me sinta o homem mais rico do mundo.

— Eu já era um combatente muito antes de ser inventor. — Ofereço-lhe a mão para ajudá-la a se levantar. — Você precisa estar pronta para um oponente que faça coisas inesperadas.

Ela segura minha mão estendida, fechando os dedos ao redor dos meus sem desviar o olhar. O brilho do sol traça um caminho dourado por entre seus cabelos da cor do fogo, e meus olhos passam por sua pele clara até pararem em seus lábios. Um calor cresce em meu estômago e se espalha preguiçosamente por mim quando eu a puxo para cima pela mão e a trago para perto de mim.

Não vou beijá-la. Isso seria... bem, não sei o que seria. Não consigo pensar direito. Tudo o que vejo é *Rachel*, preenchendo meus espaços vazios e fazendo com que eu me sinta maior e mais importante. Algo que eu não conseguiria sentir sozinho.

Talvez seja isso que os membros de uma família façam uns pelos outros. Ela é minha família agora. E é por isso que, mesmo enquanto me inclino na direção dela, incapaz de tirar meus olhos da maciez de sua boca, digo a mim mesmo que não vou beijá-la.

Ela dá um passo em minha direção com o rosto erguido. Eu me aproximo.

Atrás de nós, alguém limpa a garganta com um pigarro.

CAPÍTULO 19

LOGAN

Largo a mão de Rachel e viro rapidamente de costas, com o Cajado pronto para entrar em ação. Oliver está na varanda dos fundos da casa com a expressão mais séria que consegue colocar no rosto, olhando diretamente para mim.

Rachel recua e se abaixa para pegar sua arma. Repentinamente, eu percebo que estou muito interessado na posição do sol, demorando-me alguns momentos para observar o céu. Quando volto a olhar para Oliver, uma de suas sobrancelhas está erguida.

— Vai dar as boas-vindas para um velho? Ou vai ficar aí fingindo que eu não acabei de ver...

— Estávamos fazendo um treinamento de combate. — Rachel empunha seu Cajado para provar o que diz.

— Quando eu era mais jovem, isso tinha outro nome — diz Oliver, e faz um gesto para que entremos na casa com ele.

Não consigo olhar para Rachel quando entramos. A sala parece estar preenchida por uma sensação de constrangimento, e eu não faço a menor ideia de como dissipá-lo sem falar abertamente sobre a atração súbita e inexplicável que senti por ela. Algo que eu até poderia fazer, se fosse capaz de explicá-la. E se Oliver não estivesse na mesma sala que nós.

Ele me dá uma palmada amistosa no ombro e usa o outro braço para trazer Rachel para junto de si.

— É muito bom ver que vocês dois estão deixando suas diferenças de lado e descobrindo o quanto realmente têm em comum. Rachel, importa-se de me trazer um copo d'água?

Enquanto Rachel corre para a cozinha, Oliver olha seriamente em meus olhos.

— Você é um bom homem, Logan McEntire. É o filho que eu nunca tive. Sei que posso confiar em você em relação a Rachel.

O peso da confiança de Oliver só faz aumentar a pressão que já está colocada sobre meus ombros pela confiança que Jared depositou em mim.

— Não vai acontecer de novo — eu digo, embora não tenha certeza de que esteja sendo sincero.

Ele abre um sorriso.

— Se eu fosse você, não faria promessas que não é capaz de cumprir. Tudo que peço é que, se você decidir que ela é a mulher ideal para você, faça com que tudo aconteça da maneira correta.

A mulher ideal para mim? Eu olho para Rachel quando Oliver se afasta de mim e entra na cozinha, acomodando o corpanzil diante de minha mesa abarrotada de peças e componentes. Foi somente um impulso. Ela é bonita e forte, de uma maneira que eu gosto. É claro que eu a acho atraente. Mas isso não significa que eu esteja pronto para Tomá-la. Ou que qualquer outra pessoa esteja, considerando a situação.

Sentindo-me bastante irritado pelo que Oliver imagina ser a verdade, eu o sigo até a cozinha. Rachel se senta no chão, apoiando as costas contra as pernas de Oliver enquanto ele tira alguns pães glaceados de dentro de uma toalha e os entrega a ela. Sento-me na outra cadeira. É hora de ignorar o assunto desconcertante de meus sentimentos por Rachel e nos concentrar em algo muito mais direto: meu plano para tirar Oliver de Baalboden conosco.

Antes que eu possa falar, entretanto, Oliver diz:

— Vocês dois podem estar certos. Eu acho que Jared ainda está vivo.

— O quê? — eu me inclino para a frente quando os olhos de Rachel encontram os meus, chocados e ansiosos por uma explicação.

— Por que você acha isso? — pergunta ela, colocando os pães glaceados sobre a mesa.

— Conversei com algumas pessoas que estavam negociando com aquele grupo de salteadores que foi morto pelo Maldito no outro dia. Há alguns rumores correndo entre as cidades-estado que dizem que o seu pai é o homem mais procurado por todas as Terras Ermas.

— Procurado? Por que motivo? — eu pergunto.

— Por roubo e traição contra o governante de Rowansmark.

Rachel endireita as costas.

— Isso é uma mentira suja! Ele nunca roubou nada, e também não cometeria traição!

Oliver lhe aperta carinhosamente o ombro.

— Eu sei disso. Todas as pessoas que o conhecem também sabem.

— Ele não roubou aquele pacote de Rowansmark. Alguém o entregou ao meu pai.

— Estou imaginando que a pessoa que lhe deu aquele pacote foi quem cometeu a traição — eu digo. — É possível que o Comandante tenha conseguido subornar ou coagir um cidadão de Rowansmark a roubar o pacote, e Jared apenas o traria de volta.

— Exceto pelo fato de que meu pai ficou desconfiado, descobriu o que havia dentro...

— ... e teve a integridade e a coragem de mantê-lo longe do Comandante — eu digo.

— Mas por que não devolvê-lo a Rowansmark, se o pacote pertence a eles? — pergunta ela.

Oliver faz um sinal negativo com a cabeça.

— Não sei, mas James Rowan está fazendo tudo o que pode para recuperá-lo. Está oferecendo recompensas. Reservas de trigo para um ano inteiro, um boi e uma promoção vitalícia ao Conselho Militar de Rowansmark para qualquer pessoa que capture o seu pai. Vivo.

Rachel e eu ficamos em silêncio enquanto assimilamos a generosidade absurda daquela recompensa.

— Ninguém apareceu para receber a recompensa ainda. Assim, a menos que ele tenha sido apanhado pelo Maldito, ele está vivo. — Oliver faz mais um carinho no ombro de Rachel e se ergue outra vez. — Achei que seria bom vir até aqui para lhes dizer isso. — Ele pega o copo d'água que está à sua frente e engole o conteúdo em cinco longos goles. — É melhor eu ir. Não quero ser apanhado fora de casa depois que escurecer.

Rachel se joga contra o peito de Oliver, agarrando-se a ele.

— Espere um pouco. Temos que lhe dizer uma coisa.

Ele olha para mim.

— Vamos partir no dia seguinte à Toma. — Fico em pé, colocando meu braço ao redor dos ombros de Oliver e esperando que, embora eu não saiba como demonstrar, sei que lhe devo minha vida. Se ele não houvesse secretamente ignorado o decreto do Comandante e conquistado a amizade de um moleque sujo que morava nas ruas, eu não seria um homem digno de chamar pessoas como Jared, Rachel e Oliver de família. — Vamos viajar pelas Terras Ermas para procurar Jared. E você virá conosco.

— Sou velho demais para essas jornadas pelas Terras Ermas. — Oliver também coloca um braço ao redor de minhas costas. — Estou orgulhoso de vocês dois. Jared também se orgulharia. Lembrem-se disso e fiquem vivos.

— Mas você tem que vir conosco! — Os olhos de Rachel estão úmidos.

— Nós não vamos voltar — eu digo. — Imaginamos que a decisão que Jared tomou de não trazer o pacote a Baalboden é legítima. Por isso, não daremos ao Comandante o que ele quer. Quando perceber que não vamos voltar, ele vai usar você como bode expiatório para a nossa traição.

— Como vocês esperam que eu cruze todo aquele terreno selvagem para procurar Jared? Vou apenas atrasar vocês.

— Há outro grupo de salteadores que virá vender seus produtos amanhã. Você vai sair para negociar com eles como de costume, mas não vai voltar.

— Os guardas fazem uma varredura da área com os Identidiscs.

— Tenho aparelhos que podem bloquear o sinal deles. Você geralmente leva um jumento para carregar suas mercadorias até a área dos bandidos e depois voltar com as compras, não é? — eu pergunto.

Ele assente.

— Desta vez, embaixo dos seus pães e bolos, esconda roupas, comida, uma tocha e uma arma. Compre apenas coisas de que você irá precisar nas Terras Ermas. Quando houver a troca de guarda, esconda-se entre as carroças dos bandidos, distribua pães e doces para evitar suspeitas, se precisar, e depois entre nas Terras Ermas. Nós o encontraremos no dia seguinte.

— É um plano bastante audacioso. — O sorriso de Oliver está cheio de orgulho.

— Vai funcionar. Tem que funcionar. — Eu aperto seu ombro com a mão. — Você será invisível aos Identidiscs. E pode montar no lombo do jumento nas Terras Ermas para facilitar a viagem. Vamos deixá-lo em um dos esconderijos até encontrarmos Jared. Depois, poderemos construir uma nova vida, juntos, em algum outro lugar.

Os olhos negros dele se encontram com os meus, tranquilos e atentos.

— Parece que vocês estão correndo um risco enorme por causa de um velho.

— Você faz parte da nossa família. Não vamos partir sem você.

— Se você ficar aqui, ele vai matá-lo. — A voz de Rachel fica entrecortada, e Oliver a abraça com carinho.

— Não chore, garota Rachel. Eu espero um dia poder ser bisavô. Se eu precisar cavalgar no lombo de um jumento por todas essas malditas terras selvagens, então é isso que farei.

— Obrigado. — Coloco uma pulseira magnética em sua mão. — Use-a por cima da marcação do seu pulso no dia em que os bandidos chegarem para negociar, e o Identidisc não será capaz de encontrá-lo.

Oliver nos abraça por mais um momento, e depois vai embora. O sobrado parece estar vazio sem ele.

CAPÍTULO 20

LOGAN

A cerimônia da Toma acontecerá amanhã. Neste momento, Oliver já deve estar se misturando aos mercadores, perto de desaparecer nas Terras Ermas para esperar por nós. Termino de montar o último equipamento de que preciso para cobrir qualquer possível necessidade em nossa missão. Vamos precisar escapar de outro rastreador? Não é um problema. Os guardas se recusam a ficar para trás? Posso cuidar disso. Rachel e eu nos separamos? Posso encontrá-la em qualquer lugar. O Comandante resolveu armar algum plano para nos prejudicar?

Eu estou quase esperando que ele tente fazer isso.

Cobri todas as possibilidades, tracei todos os planos, e cada aparelho eletrônico está funcionando como deveria. A sensação de triunfo que eu sinto por ter alguma vantagem sobre o Comandante e qualquer outro rastreador que ele use para tentar encontrar Jared é como uma luz brilhante dentro de mim.

Rachel sente o mesmo. Percebo pelo brilho em seus olhos quando ela examina cuidadosamente as nossas armas, enquanto eu me certifico de que a lista das provisões de última hora que quero comprar no mercado hoje esteja no bolso interno de meu manto.

Evitamos nos aproximar ou nos tocar desde o dia de nosso treino de combate. Não sei quais são os motivos dela, mas os meus estão claros: sinto-me atraído por ela. Sempre a achei bonita, mas agora eu vejo que por trás da beleza há uma garota corajosa e impetuosa, que enfrentaria qualquer inimigo para lutar por aqueles que ama. Ela é... admirável.

Mas não tenho certeza de que o desejo que sinto de poder deslizar minhas mãos por seus cabelos e puxá-la para perto de mim pode ser chamado adequadamente de admiração. Enquanto não conseguir mantê-lo sob controle, prefiro ficar longe dela. É o que eu devo fazer. Estou no lugar de Jared. Ele confia em mim. *Ela* confia em mim, uma consequência frágil que é, ao mesmo tempo, aterrorizante e imensamente gratificante.

Não estou pronto para discutir meus pensamentos íntimos e irracionais, mas ainda quero me aproximar dela com mais do que planos de batalha e possíveis desdobramentos ruins. Com isso em mente, ergo os olhos da lista de compras e digo:

— Vamos partir depois de amanhã, e não passaremos muito tempo juntos até o momento chegar. Então...

— Por que não? — Ela tira os olhos das armas que está embrulhando.

— Ainda preciso ir buscar alguns componentes e verificar informações, e essa é a sua última chance de ver Sylph. Imaginei que você gostaria de passar o dia com ela.

Um lampejo de dor cruza seu rosto, e ela volta a se ocupar com as armas.

— De qualquer forma, eu queria elogiá-la.

Os olhos de Rachel se arregalam, erguem-se rapidamente para encontrar os meus e depois baixam outra vez.

— Por quê?

— Porque eu percebo que, mesmo não havendo nenhum sentido lógico nisso, e conhecendo-a como eu a conheço, você precisa que eu lhe diga palavras mais suaves, às vezes.

Agora ela está me olhando como se outra cabeça houvesse surgido sobre meus ombros, e eu me sinto um idiota.

— Está me dizendo que vai me elogiar, embora eu logicamente não precise ouvir isso? — A voz dela não parece estar contente.

Começo a retroceder por minhas palavras, mas não encontro nada que possa ofender. Assim, simplesmente concordo com um movimento de cabeça.

— O bom senso diria que uma mulher como você não deveria ser dependente de...

— O que significa isso? — Ela joga o arco e a flecha que tem nas mãos no chão e se levanta, com o rosto corado.

— Por que eu não precisaria ouvir alguns elogios?

Não faço a menor ideia de como essa conversa se tornou um desastre tão rapidamente. Eu queria apenas dizer algo agradável a ela. Será que o elogio precisa se transformar em dez minutos de discussão sobre intenções e semântica?

Talvez, se eu enunciar claramente, ela consiga me entender. Aproximo-me dela e digo com bastante clareza.

— Por causa do tipo de mulher que você é.

Falar lentamente não ajudou em nada. Ela dá a impressão de estar prestes a pegar uma das armas e jogá-la em minha cabeça. Fico um pouco irritado comigo mesmo.

Ela fala por entre os dentes:

— E que tipo de mulher você acha que eu sou, Logan McEntire?

Eu retruco imediatamente.

— Segura de si. Forte. Capaz. Linda. Uma parceira em nível de igualdade nesta missão, com toda a certeza.

O tom rosado que tinge sua face fica mais intenso, mas, em vez de soltar faíscas, seus olhos estão convidativos e carinhosos. Não entendo como um elogio dito no meio de uma onda de raiva pode causar esse efeito mágico nela, mas fico aliviado ao perceber que é assim que funciona.

— Você acha que eu sou linda? — ela pergunta, e eu repentinamente me sinto como se os cordões da túnica que eu visto estivessem me enforcando.

— Eu não disse isso.

— Disse sim — ela declara em voz baixa, com um discreto sorriso nos lábios, mesmo que se recuse a olhar nos meus olhos.

Eu disse isso mesmo? Repasso as palavras que joguei nela e percebo que Rachel tem razão. Eu realmente disse *linda*. O que, incidentalmente, não é nenhum crime. Qualquer pessoa que olhasse para ela pensaria o mesmo.

Dou de ombros e faço questão de falar casualmente quando respondo:

— É, acho que eu disse. Está pronta? — Eu puxo meu manto por cima dos ombros e espero que ela insista em continuar o assunto. Que exija uma explicação que não estou pronto para lhe dar.

Em vez disso, ela diz:

— Vamos lá. — Sua voz parece estar um pouco abalada e forçada, mas eu deixo isso passar. Não faço a menor ideia do que mais eu poderia dizer.

A tensão entre nós continua presente conforme caminhamos pela rua empoeirada em direção às áreas mais movimentadas da cidade, não tendo nada além dos sons matinais dos animais das fazendas e dos pássaros para nos fazer companhia em meio a nosso silêncio.

Os garotos que cuidam das tochas já apagaram as luzes da região de Center Square, e nós passamos pelo palco, observando os trabalhadores limpando o palco e preparando os camarotes em meio aos preparativos para a cerimônia da Toma, que acontecerá amanhã.

Fico feliz por estarmos indo embora de Baalboden antes que Rachel chegue à idade da Toma. A ideia de ficar atrás dela enquanto um grupo de homens ansiosos tenta me convencer a entregá-la faz com que eu queira acertar suas cabeças com força. Não porque não posso entregar Rachel ao homem certo para ela. Mas eu conheço todos os homens solteiros em Baalboden, e, embora nunca haja pensado nisso até agora, estou convencido de que nenhum deles é digno de Rachel.

Entramos em North Hub e chegamos à casa de Sylph. Rachel se despede rapidamente antes de entrar. Fico parado no meio da rua e espero até vê-la desaparecer dentro da casa antes de continuar rumo ao Mercado Baixo.

No meio do caminho, eu desvio por uma rua lateral, tomo um atalho por um beco e entro pela porta dos fundos da tenda do açougueiro, onde o primeiro de meus contatos do mercado negro aguarda para me dar as informações mais atualizadas sobre Rowansmark e a busca por Jared.

Vou partir para as Terras Ermas armado até os dentes com conhecimento, tecnologia e a determinação feroz que o Comandante imagina que ninguém mais na cidade tem além dele próprio.

Mal posso esperar para provar que ele está errado.

CAPÍTULO 21

RACHEL

Sylph, sua mãe e seu irmão mais velho estão esperando por mim na sala principal. Sylph me olha com um rápido sorriso enquanto veste seu manto.

— Vamos sair para eu experimentar o vestido pela última vez na loja da Madame Illiard, em North Hub. Minha mãe não quer me deixar comprar nada que esteja na tenda da Madame no Mercado Baixo. Ela diz que sua filha será a única que terá um vestido feito sob medida. Consegue acreditar que a cerimônia de Toma acontecerá amanhã?

Ela estica a palavra *amanhã* como se estivesse apostando todos os seus sonhos nela. Talvez esteja. Tento sorrir quando ela se aproxima de mim, saltitando, tagarelando sobre seu vestido e a previsão do tempo para a cerimônia de amanhã, mas é difícil fingir. Saber que eu vou partir no dia seguinte ao da cerimônia faz com que eu me retorça por dentro, até não saber mais o que realmente sinto.

Quero parar de perder tempo. Dar um fim nessa inércia enquanto meu pai está sozinho em algum lugar das Terras Ermas. Também quero aproveitar cada momento precioso que puder passar junto de Sylph, caso nunca mais tenha a oportunidade de voltar a vê-la.

Sylph não percebe que minhas respostas estão rareando. Ficamos alguns passos atrás de sua mãe e seu irmão, e ela está falando aos sussurros sobre a esperança de que Smithson West a Tome. Eu a escuto sem muito interesse, faço que sim com a cabeça nos momentos adequados e tento memorizar tudo o que amo nela enquanto a tristeza cresce dentro de mim, fazendo com que seja difícil respirar.

Somos amigas desde que sentamos na mesma mesa nas aulas de Habilidades Caseiras, os poucos anos de educação considerados suficientes para uma garota em Baalboden. Aprendemos coisas como cozinhar, pechinchar no mercado, costurar e regras de etiqueta para as ocasiões em que saímos à rua com nossos Protetores.

Os garotos recebem mais seis anos de educação e aprendem coisas como matemática, leitura, a história das Terras Ermas, as diferentes leis e protocolos das outras oito cidades-estado e a importante função que o Comandante Chase desempenha para manter os cidadãos de Baalboden a salvo do Maldito.

Nunca considerei justo que a anatomia devesse ser o fator decisivo para indicar as aptidões de meu cérebro. Meu pai achava o mesmo, e eu me esforçava muito para aprender tudo o que ele tivesse a me ensinar. Certa vez, tentei ensinar a Sylph o quanto é maravilhoso poder abrir um livro e entender as palavras que existem dentro dele, mas ela simplesmente dispensou aquele conhecimento. Não precisava saber ler. Teria um Protetor para fazer isso por ela.

Agora eu estudo seus olhos verde-escuros iluminados com o prazer e expectativa pelo nosso dia, seus cachos negros que sempre desafiam as tentativas de sua mãe de fazer com que ela se pareça mais com uma dama, e a empolgação que faz seu corpo levemente arredondado tremer, e me aproximo dela para lhe dar um abraço.

Ela retribui meu abraço. Entramos na loja de Madame Illiard, onde vestidos elegantes para a Toma estão pendurados perto da vitrine e rolos de tecido cobrem as paredes, num festival de cores. Duas mesas estão dispostas em cada lado da loja. Uma tem cestas de coisas inúteis como miçangas, botões e rolos de fita. A outra não tem nada sobre si além de uma fita métrica e duas tesouras.

Não sei como alguém é capaz de passar mais de cinco minutos neste lugar sem enlouquecer completamente. Mesmo assim, Sylph está saltitando pela loja e abraçando sua mãe enquanto examinam o vestido quase completo para a Toma que foi feito especialmente para ela. Ver as duas tão próximas enquanto tocam o tecido com os dedos e admiram uma peça de renda faz com que uma sensação indesejável de saudade corra pelo meu corpo.

Não é comum eu sentir saudades de minha mãe. Como eu poderia? Ela morreu logo depois que eu nasci, e nunca cheguei a conhecê-la. Mas, em ocasiões como esta, eu sinto falta dos momentos que podíamos ter passado juntas. Imagino que nossos cabelos tivessem o mesmo tom de ruivo. Nossos olhos, o mesmo tom de azul. Talvez nós duas gostássemos de bolo de limão e odiássemos espinafre. Ou talvez pensássemos que os únicos objetos realmente úteis na loja da Madame Illiard fossem as tesouras, porque coisas afiadas se tornam ótimas armas.

Nunca vou saber com certeza, e pensar nisso não me ajudará a escapar de Baalboden e encontrar meu pai. Assim, empurro a saudade para longe e sigo Sylph até sala dos fundos, um cômodo sem nenhuma janela, para que ela experimente o vestido.

Quase duas horas se passam antes que a Madame declare que o vestido de Sylph está perfeito. O veludo verde-escuro abraça a parte de cima de seu corpo e cai em linhas graciosas até chegar a seus tornozelos. Cortes de renda negra brilham por entre as dobras da saia, e fitas negras se entrelaçam a suas costas para fechar o vestido. Quando Madame Illiard e a mãe de Sylph saem da sala para negociar o preço final, Sylph rodopia a minha frente e pergunta:

— Não é maravilhoso?

— É muito bonito.

— Acha que Smithson vai gostar?

— Tenho certeza de que vai.

Ela agarra meu braço e olha atentamente para mim pela primeira vez.

— O que foi? Você não acha que Smithson é o homem certo para mim?

— Eu acho que ele é um bom homem — eu digo, porque o coração de Sylph pertence a ele, e também porque é verdade. Ele é tranquilo, forte, e parece não querer nada além de uma esposa, um lar e uma boa colheita em sua pequena fazenda. — Ele é perfeito para você.

Ela parece brilhar de alegria por um momento, mas, em seguida, sua expressão se desfaz.

— Gostaria que você pudesse estar na cerimônia deste ano comigo.

— Ainda não fiz dezessete anos. — Tento soar como se estivesse decepcionada também, embora não esteja. Não consigo nem pensar na possibilidade de querer desfilar pelo palco em Center Square enquanto um dos homens solteiros da cidade decide que eu seria uma noiva perfeita para ele. Além disso, o que é que eu sei a respeito de ser uma esposa obediente? Há qualidades muito mais importantes do que simplesmente a docilidade e a subserviência.

Logan parece concordar.

Uma onda de calor se espalha por dentro de mim quando penso em sua tentativa desastrada de me fazer um elogio hoje.

Linda.

Suas palavras parecem um presente que eu não me canso de abrir quando não há ninguém olhando. O que Sylph diria se soubesse que eu quase beijei Logan? Se soubesse que, às vezes, eu observo Logan quando ele está debruçado sobre suas invenções, e sinto vontade de deslizar meus dedos pelos músculos de seus ombros, mesmo que não haja nenhuma razão aparente para isso?

O segredo treme na borda de meus lábios, mas há outros segredos que estão logo abaixo deste. Segredos que envolvem o Comandante. Oliver. Traições. Sylph não pode saber nada sobre isso. É a única proteção que eu posso lhe oferecer depois que partir.

Sylph ainda está falando, tagarelando sobre maneiras de fazer com que eu participe da cerimônia da Toma junto com ela. Nenhuma daquelas ideias é plausível. Finalmente, ela deixa os ombros caírem e diz:

— Não vai demorar tanto tempo até você fazer dezessete anos. Se o seu pai ainda estivesse aqui, ele poderia ter pedido uma permissão especial... — Seus olhos se arregalam e se enchem de lágrimas.

— Sylph...

Ela vem correndo até onde estou e me envolve em meio a uma nuvem de veludo e seda.

— Desculpe! Eu não estava pensando direito.

Eu a afasto gentilmente.

— Não estou brava. Sei que você não teve a intenção de dizer nada de mais.

Os olhos de Sylph brilham.

— Talvez Logan possa lhe Tomar!

Meu coração acelera dentro do peito, mas eu nego com um movimento de cabeça.

— Não seja boba.

Ela segura minhas mãos e começa a dançar no lugar em que está.

— Não seria romântico? Eu seria a Senhora Smithson West. E você seria a Senhora Logan McEntire. Poderíamos oferecer festas e jantares juntas, e ir ao Mercado Baixo juntas, e...

Rio, um pouco desesperada, e entrelaço meus dedos com os dela. Ela conduz nossa dança pela sala, e eu deixo que ela me gire; permito-me ignorar as Terras Ermas, a recompensa oferecida pela cabeça de meu pai e as complicações que existem entre Logan e eu. Ela não sabe, mas estes serão os últimos momentos que passaremos juntas. Não quero lhe deixar nada além de lembranças felizes.

Tropeçamos e caímos no chão, com os corpos amontoados e sem fôlego de tanto rir. Coloco meus braços ao redor dela e a abraço. Ela retribui o abraço, mas, em seguida, seu riso fica estrangulado num silêncio que lhe é muito incomum. Eu viro o rosto para ver o que houve e sinto meu estômago se revirar.

O Comandante Chase está sob o vão da porta dos fundos, empunhando a espada e olhando-nos com olhos frios e sombrios.

CAPÍTULO 22

RACHEL

Os braços de Sylph se apertam ao redor de meu corpo, e eu a abraço mais uma vez antes de me afastar lentamente. Meus joelhos estão tremendo enquanto me forço a ficar em pé, movendo-me para ficar entre o Comandante e minha melhor amiga.

— Você vem comigo — ele diz, apontando para a porta atrás de si. Os botões de prata polida em seu impecável uniforme azul refletem a luz do sol da manhã e brilham como se fossem pequenos diamantes. Eu desvio o olhar.

Nem penso em discutir, apesar de minha promessa de que o derrubaria no chão com um golpe e fugiria se ele me ameaçasse quando Logan não estivesse por perto para ajudar. Sylph está aqui. Ela terá que pagar por minhas ações assim como eu, e não estou disposta a correr esse risco. Além disso, ele ainda precisa de mim.

— Rachel! — Sylph sussurra quando eu vou na direção da porta. Dou uma olhada para ela e tento sorrir, mesmo que meus lábios estejam tremendo. Saio da loja e sinto a luz da manhã, uma brisa brincando com meus cabelos enquanto encaro o trio de guardas do Esquadrão dos Brutos que espera por mim na rua de pedra.

Eles também estão com as espadas desembainhadas.

O Comandante encosta a palma da mão em minhas costas. Sem meu manto, o calor de seu corpo parece queimar minha pele.

— Entre — diz ele, e o Esquadrão dos Brutos se afasta para revelar uma enorme carroça coberta, puxada por mulas.

Dou uma olhada ao redor para observar a rua, mas, se alguém percebeu o que está acontecendo, não parou para ficar olhando. Não posso culpá-los. Afastando a mão do Comandante, eu rejeito a ajuda do guarda que está mais perto de mim e subo na traseira da carroça. O Comandante e um dos três guardas me seguem de perto. Em um momento, a carroça avança com um solavanco e se move ruidosamente pela rua de pedras.

A cobertura de lona pesada esmaece o sol da manhã, transformando-o em uma luz cinzenta e mortiça, e meus olhos têm dificuldade para se ajustar. Demoro alguns segundos para perceber o volume coberto por panos que está encostado na parede oposta da carroça. Um mau pressentimento cresce dentro de mim, como se fosse um veneno oleoso que me deixa enjoada.

Não sei o que há sob aquele pano, mas não pode ser nada bom.

— Sente-se. — O Comandante passa por mim, forçando-me a sentar no banco de madeira construído contra a lateral da carroça, e senta-se no banco do lado oposto, ao lado da coisa coberta pelo pano. Sua espada ainda está desembainhada.

O guarda se agarra na traseira da carroça e se ergue, com a espada em punho, bloqueando a saída. Quero observar meus arredores e procurar por possíveis rotas de fuga, mas não consigo tirar os olhos de cima da coisa que está coberta no fundo da carroça. Há algo horrivelmente familiar em seu formato, mas não quero traduzir a sensação em palavras porque não é possível.

Não pode ser.

— Você e aquele inventor estão escondendo segredos. — Os olhos do Comandante são círculos severos e brilhantes, iluminando aquele espaço escuro com malícia. — Ele realmente pensava que eu não saberia de cada um de seus movimentos antes mesmo que vocês o fizessem?

Eu olho para o monte de panos e sinto o pavor encher meu estômago. Tem o tamanho exato de uma pessoa.

Logan. O Comandante sempre odiou Logan. Não queria que ele viesse comigo. Eu olho para a pessoa enrolada nos panos e tento encontrar minha voz, embora não faça ideia do que vou dizer.

— Não vai me contar o que vocês estão planejando?

Abro a boca, mas não consigo dizer nem uma palavra.

— Estou vendo que você precisa de um incentivo. — Ele sorri e enfia a espada nos panos. A pessoa que está presa sob o pano aspira o ar, tomando fôlego com dificuldade, e solta um gemido. O sangue brota por baixo do pano e se espalha como se fosse uma rosa desabrochando rapidamente.

Meu fôlego desaparece como se eu houvesse recebido uma pancada no abdômen.

— Quem está aí?

Por favor, por favor, por favor, que seja um estranho. Outro guarda. Outra lição. Por favor. Não pode ser Logan.

O Comandante me ignora.

— Não confio em Logan McEntire. Também não confio em você, mas você tem uma qualidade que ele não tem.

Não consigo tirar os olhos da mancha de sangue, e sinto um grito querendo escapar de minha garganta.

— Sabe o que é? — Ele arranca a espada do monte de panos, e a pessoa apunhalada se move com um espasmo. — Lealdade.

Não consigo respirar. Tento ficar em pé, mas meus joelhos se recusam a aguentar o peso de meu corpo, e eu caio no piso cheio de farpas da carroça.

Ignorando o Comandante, eu rastejo em direção à pessoa que está debaixo dos panos. Estou quase lá quando o Comandante enfia a espada no piso da carroça, a poucos centímetros de meu rosto.

Sua voz é ríspida, e ele morde cada sílaba até deixá-las em pedaços.

— Logan não é leal. Logan acha que é, mas, se eu colocá-lo à prova, ele fracassará. Seus próprios interesses sempre serão mais importantes para ele do que qualquer outra pessoa.

Minha respiração fica estrangulada num soluço, e eu tento engatinhar ao redor da espada. A lâmina morde meu ombro quando eu me movo, e o Comandante ri.

— Você, por outro lado, é totalmente leal. Não é do tipo que conspira, manipula ou trai. Não se isso custar a vida de alguém que você ama. — Ele livra a espada do fundo da carroça com um puxão e a enterra na pessoa que está sob os panos outra vez. — Não, você irá até os confins das

Terras Ermas, fará tudo o que lhe for pedido, ignorará sua própria ética e seus instintos, desde que consiga salvar a pessoa que ama.

Chego até o pano e tento rasgá-lo com todas as minhas forças, enquanto a pessoa que está por baixo geme em agonia.

— Por favor. — Não consigo afrouxar os panos. — Por favor! — Eu olho para o Comandante, e a cicatriz que ele tem no rosto retorce seu sorriso, transformando-o em uma paródia grotesca de alegria.

Vai ser um guarda. Um prisioneiro. Alguém que não significa nada para mim. Não vou suportar estar errada.

Não vou suportar perder Logan outra vez.

— Permita que eu a ajude — diz o Comandante, com a voz cheia de malícia. Puxando a espada novamente para livrá-la, ele corta o pano e o abre, rasgando-o de uma ponta à outra.

Eu agarro os pedaços e os arranco, jogando-os para longe. Um grito começa a crescer dentro de mim enquanto olho fixamente.

Não é Logan.

Não é um estranho.

Oliver.

Oliver.

Ele já devia estar do lado de fora da Muralha agora. A salvo. Devia estar, mas não está.

Oliver me olha, a tristeza e o orgulho mesclados com o amor que ele sempre demonstrou por mim, e depois geme novamente. Começo a me desfazer.

— Não, não, não, não, não. — Tanto sangue. Muito. Brota de seu peito e cobre minhas mãos, e não sou capaz de estancar a hemorragia.

— Você não devia ter conspirado pelas minhas costas — diz o Comandante, com a voz tão dura quanto o piso da carroça por baixo de mim. — Você foi desleal, e isso lhe custou caro.

— Vai ficar tudo bem — eu digo a Oliver. As lágrimas queimam meus olhos, e tenho de piscar para conseguir enxergá-lo. — Vai ficar tudo bem — eu minto, porque não sei mais o que posso fazer.

Ele tenta falar, mas o sangue borbulha e escorre por seus lábios. Pego um pedaço do pano e o pressiono contra sua boca com as duas mãos.

— Vai ficar tudo bem — eu digo novamente, e aperto com mais força, embora não saiba como fazer com que minhas palavras sejam sinceras.

Oliver balança a cabeça com movimentos curtos e tenta erguer o braço. Eu seguro na mão dele e entrelaço os dedos dele nos meus, do mesmo jeito que ele fazia quando andava comigo pelo mercado. Sua mão ainda engole a minha por inteiro, embora sua pele agora esteja gelada.

— Salve-o — eu digo ao Comandante. — Por favor. Leve-o a um médico. Farei qualquer coisa que você pedir. Qualquer coisa.

— Sim, você fará — diz ele. — Porque, se não fizer, eu matarei Logan de uma maneira que vai permanecer na memória dos cidadãos de Baalboden por várias décadas.

— Logan? — eu ergo os olhos, e as lágrimas impedem que eu veja o rosto do Comandante com clareza. — Não estou entendendo. Este é Oliver. Quero que você salve *Oliver!*

— Ah, já é tarde demais para ele — diz o Comandante, e, com um movimento rápido do pulso, trespassa o pescoço de Oliver com a lâmina da espada.

O grito dentro de mim abre caminho à força pela garganta. Tento alcançar a espada, mas ela já desapareceu. Jogando-me sobre o corpo de Oliver, aperto seu pescoço apressadamente com o pano e imploro para que ele olhe para mim, embora saiba que não vai conseguir.

Ele não vai conseguir, nunca mais vai conseguir olhar para mim. Soluços fortes me sufocam, e eu quase não consigo encontrar o ar para libertá-los.

Mãos rudes agarram meus braços e me tiram de cima de Oliver. Eu grito e me debato contra a pessoa que está atrás de mim, mas não há nada que eu possa fazer. A carroça para e dois outros guardas entram. Eles voltam a envolver o corpo de Oliver com os panos e o levam para fora. O guarda que está me segurando me joga no chão e sai, também, deixando-me prostrada aos pés do Comandante.

Ele se agacha até ficar no mesmo nível em que eu estou, e o sangue de Oliver ainda brilha em sua lâmina.

— Você participará da cerimônia da Toma amanhã.

Eu olho fixamente para a espada dele, cruzando os braços em frente ao peito, balançando para a frente e para trás.

— Está me ouvindo? — Ele agarra meu queixo com a mão, forçando-me a encarar seus olhos. — Preste atenção. A vida de Logan McEntire depende disso.

Meus dentes estão batendo uns contra os outros e meu corpo estremece, mas eu me forço a concordar com um aceno de cabeça. Logan é tudo que me resta. Se for necessário fazer qualquer coisa para tirá-lo da lista de execuções do Comandante, por tudo que há de mais sagrado, eu farei o que ele mandar.

— Você estará na cerimônia da Toma. Eu vi o jeito como Logan olha para você. Não tenho dúvidas de que ele tentará Tomá-la. — As bordas de seu sorriso parecem tremer. — Você vai rejeitá-lo.

Estou atordoada demais para protestar. Ou para imaginar o que o Comandante acha que vê quando Logan olha para mim. Ou para argumentar que ninguém nunca rejeitou a oferta de um homem decente em toda a história das cerimônias de Toma de Baalboden.

— Quando você o rejeitar, eu vou declarar que você está sob a guarda do estado. A influência de Logan estará legalmente cortada, e você viajará pelas Terras Ermas sem ele. — A voz do Comandante fica mais baixa. — Você vai mostrar a meu rastreador onde seu pai escondeu o pacote que recebeu em Rowansmark, e você o trará de volta para mim. Caso contrário, Logan será torturado e morto.

Ele solta meu queixo e esfrega a palma em meu rosto, enrolando os dedos em meus cabelos.

— Fui claro?

Assinto, com um movimento débil e vacilante, e observo o sangue escorrer pela lâmina de sua espada.

— Até amanhã — ele diz, e, em seguida, vai embora.

CAPÍTULO 23

RACHEL

A carroça avança com um solavanco outra vez, e eu levo um momento para perceber que não estou sozinha. Um dos guardas está sentado no banco atrás de mim, segurando um volume embrulhado em papel com uma das mãos e um pano úmido na outra.

Eu me afasto dele o máximo que consigo, sem tocar a poça com o sangue de Oliver que lentamente está sendo absorvida pelas tábuas do piso da carroça. Quando ele me ignora, eu abraço os joelhos e tento não deixar que o grito de agonia que ouço dentro da cabeça alcance meus lábios.

Oliver está morto.

Morto.

Ele nunca será bisavô. Nunca mais me entregará outro pão glaceado, nem me chamará de garota Rachel, nem estará presente quando eu limpar o nome de meu pai.

A verdade é dura demais para ser encarada, e eu me afasto dela antes que comece a queimar o meu cérebro como um ferro em brasa e se torne real. Em vez disso, encontro um lugar tranquilo dentro de mim onde o Comandante não existe, onde minha família ainda está intacta e eu não estou coberta pelo sangue de ninguém.

O lamento doloroso dentro de minha cabeça está ficando mais distante. É a dor de alguma outra garota. Não a minha.

Balanço o corpo, com os braços ao redor de mim mesma como se fosse me estilhaçar em um milhão de pedaços.

O guarda diz alguma coisa, mas não consigo ouvi-lo. Se eu prestar atenção nele, é provável que ouça o choro triste da garota que acabou de perder algo precioso.

Ele me dá um tapa, mas eu não sinto. Ele diz outra coisa. Em seguida, agacha-se em minha frente e esfrega meu rosto com uma persistência rude. Quando se afasta, o pano úmido que ele tem nas mãos está coberto por manchas vermelhas brilhantes, como se fossem pequenas flores rubras decorando o tecido.

A bile sobe por minha garganta, e eu desvio os olhos do pano.

Ele tira o cordão que está atado ao redor do pacote que traz consigo e rasga o papel. Não olho para ver o que ele tem. Talvez esteja coberto de vermelho, também.

Ele está falando de novo, mais alto desta vez. Suas botas se fincam no piso de madeira entre nós quando se levanta. Vejo com o canto do olho que há uma mancha vermelho-escura na beirada da sola direita de sua bota, e enfio a cabeça em meu peito.

Meu peito está coberto por uma mancha rubra que cheira a ferrugem.

Encharcado.

Estapeio a mancha. Puxo-a para longe com dedos frenéticos. Preciso tirá-la de cima de mim. *Preciso.*

O guarda ajuda. Mãos rudes abrem os laços que prendem minha túnica, e eu me liberto desajeitadamente, com força. Estou ofegante, puxando lufadas de ar que enchem a carroça.

Ele ataca minha pele outra vez, usando o pano com as flores vermelhas, e eu retorço o corpo, tentando escapar. Não quero que ele me toque com aquela coisa. Não suporto sentir aquilo me tocar outra vez, nem por um segundo.

Ele larga o pano. Em seu lugar, está segurando uma nova túnica que é bem parecida com minha roupa anterior. Branco puro. Nenhum vestígio de vermelho.

Deixo que ele a coloque por cima de minha cabeça. Deixo que os cordões ásperos de linho raspem minha pele. Talvez, se rasparem com bastante força, eu consiga esquecer. Esquecer o vermelho. Ou o choro lamentoso e horrível que ainda ouço dentro de mim.

O que acabei de perder.

O guarda me puxa para que eu fique em pé e se atrapalha com os laços de minha saia, mas eu não o ajudo. Como poderia? Não estou realmente ali. Estou no lugar onde moro, em nossa varanda nos fundos da casa, tomando limonada enquanto toda a minha família está por perto. Apenas fora de meu campo de visão.

Ele diz alguma coisa, mas eu não o ouço. Estou ocupada demais prestando atenção no ruído grave das vozes de homens que vêm de algum lugar que fica atrás da varanda dos fundos de minha casa.

Minha saia se amontoa ao redor de meus tornozelos, e ele me ergue para longe dela.

A limonada que eu bebo tem a combinação perfeita de acidez e doçura. Quero dividi-la com minha família, mas eles não estão por perto.

Ele veste uma nova saia em mim, colocando-a por cima de minha cabeça. Azul-clara, exatamente como aquela que tirou de mim.

Azul-clara, assim como o céu do verão que eu vejo quando estou na varanda.

Estou sentada no banco da carroça.

Não, estou sentada em nossa cadeira de balanço.

Não sei onde estão meus sapatos.

É verão. Não preciso de sapatos.

Agora eles estão de volta em meus pés. Um estranho está amarrando os cadarços. Mas isso é bobagem, pois eu sou capaz de amarrar meus próprios cadarços. Se eu quiser. Mas não quero, porque o sol do verão é quente e eu estou cansada demais.

Estou muito cansada.

Paro de balançar na cadeira que está na varanda. Ou talvez a carroça tenha parado.

Não estou numa carroça. Nunca estive.

Mãos me erguem e me colocam em uma rua calçada com pedras. Olho para minhas botas. São da mesma cor e modelo que sempre foram, mas os arranhões e as marcas de uso desapareceram, como se nunca houvessem existido.

Atrás de mim, uma carroça se afasta, junto com o som dos cascos da mula que a puxa. Não me viro. Não sei onde está minha varanda. Ou para onde foi o sol do verão. Está frio. Frio e cinzento, e o ar parece estar úmido contra minha pele.

Alguém chama o meu nome, e eu ergo o rosto para ver Sylph, com seus olhos escuros cheios de medo, acenando da porta que está a minha direita. Quando me viro e ando em sua direção, ouço o choro suave da garota acometida pela dor ficar mais alto, e fecho os lábios com força para segurá-lo dentro de mim.

CAPÍTULO 24

LOGAN

Conversei com meus contatos na loja do açougueiro, na oficina do ferreiro e numa mesa de canto no Thom's Tankard. Ninguém sabe nada sobre Rowansmark ou Jared além daquilo que Oliver já me contou.

Preciso saber o que foi que Jared tirou de Rowansmark, quem lhe entregou o pacote e por quê. Preciso entender a razão pela qual ele o escondeu em vez de trazê-lo a Baalboden. Acima de tudo, preciso ter uma noção melhor do papel que o Comandante está desempenhando nisso tudo.

Talvez eu não consiga obter mais informações sobre o que está acontecendo fora dos limites de nossa Muralha, mas sei como conseguir informações sobre as atividades do Comandante. Enrolando meu manto ao redor do corpo, caminho por South Edge em rotas tortuosas, esgueirando-me por becos e quintais, tendo a certeza de que estou conseguindo despistar meus seguidores. Ao me aproximar cautelosamente de meu destino, bato na porta e espero até permitirem que eu entre.

Monty administra sua empresa na cozinha de casa, sobre uma mesa que pende de maneira precária sobre o chão. Em um dos lados da cozinha, montes de mercadorias repousam em pilhas desorganizadas, evidências de uma semana bem-sucedida no negócio de compra e venda de informações. Do outro lado, Monty está recostado em uma cadeira apoiada contra a parede, com uma adaga de aparência cruel sobre o colo, tomando uma caneca de cerveja e observando-me com olhos escuros e estreitos.

— Monty. — Eu o cumprimento com um aceno de cabeça e me sento na cadeira desocupada que está ao seu lado.

Ele coloca a caneca sobre a mesa e deixa as pernas da cadeira baterem ruidosamente no chão sujo e arranhado abaixo de si.

— Logan McEntire. Não o vejo por aqui há vários anos. Achei que já houvesse deixado a boa e velha South Edge para trás.

Não aceito seu convite sutil para revelar o que estive fazendo durante estes anos e com quem. Porque ele já sabe que fui aceito como aprendiz de Jared. Todos sabem. Além disso, em um lugar onde a informação tem valor, não estou disposto a revelar nada gratuitamente.

Apoio meus cotovelos na mesa, junto os dedos e o observo longamente por cima de minhas mãos.

— Nos últimos três anos, quantas vezes você foi forçado a mudar de endereço antes que os guardas o prendessem, ou que apanhassem algum dos seus clientes? Cinco? Seis? Ajude-me a lembrar, pois eu perdi a conta.

A expressão nos olhos de Monty fica mais severa, mas ele continua tranquilo.

— O que você quer, Logan?

— Na verdade, é o que *você* quer, Monty. O que eu posso fazer por você.

Ele fica em silêncio por um momento, avaliando-me enquanto enxuga as gotas da condensação que se formam ao redor de sua caneca de cerveja. Em seguida, ele diz:

— O que você pode fazer por mim?

Colocando a mão por dentro de meu manto, eu retiro um círculo de cobre que tem mais ou menos o tamanho de uma laranja achatada. Ele brilha sob a luz suave da manhã que atravessa a camada de sujeira que cobre a janela da cozinha de Monty.

— É brilhante. — O tom de voz de Monty é evasivo. — Mas eu já tenho muitas coisas brilhantes.

Coloco o disco sobre a mesa.

— Você ainda tem aquele Identidisc roubado guardado em algum lugar por aqui?

Ele ergue os olhos até encontrar os meus, e sua expressão me faz lembrar uma cobra. Frio. Calculista. E perigoso se for acuado. Finalmente, ele assente.

— Vamos supor que eu tenha um desses. O que é que um Identidisc tem a ver com essa coisa?

— A última coisa que você precisa é que um guarda passe nas proximidades com um Identidisc e veja uma listagem das pessoas com quem você estiver negociando naquele momento. Isso prejudica a sua reputação, inibe sua capacidade de fazer negócios e pode facilmente levá-lo para a masmorra. — Eu esfrego o polegar por cima da superfície reluzente de cobre. — Isto aqui bloqueia todas as marcações de pulso num raio de trinta metros. Basicamente, se você ativar este aparelho em qualquer lugar em que esteja negociando, todas as pessoas na casa ficarão indetectáveis aos guardas.

Ele pisca mais uma vez, e, quando seus olhos encontram os meus, a cobiça espia por trás dos cálculos frios.

Estou com ele na palma da mão.

— Quero provas de que isso funciona — diz ele, e levanta-se para procurar algo nos armários de sua cozinha, ainda segurando firmemente a adaga. Em segundos ele retorna à mesa, trazendo um Identidisc preto. É um modelo antigo, mas basta uma olhada para perceber que a bateria ainda tem energia suficiente para fazer uma leitura. Fico imóvel enquanto ele liga o aparelho e o Identidisc envia um pulso sônico.

Nossos dois nomes aparecem na tela.

Juntamente com o nome Anthony Ruiz.

Encaro Monty com uma expressão séria.

— Quem é Anthony Ruiz?

Monty dá de ombros.

— Um garoto que entrega recados em South Edge. Não se incomode com ele. Ligue seu aparelho agora.

Eu faço o que ele manda e espero enquanto o Identidisc envia outro pulso. Desta vez, a tela não mostra nenhuma lista com os nomes dos cidadãos que estão nas proximidades.

Monty coloca o Identidisc sobre a mesa e olha para mim.

— Quanto quer por isso?

— Estou achando que ele não tem preço.

— Posso colocar preço em qualquer coisa. O que você quer?

— Dinheiro seria ótimo — eu digo, e os lábios de Monty se estreitam. — Mas eu aceitarei informações que possam ser úteis para mim.

— Que tipo de informação tem valor suficiente para ser trocada por um aparelho como este?

— Eu quero saber o que o Comandante tem feito ultimamente.

— Esse é um pedido um tanto vago.

Faço que sim com a cabeça.

— Então, acho que é melhor você me contar tudo que sabe sobre ele, suas atividades, e qualquer coisa fora do comum que aconteceu no quartel. Deixe que eu decida o que é útil e o que não é.

Monty balança a cabeça negativamente.

— O preço é alto demais, Logan.

Dou de ombros, tiro o disco de cobre de cima da mesa e me levanto.

— É melhor eu ir embora, então. — Já estou a meio caminho da porta quando ele me chama.

— Está bem. Sente-se. Deixe o disco. Vou lhe contar o que ouvi.

Volto para a mesa, coloco o disco a minha frente e escuto enquanto Monty relata as poucas coisas que sabe com certeza sobre o Comandante Chase.

Fato 1: O Comandante tem um pequeno objeto preso em uma corrente e o usa sob o seu uniforme. A maioria de suas fontes afirma que ele nunca remove esse pingente.

Não imagino como essa informação pode ser útil ou relevante para mim, mas decido memorizá-la para o caso de precisar mais tarde. Se não tiver qualquer serventia, pelo menos eu posso usar a corrente para estrangulá-lo durante um combate corpo a corpo, se chegarmos às vias de fato.

Fato 2: Depois que Jared desapareceu, o Comandante enviou dois mensageiros em missões, mas nenhum deles tinha Rowansmark como destino. Eles ainda não retornaram, mas o primeiro deles deve chegar nos próximos dias.

Isso pode não ser nada além das mensagens, negociações e comércio habituais entre nossa cidade-estado e alguma outra. Mas o fato de que o Comandante não enviou nenhuma mensagem oficial a Rowansmark após as acusações contra seu principal mensageiro... Por que não se dispor a estabelecer relações pacíficas? Oferecer ajuda para encontrar Jared? A única resposta que me ocorre é que o Comandante precisa ser o primeiro a encontrar Jared.

Fato 3: Na manhã de hoje, todos os rastreadores que ainda estavam na cidade, com exceção de Melkin, foram enviados em missões.

Nunca soube de uma ocasião em que tantos rastreadores receberam missões de uma só vez. Só posso presumir que eles receberam a tarefa de cobrir todos os quatro cantos das Terras Ermas na busca por Jared, mesmo que eu e Rachel estejamos ocupados em busca do pacote. Não gosto do fato de que Melkin não foi incluído na enorme lista de rastreadores enviados nesta manhã. Existe a possibilidade de que ele seja incluído em nossa missão, ou então o Comandante está com alguma carta escondida na manga.

Ele que tente. Não é a única pessoa que sabe fazer planos e prever futuras contingências.

Saio da casa e um garoto magricela e com olhos famintos sai das sombras e se aproxima de mim. Imagino que seja Anthony Ruiz, o menino de recados.

— Logan McEntire? — ele aguarda resposta longe do alcance de minha espada.

— Sim.

Alguém bate na porta de uma casa com força ali perto, e o garoto retesa o corpo, como se estivesse se preparando para sair correndo.

— Roderigo Angeles está lhe procurando. Sua esposa precisa que você retorne à loja de Madame Illiard, em North Hub, imediatamente.

Rachel. Ela saiu desacompanhada outra vez. E foi pega. A imagem do corpo de minha mãe se desfaz e se recompõe, desta vez tornando-se o corpo de Rachel, prostrado e sangrando aos pés do Comandante.

O garoto diz alguma outra coisa, mas não consigo ouvir nada além da pulsação que ressoa em meus ouvidos. Eu lhe jogo uma moeda em retribuição e corro na direção da rua principal, com o medo impulsionando meus passos.

CAPÍTULO 25

LOGAN

Ela não saiu desacompanhada. Em vez disso, está sentada no chão, com os braços ao redor dos joelhos, encostada na parede dos fundos do depósito de tecidos de Madame Illiard.

Não consigo entender esta Rachel. Nunca a vi assim antes.

Sylph está sentada ao lado de Rachel, observando-a e chorando. Eu ignoro a Sra. Angeles e a Madame Illiard, e vou direto até onde as garotas estão. Sylph ergue o rosto e se levanta para que eu possa tomar seu lugar.

Agacho-me no chão ao lado de Rachel. Ela olha em meus olhos. Não há nada neles além de uma expressão vidrada de choque. Meu coração afunda dentro do peito.

— Rachel? O que houve?

Ela começa a balançar para a frente e para trás, como se precisasse desse ritmo simples para conseguir se ancorar à realidade.

— Pode me dizer? — eu pergunto, com a mente funcionando em alta velocidade. Talvez algo tenha acontecido a Jared, e meus contatos não tenham ouvido nada a respeito. Talvez ela tenha percebido a magnitude do significado de abandonar Baalboden para sempre, embora eu duvide que isso possa ser a causa deste estado de choque. Talvez algum homem a tenha machucado. Não sei como isso poderia acontecer, pois ela esteve sob os cuidados da família Angeles durante o tempo todo, mas tenho de admitir essa possibilidade.

Se esse for o caso, vou caçar o perpetrador e matá-lo. Da maneira mais desumana que conseguir imaginar. Depois, vou inventar algo que possa usar para reanimá-lo e matá-lo outra vez.

Os lábios de Rachel tremem, e ela tampa a boca com as duas mãos.

— Rachel? — eu pergunto, mas ela não está escutando.

A Sra. Angeles se aproxima de mim.

— O Comandante apareceu enquanto Rachel e Sylph estavam no provador. Ele levou Rachel.

O pânico apaga todos os pensamentos racionais de minha cabeça.

— Para onde ele a levou? — eu pergunto, tentando manter a voz tranquila para não agitar Rachel, embora consiga ouvir a tensão que envolve minhas palavras.

— Não sabemos.

— Quanto tempo ela ficou fora?

— Uma hora, mais ou menos. Quando voltou, estava assim.

Uma raiva forte toma conta de mim. Não posso falar. Se o fizer, posso acabar descontando-a em quem não a merece. Em vez disso, concentro-me em Rachel. Estou completamente perdido. Não consigo consertar isso. Não consigo encontrar um ponto de partida para melhorar as coisas se não tiver todas as informações. E ela não consegue suportar a ideia de me contar. Talvez fosse capaz de dizer isso a Oliver, mas ele já partiu para as Terras Ermas.

— Vai ficar tudo bem — eu sussurro, de modo que ninguém mais possa me ouvir. — Você vai poder falar sobre isso com Oliver em breve. Ele pode ajudar.

Ela começa a balançar mais rápido, batendo a cabeça na parede atrás de si. Vou para cima dela com um salto, coloco meus braços ao redor de seu corpo e a puxo para mim. Encostando minha boca em seu ouvido, sussurro promessas que não saberei cumprir. Ela se aquieta em uma imobilidade muito estranha, e isso me assusta mais do que quando estava balançando para a frente e para trás.

— Ele deixou isto para ela quando a trouxe de volta — diz a Sra. Angeles, e me entrega um embrulho fechado com uma fita azul.

Recebo o embrulho e ajudo Rachel a ficar em pé.

— Ela não falou nada desde que voltou — diz Sylph.

Encontro os olhos cheios de lágrimas de Rachel e faço outra promessa que não sei se poderei cumprir.

— Vou cuidar para que ela fale comigo. Ela só precisa ir para casa agora.

Colocando o braço firmemente ao redor do corpo de Rachel, eu a conduzo para fora da loja, andando sob o sol fraco da tarde que brilha por entre uma névoa seca que diminui a visibilidade daquilo que está a mais de vinte metros de distância.

Quase chego a esperar que alguém nos ataque. A fúria dentro de mim implora para que eu encontre um alvo.

O fato de que o verdadeiro alvo é o homem mais bem protegido da cidade não faz diferença para mim. Ele está na minha lista agora. Não sei como farei isso, mas, antes que minha vida termine, vou acabar com a dele.

— Vou levar você para casa — eu digo a ela, embora não espere uma resposta. — Acha que vai ser difícil caminhar?

Ela também não responde a essa pergunta, então eu observo seus passos cuidadosamente. Se ela foi violada, terá dificuldade para andar.

Se ela foi violada... não consigo suportar essa ideia.

Ela caminha com passos rígidos, os olhos no chão. Apesar de perceber que, fisicamente, ela é capaz de percorrer o trajeto de volta a minha casa a pé, não consigo suportar a ideia de obrigá-la a isso. Assim, decido usar o pouco dinheiro que ainda tenho comigo para pagar um condutor de carroças e pedir que ele nos leve para casa.

Eu a conduzo até chegarmos a Center Square. Ela permanece em silêncio, olhando para nossos pés, e eu assobio para chamar um carroceiro. Ela se afasta de mim com um tranco ao ouvir o som e começa a tremer.

Meu coração dói quando eu a trago para junto de mim outra vez e digo:

— Está tudo bem, Rachel.

Ela se encosta em mim, fecha os olhos e respira fundo. Toco o alto de sua cabeça com meus lábios, e observo enquanto o condutor se aproxima com a carroça até parar diante de nós.

Digo meu endereço ao condutor e tento levar Rachel até a entrada na parte de trás do veículo.

Ela firma os pés no chão e puxa meu braço na direção oposta.

— Você não precisa andar. Vamos voltar para casa nesta carroça. Assim vai ser mais fácil para você — eu digo, e alguma coisa dentro de Rachel acaba se despedaçando.

Ela se desvencilha de meu braço e sai em disparada.

Eu corro atrás de Rachel enquanto ela atravessa a região de Center Square e voa para South Edge. Sou um idiota. É claro que ele a colocou dentro de uma carroça. Não iria machucá-la no meio da rua, onde qualquer um poderia ver e questionar por que o Comandante acha que está tão acima dos padrões de comportamento que exige dos outros homens da cidade.

Ela vira uma esquina e entra em um beco. Eu a sigo, bem a tempo de ver quando ela tropeça e perde o equilíbrio. Com um salto para a frente, eu a agarro e giro meu corpo para cair na rua por baixo dela.

A respiração de Rachel raspa meus ouvidos em resfolegadas rápidas, e ela treme da cabeça aos pés. Seguro-a junto de meu peito e sussurro:

— Desculpe. Desculpe. — Minha voz fica embargada, e tenho de engolir em seco para conseguir colocar as próximas palavras para fora. — Eu não sabia que ele a levou em uma carroça. Estava tentando evitar que você tivesse de caminhar tanto para voltar para casa. Desculpe.

Ela parece incrivelmente frágil em meus braços. Não sei como vou chegar em casa sem machucá-la ainda mais, mas minhas opções estão limitadas.

Um trio de homens com espadas em punho bloqueia a saída do beco. O homem do meio abre um sorriso largo o bastante para mostrar que vários dentes lhe faltam na boca e diz:

— Passe o seu dinheiro pra cá e ninguém se machuca.

Por um segundo breve e efêmero, eu considero a hipótese de canalizar a raiva que queima dentro de mim e transformá-la em algo que eu possa usar para estraçalhar esses vagabundos que mal são dignos de serem chamados de seres humanos e que ousam nos ameaçar agora. Não seria difícil. Não são mais do que um punhado de beberrões. Já estão tremendo com os efeitos da abstinência da bebida. Desesperados para conseguir dinheiro para comprar a próxima caneca.

Por mais que a ideia seja tentadora, o confronto não vale a pena. Posso jogar um punhado de moedas para longe e sair do beco enquanto eles correm por cima das pedras sujas que calçam a rua para recolher o dinheiro.

Poderia fazer isso se não estivesse preocupado em levar Rachel para casa.

Erguendo o rosto, ela vê os homens e fica paralisada. Estou prestes a lhe contar minha estratégia para sairmos do beco quando ela inspira o ar com dificuldade, e a expressão torpe que ela tem no rosto se transforma em algo animalesco em questão de segundos. Ela empurra meu peito e se coloca de pé com um salto. Eu me levanto também, estendendo uma mão acauteladora em direção a ela.

— Eles só querem dinheiro. Deixe que eu cuido disso.

Ela não está escutando. Afastando minha mão com um movimento brusco, Rachel retorce os lábios num rosnado feroz. Antes que eu possa impedir, ela saca a faca que traz na bainha, ergue-a sobre a cabeça e corre na direção dos homens.

— Rachel, não! — Busco minha espada enquanto os homens se preparam para receber o ataque de Rachel. Corro atrás dela, mas já é tarde demais.

Mirando no homem que está no meio, ela passa por baixo do braço que segura a espada e se joga sobre ele. Os dois caem na rua com um estrondo, mas eu não tenho tempo de ver se ela está bem. Os outros dois estão me atacando.

Eu bloqueio, desvio os golpes de meus atacantes, estoco e corto, mas não sou capaz de manter a concentração. Rachel está gritando, explosões fortes de som que chicoteiam o ar. Eu bato com o castão de metal da minha espada no homem que está mais perto de mim, giro para bloquear um golpe do outro. Rachel ergue-se por cima do corpo inerte do primeiro homem, com olhos desesperados e selvagens, e corre para pular nas costas do homem que eu acabei de acertar. Ela pressiona a ponta de sua faca contra a carne sensível abaixo de sua garganta, e ele ergue os braços e solta a espada, num sinal de rendição.

O homem que estou combatendo olha para eles por um instante, e eu aproveito sua distração para baixar o ombro e prensá-lo contra a parede imunda de tijolos que está ao nosso lado. Viro de costas e vejo o outro homem socar a mão de Rachel, que empunha a faca para afastá-la de sua garganta. A ponta lhe perfura a pele com o movimento e manda jatos de sangue em arcos pelo ar. Rachel observa aquela cena e desmorona.

O beberrão a joga no chão, mas ela chuta as canelas do homem e lhe passa uma rasteira, rolando para cima dele, com aquele grito horrível ainda abrindo caminho por sua garganta enquanto soca, chuta e tenta esfaqueá-lo.

Grito o nome de Rachel até ficar rouco, mas ela não consegue me ouvir. Os dois estão engalfinhados demais para que eu possa intervir sem machucá-la. Preparo-me para fazer isso assim que surgir a primeira oportunidade e observo horrorizado. Ela recebe os golpes do bêbado como se não fossem nada. Enfiando-lhe as unhas na pele como se fosse um muro que tem de escalar, ela se ergue sobre o corpo do homem. Bate violentamente o cabo de sua faca contra a testa do homem, quase fazendo com que ele perca os sentidos, e gira a lâmina na direção oposta para lhe golpear na garganta.

Eu a jogo para longe dele antes que a lâmina encontre a pele, e ela rola sobre as pedras da rua, com a faca deslizando pelo chão do beco.

Ela se ergue sobre as mãos e os joelhos e avança para recuperá-la.

Saltando rapidamente a sua frente, eu a alcanço antes. Segurando a faca, eu me aproximo com cuidado. Seus olhos estão com a mesma expressão de um animal em pânico, acuado e lutando pela própria vida. Sua voz já quase desapareceu de tanto gritar. Ela tenta pegar a faca, mas eu mantenho a arma longe de seu alcance.

— Rachel — eu sussurro seu nome, em uma voz cheia de dor.

Ela olha para mim, com os olhos ainda vidrados pelo choque, e tenta pegar a faca outra vez.

— Eles só queriam dinheiro — eu digo, suavemente. — Só o dinheiro. Você não precisa da faca.

Ela balança a cabeça negativamente e chora baixinho. Eu estendo devagar a mão que não está ocupada com a faca.

— Eu lamento. — É pouco em vista do que ela teve de passar, e não pretendo que seja a melhor solução. Mas, neste momento, tudo o que eu preciso fazer é levá-la de volta para casa. Chegando lá, poderei elaborar algum plano.

Ela não reage.

— Não sei o que ele fez com você, mas matar alguém não vai ajudar a melhorar as coisas. Eu vou ajudá-la. Isso é tudo que eu vou fazer. Posso tocá-la?

Ela olha para si mesma e começa a tremer de novo. Eu a levanto, embora não tenha certeza de que ela seja capaz de continuar em pé sozinha. Está tremendo de maneira incontrolável, e eu sinto vontade de cortar o Comandante em pedaços minúsculos, e botar fogo em cada um deles. Enfio a faca de Rachel em meu cinto e recolho o pacote que a Sra. Angeles me entregou.

— Vou levar você para casa — eu digo, embora não espere mais por uma resposta. — Vou encontrar uma solução quando chegarmos lá.

E é exatamente isso que farei. É o que eu tenho de fazer.

CAPÍTULO 26

RACHEL

Minha garganta está doendo depois de tanto gritar com aqueles homens no beco, e eu não consigo parar de tremer. Não sei o que aconteceu comigo, e não quero falar a respeito. Ainda não. Logan também parece não estar muito disposto a conversar, ou talvez ele tenha percebido que eu não vou responder. Caminhamos lado a lado pela área de Country Low enquanto uma brisa arranca brotos de folhas das árvores e faz com que elas se prendam em meu cabelo, e a sombra da Muralha se estende lentamente na direção leste.

Quando chegamos ao sobrado dele, eu o deixo na sala de estar enquanto me tranco no banheiro, acendo a lenha coberta de piche embaixo da bomba d'água e tiro as roupas.

Não acendo o lampião, embora não haja janelas neste cômodo. O brilho da lenha é o suficiente para que eu consiga me orientar aqui dentro. Não quero enxergar.

A bomba sibila suavemente para me avisar que a água está quente o bastante, e eu abro a válvula para despejar seu conteúdo na banheira de pedra entalhada que repousa no centro do banheiro. Entro na banheira e deixo a água me cobrir. Está tudo tranquilo aqui. Os ruídos do mundo lá fora estão abafados e distorcidos pela água a meu redor. Faço de conta que estou dentro de um casulo, adormecida enquanto o mundo passa por mim, e, quando eu acordar, tudo isso não terá sido nada além de um sonho ruim.

A água está esfriando quando eu finalmente decido passar o xampu nos cabelos e atacar minha pele com o sabão. Esfrego-me até sentir dor, mas ainda estou convencida de que as manchas vermelhas estão entranhadas de maneira tão profunda que nenhum sabão será capaz de alcançá-las.

A lembrança de Oliver segurando minha mão entre seus dedos gelados enquanto sua vida lentamente se derrama e se esvai pela perfuração no peito é demais para que eu consiga suportar.

Penteio meus cabelos molhados e eles caem por cima de meus ombros, com as mechas úmidas aderindo à pele. Visto uma longa túnica amarela e uma calça da mesma cor, e abro a porta a tempo de ver Logan amassar uma folha grossa de papel e jogá-la no chão. Ele bate o punho contra o tampo da mesa da cozinha e solta alguns palavrões horríveis.

Cruzo os braços sobre o peito e vou até o sofá me deitar, enrodilhada ao redor de mim mesma. Logan me observa, com uma mistura de dor e fúria no olhar quando seus olhos encontram os meus.

— Precisa de alguma coisa? — ele pergunta, e eu sei que ele está perguntando sobre coisas que vão além de água e comida.

Balanço a cabeça para indicar que não, mas ele se levanta e me traz um copo de água e um prato de queijo de cabra, fatias de maçãs secas e um pedaço de pão de aveia, como se eu não houvesse lhe respondido. Como algumas fatias de maçã para agradá-lo, mas não consigo sentir o gosto da fruta.

Ele se acomoda no sofá, mais perto de mim do que da outra ponta, mas ainda deixa uma distância cuidadosa entre nós. Está se movendo lentamente, como se tivesse medo de que pudesse me assustar a qualquer momento.

Quero contar a ele o que aconteceu com Oliver. Quero abrir a boca, deixar que tudo aquilo transborde e encontrar alívio no choro. Mas as palavras que eu preciso usar para despedaçar o mundo de Logan não surgem. Em vez disso, pego um pequeno pedaço do queijo e me concentro em mastigá-lo.

— Preciso conversar com você. Não faz mal se não quiser responder, mas preciso saber que está me ouvindo — diz ele, com a voz tranquila, e espera.

Engulo o queijo, tomo um gole da água e coloco tudo de volta na bandeja que está no chão, a meus pés. Eu devo isso a ele.

Devia a Oliver também.

Pensar naquilo me machuca por dentro, e meus olhos se enchem lentamente com lágrimas. Estou cansada. Cansada demais. Sinto dor, por dentro e por fora, e nada parece ser simples. Nada parece estar certo.

— O Comandante colocou você na cerimônia da Toma amanhã — diz Logan, apontando para o papel amarrotado. Está falando com uma voz dura. — Não precisa se preocupar, Rachel. Eu vou Tomá-la. Não vou sair do seu lado. Ele nunca terá a chance de tocar em você outra vez.

Seu rosto está coberto por uma expressão de assombro e eu sei que ele culpa a si mesmo pelo que aconteceu hoje. Não sei o que posso fazer para confortá-lo, já que não há mais nada que seja carinhoso e conciliatório dentro de mim.

Alguma coisa atrai minha atenção e eu viro o rosto para ver um vestido de seda azul-marinho incrustado com diamantes reluzentes pendurado ao lado da lareira. Logan acompanha meu olhar.

— Junto com uma carta exigindo a sua presença no palco da Toma amanhã, ele enviou um vestido. Estava tudo no pacote que a Senhora Angeles me entregou. — Ele fecha o punho.

Por baixo da dor e da tristeza que sinto, e sem me deixar abalar pelo estado de choque em que me encontro, uma semente de raiva se enraíza e começa a germinar. Fracassei com Oliver hoje, sim. Mas não preciso fracassar novamente. Existe uma dívida para com a vida dele e eu pretendo pagá-la.

Olho ao redor do sobrado e encontro minha faca, limpa e polida, sobre a mesa da cozinha, a poucos centímetros do papel que anuncia meu novo status como uma das participantes da Toma. Quero segurar a arma, sentir que existe alguma maneira de cumprir as promessas que fiz a mim mesma, mas não sei o que Logan pensa sobre entregá-la a mim.

— Você não pode atacar todas as pessoas que sacam uma arma — diz ele, quando percebe que estou olhando para a faca.

Ele está errado. Se você não atacar primeiro, acaba perdendo tudo.

Tudo.

— Você me assustou hoje — diz ele, em voz baixa, e eu tiro os olhos da faca. — Eles já tinham pedido o nosso dinheiro. As espadas eram apenas uma maneira de nos intimidar para que lhes déssemos os meios para comprar sua próxima bebida. Poderíamos simplesmente conversar e sair daquela situação com os olhos fechados. Em vez disso, você tentou matá-los.

Não consigo tirar os olhos da expressão de preocupação no rosto dele, embora eu queira lhe dizer que aprendi minha lição. A lição que ele tentou me ensinar quando me fez prometer que iria atacar e derrubar o Comandante se ele me ameaçasse. Está marcada a ferro quente no fundo de meu ser agora, e não vou agir como se não fosse assim.

— Como posso confiar em você para portar suas armas se você não sabe diferenciar quem merece uma sentença de morte e quem não merece? — ele pergunta, e se aproxima de mim, colocando os braços ao redor de meu corpo e puxando-me contra seu peito. — Rachel. Eu devia estar junto de você hoje. Lamento.

Não é culpa dele.

Eu devia ter matado o Comandante.

Eu devia ter entrado na carroça e atacado sem hesitação.

Eu devia ter cumprido a promessa que fiz a Logan. Se tivesse, Oliver ainda estaria vivo.

Um soluço fraco escapa de mim, e as lágrimas escorrem por meu rosto. Tento lhe contar. Tento fazer as palavras brotarem, mas os soluços e o choro acabam me estrangulando. Meus dedos estão gelados, tremendo, e Logan me puxa para deitar a seu lado no sofá. Olho pela janela, observando a noite escurecer. Estrelas pequenas irrompem pelo veludo negro do céu, e continuo chorando até cair no sono.

CAPÍTULO 27

RACHEL

Quando acordo, estou deitada ao lado de Logan no sofá, embaixo de seu cobertor pesado de lã. Seu braço ainda está ao redor de minha cintura e seu rosto continua tocando o alto de minha cabeça. Fico imóvel, deixando que o calor e a solidez do corpo de Logan passem para o meu. Quero memorizar este momento, um fragmento minúsculo de algo que eu já quis muito, e tê-lo dentro de mim enquanto me preparo para enfrentar o que vem a seguir.

— Está acordada? — a voz dele é um ribombar baixo contra minha orelha.

Faço um movimento afirmativo com a cabeça, embora não queira.

— Estive pensando. No que aconteceu ontem.

Oliver. Tenho de dizer a ele. Agora.

Esforço-me para conseguir me sentar, mas a força do braço dele me impede.

— Por favor. Apenas escute, só por um minuto.

Paro de tentar me levantar, mas a tensão cresce dentro de mim.

— Não sei o que aconteceu. Mas eu preciso lhe dizer, preciso convencê-la de que, se ele... se aconteceu qualquer coisa... se ele machucou você, da maneira que um homem é capaz de machucar uma mulher, isso não muda a maneira pela qual eu a vejo. Ele não pode nos destruir, Rachel. A menos que deixemos.

— Também quero fazer uma promessa a você. Pode olhar para mim?

Eu giro o corpo, sentindo o couro ranger em protesto por baixo de mim, e viro o pescoço para fitar o azul-escuro de seus olhos. Ele ergue a mão e acaricia a lateral de meu rosto. Seu toque é bem mais gentil que suas palavras.

— Vou obrigar o Comandante a pagar pelo que fez, Rachel. Juro. E, se ele se atrever a colocar as mãos em você hoje, eu não vou parar até que ele esteja morto.

Esse é o tipo de resposta que vai colocar tudo a perder. Tudo o que o Comandante precisa, agora, é um pretexto simples para tirar Logan de mim para sempre.

De repente, eu percebo que é isso que o Comandante espera que aconteça. Logan vai tentar me Tomar para me proteger das maquinações do Comandante, e eu lhe darei um golpe baixo sem que ele esteja esperando, de acordo com o plano do Comandante. A única pessoa que irá se beneficiar de tudo isso é o Comandante.

A menos que Logan *saiba*.

As sombras da tristeza e da perda não podem obscurecer a clareza assombrosa deste pensamento. Sinto como se houvesse emergido de um longo sono, totalmente desperta e preparada para agir.

Eu seria uma idiota se acreditasse que o Comandante vai fazer exatamente o que disse. Tenho de proteger Logan, e a única maneira de fazê-lo é confiar nele, assim como eu prometi que faria. Logan não vai perder a cabeça na cerimônia da Toma e dar ao Comandante uma desculpa para atacá-lo se estiver preparado para que eu recuse seu pedido.

E não vai tentar nenhum ato impulsivo e furioso de vingança se tiver a oportunidade de sofrer com o luto, e formular um plano depois.

Minha voz ainda está rouca depois de tanto gritar ontem enquanto olho nos olhos de Logan e digo:

— Eu já sabia sobre a cerimônia da Toma. Ele me disse quando...

Sinto a garganta se fechar quando as memórias ressurgem. Estar dentro daquela carroça. Oliver. Vermelho por toda parte.

Logan coloca as mãos ao redor de meu rosto, e eu sinto o cheiro dele: tinta, papel novo, almíscar.

— Preste atenção, Rachel. Você pode fazer uma coisa de cada vez. Não tenho pressa. Conte-me sobre a cerimônia da Toma. Vamos começar por aí.

— Ele diz que você vai tentar me Tomar.

— É o que vou fazer.

— Mas é isso que ele quer. É isso que ele espera que você faça.

Logan franze as sobrancelhas, e eu quase consigo ouvir as engrenagens de seu cérebro trabalhando, analisando e planejando.

— Ele quer que eu rejeite o seu pedido.

— Legalmente, você não tem esse direito. Somente o seu Protetor pode fazer isso.

— Você é o meu Protetor.

— É o que ele planeja usar contra mim — diz Logan, com a mesma voz que usa quando tem algum enigma para resolver. — Ele vai dizer que, como seu Protetor, não posso Tomá-la e falar em seu nome ao mesmo tempo. O que ele tem a ganhar? Ele não quer que você seja Tomada por outra pessoa, porque está planejando mandá-la para as Terras Ermas...

Consigo ver a resposta escrita nos olhos dele quando a digo.

— Ele irá anular publicamente o seu Protetorado, para que você não possa impedi-lo legalmente. Ele quer nos separar porque você não vai me acompanhar na viagem.

— Ninguém vai me impedir. — O rosto dele está com uma expressão dura e inteligente.

— Ele disse... — a tristeza cresce dentro de meu peito, queimando a trilha que abre até chegar à garganta.

— Diga o que ele falou.

— Ele vai matá-lo. — Subitamente, as palavras estão ali, caindo umas por cima das outras rapidamente, ansiando por serem ouvidas. — Ele disse que a minha lealdade é indiscutível e que farei qualquer coisa para evitar que ele mate alguém que eu amo.

O fundo da carroça. A coisa que estava coberta pelo pano. Vermelho por toda parte.

Não consigo respirar enquanto a imagem encharcada de sangue de Oliver toma conta de meu cérebro e permanece ali, como se houvesse sido marcada a ferro quente. Afastando-me de Logan, eu corro até a porta dos fundos, abro-a com um movimento brusco, corro pela varanda e caio na grama do quintal, vomitando.

Ele está atrás de mim em poucos segundos, segurando meus cabelos para afastá-los do rosto.

Quando meu estômago está vazio, ele me ajuda a sentar no primeiro degrau da varanda, entra na casa e retorna com um copo de água fria e um ramo de hortelã.

Eu mastigo o ramo de hortelã e tomo a água em meio à gratidão do silêncio, mas é somente um alívio temporário. Ele precisa ouvir o resto da história, e eu tenho de encontrar uma maneira de contar tudo a ele.

Ele se senta a meu lado, com o ombro tocando o meu, e diz em voz baixa:

— Ele assumiu que matou Jared?

Eu faço que não com a cabeça e coloco o copo de lado, antes que minhas mãos o deixem cair por si mesmas.

— Ele me levou. Em uma carroça. Havia algo coberto por um pano. E disse que estávamos fazendo planos sem que ele soubesse. — Minha voz fica mais alta conforme me apresso para conseguir contar tudo. — Pensei que fosse você. Pensei que ele houvesse lhe capturado, e orei para que fosse um estranho. Outro guarda, como aquele da torre. Mas não era.

Minha voz treme.

— Ele apunhalou a pessoa que estava debaixo do pano, e havia sangue por toda parte, eu tentei chegar até ele, mas não consegui. — Estendo uma mão para Logan, buscando absolvição ou conforto, não sei. — Não consegui salvá-lo. Achei que estivesse seguro, esperando por nós nas Terras Ermas, e eu não o salvei. Desculpe!

Minha voz fica embargada, e eu deixo a mão cair sobre o sofá quando Logan finalmente se dá conta da situação horrível.

— Oliver? — ele pergunta, em uma voz que quase implora para que eu esteja mentindo. Que faça com que a verdade seja algo que ele ainda seja capaz de consertar.

Aceno afirmativamente com a cabeça.

Ele olha fixamente para mim, os olhos vidrados pelo choque, e se levanta com um salto, atravessando o quintal com passos largos. Quando chega à área de treinamento, desfere um golpe poderoso e manda Bob para longe, deslizando pelo fio. Minutos se passam enquanto Logan ataca Bob com os punhos, como se espancar o boneco fosse o equivalente a espancar a verdade.

Por fim, seus braços pendem ao lado do corpo e ele cai de joelhos sobre a grama. Vou até onde ele está e coloco uma mão em seu ombro. Virando-se para mim, ele coloca os braços a meu redor e me puxa para si. Eu o abraço e juro que farei o Comandante sofrer pelo que nos causou. Quando Logan finalmente ergue o rosto para me olhar, percebo que ele tem o mesmo desejo. Seus olhos demonstram assombro, e sua expressão é dura.

— Desculpe. — Minha voz quase desaparece sob o peso de nossa perda, mas é tudo que eu posso lhe dar.

— Não acredito que ele morreu. — Sua voz vacila na última palavra, e ele esfrega o rosto com as mãos. — Onde ele está?

— Não sei.

— Eles o levaram na carroça?

— Alguns guardas entraram e o tiraram de lá. — Não consigo olhar para ele. Não consigo suportar olhar para as sombras que cobrem seus olhos. — Eles apenas... o levaram embora.

— Quero vê-lo. Quero...

Dizer adeus. Dizer as coisas que ele gostaria de haver dito na última vez em que viu Oliver. Não sei se isso facilitaria as coisas, mas sei que isso é algo de que ele precisa. E eu também preciso. Mas não vamos conseguir fazer isso. Não vamos conseguir dizer mais qualquer palavra sobre o assunto que não envolva o gume afiado de uma espada.

— Ele merece um enterro digno.

— Sim. Mas não vai ser possível. — As palavras têm gosto de cinzas. Nunca conseguiremos enterrar Oliver para que ele enfim possa descansar. Nunca diremos as palavras que ele merecia ouvir. Nunca levaremos flores para um pedaço de terra consagrado, o lugar que finalmente pertence somente a Oliver.

Ele não vai ter um enterro digno. Mas pode receber a justiça. Se trabalharmos juntos.

Faço com que Logan olhe em meus olhos e digo:

— Você não vai poder me Tomar hoje, ou o Comandante irá usar isso contra você e nos separar.

Logan está com uma expressão feroz nos olhos.

— Vamos virar o plano do Comandante contra ele. Irei à cerimônia como seu Protetor. Vamos esconder nossas bolsas de viagem antes de chegarmos a Center Square. Alguém irá tentar Tomá-la, e eu concordarei com o pedido, mas isso não terá importância. Quando todos estiverem dançando e celebrando, eu e você iremos nos esconder, pegar nossa bagagem e partiremos antes que ele perceba que perdeu o jogo.

Naquele momento, os braços dele estão novamente ao redor de mim, e eu estou encostada contra a muralha sólida que é o seu peito.

— Rachel, eu lamento por você ter que ver Oliver morrer.

— Não, eu é que lamento. Se eu houvesse simplesmente esfaqueado o Comandante como você disse...

— Não foi culpa sua. Também não foi culpa minha. Foi do Comandante. E, algum dia, vou obrigá-lo a pagar por tudo isso.

— Não. Algum dia, *nós* vamos obrigá-lo a pagar por tudo isso — eu digo.

— Sim — diz ele, com os olhos fixos nos meus. — É isso que faremos. Começando hoje.

CAPÍTULO 28

LOGAN

Rachel não quer tomar o café da manhã, mas concorda em comer alguma coisa quando eu argumento que ela não conseguirá executar nosso plano se estiver de estômago vazio. Também não sinto vontade de tomar o café. Saber que perdi o único pai que conheci arde dentro de mim.

Meu coração dói, uma dor constante que faz com que seja difícil respirar. Perder Oliver é como perder a melhor parte de mim mesmo. A parte que acreditava que eu podia ser uma pessoa melhor. A parte que disse que eu tinha algum valor, muito antes que eu provasse que ele tinha razão.

Não sei como vou seguir em frente com a vida sem ele, mas tenho de fazer isso. Tenho de colocar nosso plano em ação. Tirar Rachel daqui. Encontrar o pacote. Encontrar Jared antes que algum rastreador de Rowansmark ou Baalboden o ache primeiro. E retornar a Baalboden com um plano implacável para destruir o Comandante e vingar a todos nós.

Não tenho nenhum plano sólido para tudo isso, e estou preocupado com a possibilidade de que a tristeza e a dor que estão me rasgando amargamente por dentro acabem por prejudicar minha capacidade de raciocinar, mas eu sei o que devo fazer para conseguir atravessar a cerimônia da Toma e, de lá, sair para as Terras Ermas. Assim, decido me concentrar apenas nisso. Haverá tempo para o luto e para fazer outros planos mais tarde.

Rachel está se vestindo no banheiro. Quando vem até a sala, eu olho para ela e sinto como se todo o oxigênio acabasse de ser subitamente arrancado do ar.

O vestido lhe serve perfeitamente. O decote delineia o topo de seus seios, que, até este momento, eu não havia percebido serem tão... substanciais. Forço meus olhos a contornar sua cintura fina, mas, em segundos, estou olhando mais uma vez e percebendo que a linha brilhante da linha de costura que contorna seu decote mal consegue conter seu corpo.

Todos os homens que a virem irão prestar atenção.

Inclusive eu.

Não quero admitir que a atração que sinto por ela é forte o bastante para suplantar minha tristeza e meu senso de responsabilidade, mas... são *seios*! E estão quase saltando para fora da parte de cima de seu vestido. Olho ao redor, procurando por um lenço ou outra peça de tecido para cobri-la, mas tudo o que tenho é um velho pano de prato, e já sei que ela nunca vai concordar com isso.

E isso põe fim à situação. Terei de ficar o tempo inteiro na frente dela.

O azul-escuro do vestido ressalta o azul dos olhos dela, e os diamantes costurados no corpete brilham sob a luz.

E isso guia os olhos diretamente para seus seios.

Ela vai à cerimônia com o pano de prato sobre o vestido. Não importa o que diga.

— É adequado? — pergunta ela, e se curva para olhar para a saia rodada. Quero lhe dizer para endireitar as costas e nunca mais se curvar dessa maneira, mas minha boca ficou seca sem que eu percebesse.

Adequado? Ela está maravilhosa.

Faço que sim com um aceno de cabeça, mas, quando ela ergue a barra da saia para prender a bainha da faca à sua coxa, eu me viro de costas e começo a revirar os papéis sobre a pilha da cozinha a esmo.

— Como vou conseguir alcançá-la durante uma briga? — pergunta ela, e eu cometo o erro incrivelmente tolo de me virar enquanto sua perna pálida ainda está à mostra.

Volto a dar as costas para ela e dirijo meu comentário para a mesa que está à minha frente.

— Faça um corte na seda e naquela coisa rígida e pregueada que há por baixo. Você vai conseguir esconder a fenda com o braço enquanto estiver no palco, e conseguirá alcançar sua arma se precisar dela.

Espero até ter certeza de que ela teve tempo suficiente para se cobrir outra vez antes de me virar. Sua perna não está mais à vista, mas ela está curvada sobre sua bolsa de viagem, guardando uma caixa de pederneiras.

Que tipo de homem olha para sua protegida como se ela fosse uma tentação? Especialmente durante um período de trauma e luto?

Forço-me a recuperar o bom senso e me concentrar nos preparativos para o dia. Fechar os olhos ajuda. O mais importante neste momento: ter certeza de que Rachel não esteja disposta a se entregar à raiva homicida e descontá-la na pessoa errada novamente.

— Tenha a certeza de que você sabe que a pessoa contra quem puxar a faca merece o que você está prestes a lhe fazer — eu digo a ela. Tenho de confiar na possibilidade de que ela recuperou suficientemente o equilíbrio para conseguir cuidar de si mesma. Não vou enviá-la a Center Square hoje sem uma arma.

Em segundo lugar, preciso ter a certeza de que temos tudo de que precisamos.

— Vamos verificar a bagagem uma última vez — eu digo, e percebo que não consigo manter os olhos fechados.

Isso não chega a ser um problema, porque posso simplesmente olhar para minha bolsa. Se eu não precisar olhar para ela e vê-la conferir pela segunda vez o conteúdo da sua bagagem — combustível, roupas, Cajado, adaga e um arco com flechas —, não terei de ver o reflexo do sol nas mechas ruivas e douradas que ela deixou soltas.

Sua aparência deveria ser mais infantil com os cabelos soltos para baixo dos ombros. Em vez disso, os cachos rebeldes fazem com que ela pareça feroz e feminina ao mesmo tempo, uma combinação que todos os homens solteiros registrados para a Toma de hoje certamente acharão irresistível.

Quando percebo que meus olhos estão fixos nela outra vez, aponto o olhar para minha bolsa e cuidadosamente examino cada objeto que está ali dentro sem erguer o rosto de novo. Tudo está ali, e tenho a sensação de dever cumprido por conseguir quebrar a atração estranha que Rachel exercia sobre mim desde o momento em que apareceu trajando aquele vestido maldito.

— Estou pronta — diz Rachel, e eu olho para ela, em pé sob a luz do sol, triste e linda, com o bico das botas surgindo discretamente por baixo da saia de seda e olhos firmes, com algo que nunca vi neles antes.

Eu olho e sinto medo.

Medo de que ele tenha roubado a inocência de Rachel. De que algo acabe explodindo em nossos rostos hoje, e de que este seja o nosso último momento de paz juntos.

Medo de não corresponder às expectativas dela. Ou às expectativas de Oliver. De Jared. Ou às minhas próprias.

— Fiz um novo bracelete magnético para você — eu digo, e o recolho de cima da mesa. É uma pulseira de cobre batido que disfarça o dispositivo de rastreamento. Trabalhei muito para conseguir aperfeiçoá-la. Desenhei o contorno de um nó celta com um ferro em brasa no centro da pulseira e a preenchi com fios brilhantes de safira, cada um deles preso a uma engrenagem interna que, sem que ela saiba, são capazes de transformar esse dispositivo rastreador em uma arma.

Espero nunca ter de ativá-lo. Mas é melhor estar preparado para qualquer coisa.

Ela pega a pulseira, desliza os dedos sobre os fios e depois a prende ao braço.

— Por que eu preciso de outro bracelete magnético se nós estaremos nas Terras Ermas?

— Eu escondi o dispositivo de rastreio dentro dele.

— Como saberemos se está funcionando?

— Você vai sentir uma vibração sutil na pele e os fios vão começar a brilhar. Vão brilhar com mais intensidade conforme nos aproximarmos de Jared.

Não digo a ela que instalei um dispositivo de rastreio dentro da pulseira que vai me levar até onde ela estiver, também. Só para garantir.

— Então, estamos prontos — diz ela, e a dureza em seus olhos me causa dor.

Quero lhe dar algo mais valioso do que apenas mais uma de minhas invenções. Algo que fará com que ela se lembre do amor. De sua família.

De mim.

Coloco a mão no bolso da frente de minha calça e fecho os dedos ao redor de uma pequena bolsa de couro que trago comigo desde o dia em que minha mãe morreu. — Quero lhe dar outra coisa — eu digo, enquanto a retiro de dentro do bolso.

— O que é isso? — Ela olha para a sua bolsa de viagem, como se estivesse imaginando o que mais poderia acrescentar às coisas que já vai levar.

— Não, não é uma arma. É algo mais... feminino.

Aquilo soa incrivelmente estúpido, mas não faço a menor ideia de como vou fazer isso.

Ela franze as sobrancelhas e olha para si mesma.

— Acho que já estou mais do que suficientemente feminina.

— Sim — eu digo, concordando com veemência, e ela ergue olhos confusos para encontrar os meus. Mas não tenho nenhuma intenção de me explicar. Em vez disso, digo: — Tenho um presente para você. Significaria muito para mim se você o aceitasse.

Ela estende a mão, e eu coloco a bolsa pequena e desgastada pelo tempo em sua palma, enquanto me certifico de que estou olhando fixamente para a parede atrás dela. Ela puxa o cordel marrom e a vira, fazendo com que o conteúdo caia sobre sua outra mão.

É um pingente de prata com um desenho intrincado, feito com uma dúzia de círculos entrelaçados com uma pedra negra e azul brilhante no centro. O pingente está preso a uma corrente reluzente de prata. É a única coisa bonita que eu posso dizer que é realmente minha.

— Pertencia à minha mãe. É a única coisa que eu tenho dela — eu digo, e espero que Rachel entenda que isso significa que ela é minha família agora.

Ela fecha os dedos ao redor do colar, e estende lentamente o braço para devolvê-lo a mim.

— Não posso aceitar.

Fecho meus dedos ao redor da mão dela, olho em seus olhos e digo aquilo que, um dia, Oliver disse para mim.

— Você vale muito mais do que qualquer coisa que eu possa lhe dar. Se você não consegue acreditar nisso agora, pelo menos acredite em mim.

Ela olha para mim, e eu mantenho meus olhos fixos nos dela. Não sei o que ela está vendo, mas ela se vira, ergue os cabelos e espera até que eu prenda a corrente ao redor de seu pescoço.

Quando ela se vira outra vez, o pingente repousa contra seu peito, brilhando como se sempre houvesse lhe pertencido. Não consigo adivinhar o que ela está pensando. Ainda tem um olhar feroz no rosto e está avivada pela raiva e pela dor. Mas algum dia, talvez, Rachel irá olhar para o colar e perceber que eu vejo muito mais coisas dentro dela do que apenas a confusão que ela sente agora.

— É um nó celta. O mesmo desenho que eu entalhei com o ferro em brasa na pulseira que acabei de lhe dar. Simboliza a eternidade. A pedra é uma safira negra, que simboliza a lealdade. — Estendo a mão e faço a ponta de meu dedo correr pelo pingente.

Ela olha para meu dedo, e depois de volta para meu rosto, e um leve tremor passa por seu corpo.

Eu me aproximo para fazer com que minhas palavras se fixem dentro dela.

— Significa que eu sempre serei capaz de encontrá-la. Que sempre irei protegê-la. Não vou falhar com você. Eu prometo.

Alguma coisa parece ficar mais suave na ferocidade de seu olhar. É uma mudança pequena, mas eu a percebo.

— Lembra-se de quando nos conhecemos? — eu pergunto, fechando a mão ao redor do pingente, sentindo o calor da pele de Rachel contra a minha. — Reuben Little roubou pães de Oliver, você o perseguiu pelas ruas do mercado e conseguiu encurralá-lo em um beco. E começou a atacá-lo, jogando coisas que encontrou numa pilha de lixo.

— Oliver mandou que você me procurasse para não ter que contar ao meu pai que eu havia fugido para andar sozinha pelo mercado outra vez. Eu tinha oito anos — diz ela, e a dor faz sua voz vacilar com aquela lembrança.

Eu também sinto o tremor, e o recebo de bom grado. É a minha última conexão com Oliver.

Aproximo-me um pouco mais, até que o espaço entre nós pode ser medido apenas pelo ritmo de nossa respiração.

— Você era uma menina geniosa, espirituosa e inteligente, e tão bonita que essa lembrança quase chega a doer em mim. Eu era um órfão pobre, desprezado pelo nosso líder e que passava os dias procurando seu jantar no meio das pilhas de lixo. Nunca pensei que chegaria a uma posição em que poderia lhe oferecer a minha proteção, mas isso aconteceu. E nada vai me impedir de cumprir meu dever.

— Nada vai me impedir, também — diz ela, e eu ouço a guerreira na qual ela está se transformando encobrir sua dor com uma forte determinação.

Encosto minha testa na dela, e nossa respiração se torna uma só por um momento, enquanto minha mão ainda está fechada ao redor do pingente. Cada vez que o peito de Rachel se eleva e desce, sua pele toca a minha e faz com que eu me sinta vivo, de uma maneira que nunca senti antes.

Em seguida, ela se afasta, pega sua bolsa e concentra-se no peso da bainha de sua faca por baixo da saia. Eu prendo minha espada ao cinto, ergo minha bolsa e faço com que meus olhos encontrem os dela.

— Está pronta?

O sorriso de Rachel tem um toque de crueldade quando ela estende a mão para mim.

— Hora de começar a pagar a dívida que temos com o Comandante.

Eu retribuo o sorriso dela, entrelaço meus dedos em sua mão e saímos juntos pela porta.

CAPÍTULO 29

LOGAN

Enquanto andamos de mãos dadas pelas ruas de Country Low, eu percebo que essa será a última vez que verei os campos que se estendem entre os pomares e oferecem espaço para respirar. A última vez que vou virar nesta esquina e ver a cidade a minha frente. Talvez eu devesse estar passando por uma sensação de perda, mas, com a morte de Oliver, Jared em algum lugar no meio das Terras Ermas e Rachel pronta para ir embora comigo, eu percebo que não há nada que me prenda a este lugar além de um forte ódio pelo Comandante.

Entramos em South Edge, e Melkin aparece por trás de uma das casas. Se ele imagina qual é a razão pela qual estamos levando bolsas de viagem para a cerimônia da Toma, não o demonstra. Em vez disso, ele nos segue enquanto rumamos para Center Square. Assim que viramos para o norte ele fica para trás, aparentemente satisfeito por estarmos seguindo as ordens do Comandante. Eu examino as ruas à procura de guardas que podem estar nos seguindo, mas não vejo nenhum.

O Comandante imagina que conseguiu dobrar Rachel de tal maneira que já venceu esta contenda. Mal posso esperar para provar que ele está enganado.

As ruas estão apinhadas hoje, cheias de pessoas indo a Center Square para a cerimônia. A maioria dos cidadãos de Baalboden irá até lá assistir. Alguns, por causa da cerimônia em si. Outros, porque o Comandante oferece um banquete e um baile em seguida.

As lojas desertas são um ponto a nosso favor. Puxo Rachel para uma ruela lateral um quarteirão antes de chegarmos a Center Square, e escondemos nossa bagagem nos arbustos atrás de uma das lojas. Ela está fechada por causa do feriado, e, se conseguirmos escapar das festividades quando ainda estiverem no começo, provavelmente não teremos problemas para recuperar nossos pertences.

— Assim está bom — eu digo quando ela puxa os ramos de uma das moitas, encobrindo qualquer sinal de que há uma bolsa de viagem escondida ali. Quanto mais nos aproximamos do palco, mais Rachel empalidece. Estamos quase chegando ao palco quando eu paro e aperto sua mão gentilmente.

— Olhe para mim quando estiver no palco — eu digo. — Olhe para mim, não importa o que ele diga. Não deixarei que ele a machuque.

Ela assente, mas está tremendo. Não sei se é por causa da raiva, do trauma ou do nervosismo. Provavelmente, uma combinação desses três fatores.

Quando chegamos, os cidadãos já tomaram conta de Center Square. Garotas em vestidos com cores de joias brilhantes estão juntas, sussurrando e rindo enquanto observam o grupo de homens qualificados que se enfileira perto da plataforma, cada um deles com uma expressão de desconforto no rosto. O palco de madeira, o mesmo utilizado para as execuções ordenadas pelo Comandante, foi lavado e decorado com fitas vermelhas.

Sylph está aqui, reluzente em seu vestido verde-esmeralda e preto, e, de algum modo, seus cabelos foram domados e presos no coque utilizado pela maioria das garotas no dia da Toma. Uma rápida olhada na direção das garotas que estão reunidas mostra que Rachel é a única que deixou os cabelos soltos. Também é a única que usa um vestido com um decote exuberante, que certamente vai atrair a atenção de cada um dos homens que estiver perto do palco. Vejo o momento em que eles se dão conta de que ela irá fazer parte da cerimônia, e tenho de me forçar a não colocar a mão na espada apenas para lhes dar outras coisas em que pensar.

Pergunto a mim mesmo qual deles reunirá a coragem para tentar Tomá-la. Mitch Patterson? Não consigo aceitar isso. Certa vez, vi o olho dele tremer durante uma hora inteira. Tenho certeza de que isso é um sinal de instabilidade mental. Wendall Freeman? Ele é fraco demais para aguentar bebida alcoólica. Além disso, conta piadas horríveis. Peter Carmine? Ele é... eu procuro pelo problema que sei que ele tem, e finalmente decido que Peter é baixo demais para Rachel. Baixo demais e idiota demais.

Na realidade, não tenho provas de que Peter Carmine seja idiota, mas ele parece ser. E, para mim, isso é o bastante.

E isso serve apenas para demonstrar que sou eu quem deveria estar preocupado com instabilidade mental e idiotice permanente. Não importa quem vai se atrever a Tomá-la. Ela não vai ficar aqui por tempo suficiente para cumprir sua parte do acordo.

Continuaremos com o plano. Vamos ganhar do Comandante em seu próprio jogo. E iremos embora.

Escondi outras bolsas de viagem em lugares onde o Comandante nunca pensaria em procurar, caso as bagagens que deixamos atrás daquela loja estejam inacessíveis quando precisarmos delas. Sei quais são os melhores lugares para nos escondermos em South Edge e como bloquear as marcações em nossos pulsos para que os guardas não consigam nos encontrar enquanto procuramos por um meio de cruzar os limites da Muralha.

E tenho meu próprio plano alternativo, pronto para qualquer coisa que o Comandante decida fazer.

Estamos tão preparados quanto podemos. Entro na frente de Rachel para bloquear a linha de visão dos idiotas de olhos arregalados que estão no palco. Um sino, que dobra com uma badalada sonora e grave, ecoa pela praça. A multidão se agita e sussurra enquanto as garotas se alinham em um dos lados do palco, em uma exposição incrível de cores, joias e sorrisos ansiosos. Sylph nos vê, com os olhos arregalados ao avistar Rachel em um vestido próprio para a cerimônia da Toma, e acena com um gesto discreto e hesitante.

Rachel não acena de volta. Não tenho certeza de que ela tem noção de que Sylph está ali. Não creio que ela esteja vendo nada além do palco, e o fato de que ela terá de ficar ao lado do Comandante enquanto se prepara para atuar na cena mais importante de sua vida.

As garotas começam a subir as escadas, andando com passos cautelosos para não tropeçar nas barras dos vestidos longos. Os Protetores sobem logo atrás delas. Os homens qualificados para participar da cerimônia puxam as golas das camisas como se alguma coisa os estivesse estrangulando, e o sino dobra com três longas notas.

O Comandante está aqui.

Chegou a hora.

Puxo Rachel para mim, inspiro seu aroma cítrico e noturno e depois a solto, antes de tomarmos nossos lugares no palco.

CAPÍTULO 30

RACHEL

Guardas armados entram em Center Square e se espalham, postando-se em intervalos de três metros ao redor da área onde a cerimônia será realizada. Atrás deles, os doze membros do Esquadrão dos Brutos marcha pela praça, dois a dois. O par principal chega ao palco, para e gira sobre os calcanhares para ficarem frente a frente. Cada um dos pares subsequentes também marcha até o palco e fica frente a frente, até formarem um corredor estreito e livre de cidadãos entre si.

Depois de outras três badaladas do sino, cada um dos guardas que estão na praça leva rapidamente a mão direita até a testa, numa continência rígida. O silêncio, denso e absoluto, cai sobre a praça enquanto o Comandante marcha pelo corredor até chegar ao palco.

Minha boca fica seca, minha pulsação martela por dentro do braço contra minha pele e minha visão se estreita até que tudo o que consigo ver é ele. Aperto meu braço contra a lateral do corpo e sinto o contorno da bainha da faca por baixo de minha saia enquanto ele se aproxima dos degraus.

Sou a última garota na fila que se estende pelo palco. Conforme anda pelo palco, o olhar dele encontra o meu e ele sorri como se nós fôssemos as únicas pessoas ali.

Sinto minha pele formigar e algo quente e pontiagudo transborda por entre a dor que eu sinto, implorando pelo sangue do Comandante.

Levo a mão até a fenda na lateral de minha saia, mas ele já passou por mim, cumprimentando os Protetores que estão postados atrás de suas filhas, e virando-se para encarar a multidão reunida.

— Nada de armas — sussurra Logan em meu ouvido. — Não lhe dê motivo.

Ele tem razão, mas eu não tiro a mão de cima do contorno de minha faca.

O Comandante saúda os cidadãos, diz algumas palavras sobre a honrada tradição da Toma e como o fato de proteger os inocentes entre nós serve para nos manter fortes. Ele faz um gesto na direção de uma garota a sua esquerda. Seu Protetor a leva para a frente, e um rapaz sobe ao palco para Tomá-la.

Minhas mãos tremem, mas meus pensamentos estão lúcidos.

O Protetor da garota aceita que o rapaz a Tome e lhe entrega sua filha.

O Comandante espera que Logan desafie a tradição e me Tome, embora ele também seja meu Protetor.

A garota coloca sua mão sobre a de seu novo Protetor e recita o voto de obediência, enquanto sua mãe enxuga os olhos e o novo Protetor parece estar um pouco atordoado por sua boa fortuna.

Ele espera que eu rejeite o pedido de Logan e peça para ser protegida pelo estado.

Outra garota é chamada. Outro homem se oferece para Tomá-la. Outro voto de obediência.

Um passo mais próximo de selar meu destino.

Não posso dar a impressão de que estou desafiando as ordens diretas do Comandante. Em vez disso, tenho de fingir que sou apenas mais uma garota, empolgada com a possibilidade de realizar o sonho de ser Tomada, enquanto Logan passa a impressão de que não sabe nada a respeito do plano do Comandante. O Comandante não pode alterar a cerimônia da Toma para mim, diante de todas essas pessoas, sem provocar questionamentos. Ele será obrigado a aceitar tudo o que acontecer, pelo menos publicamente. Tudo o que precisamos fazer é encontrar uma maneira de nos afastar dele antes que ele encontre uma maneira de nos confrontar longe dos olhos do público.

O nome de Sylph é chamado, e ela corre até o centro do palco, com uma olhada ansiosa em minha direção enquanto caminha até lá.

Não sei se ela está ansiosa por minha causa ou por si mesma, mas não posso pensar nisso agora. Não quando estou a ponto de cometer uma traição enquanto finjo que não tenho a menor ideia do que está acontecendo.

Smithson West dá um passo à frente para Tomá-la, mas Rowan Hughes também se apresenta. O Comandante declara que a escolha compete ao pai de Sylph, como é apropriado, e ele nem mesmo olha na direção da filha ao escolher Smithson West. Sylph ri e abraça seu pai, antes de se recordar de manter o decoro e calar-se em um silêncio respeitoso.

Ela está repetindo seus votos quando eu ergo o rosto e percebo que o olhar sombrio e feroz do Comandante está apontado diretamente para mim.

Sou a próxima.

O Esquadrão dos Brutos sai de sua formação cerimonial e cerca o palco. Esperam que algum problema aconteça. Esperam que Logan saque sua espada contra o Comandante e lhes dê um motivo para agir.

Fico satisfeita ao perceber que Logan está preparado para agir.

Volto a olhar para o Comandante. Sua expressão irônica e mordaz retorce a cicatriz quando ele chama meu nome, e desejo que tudo isso termine rapidamente.

As fitas que decoram o palco atrás dele brilham num tom vermelho-escuro quando a luz do sol as ilumina, e, ao caminhar na direção do Comandante com pernas que parecem ser caules frágeis sob uma tempestade, a fúria insidiosa dentro de mim começa a se espalhar. Logan está logo atrás de mim, com a mão repousando levemente na parte de trás de minha cintura.

— Rachel Adams, você está aqui sem o seu verdadeiro Protetor — a voz do Comandante ressoa poderosamente por toda a praça.

Esse é o homem que destruiu minha vida.

O homem que me cobriu de vermelho.

— Eu sou o Protetor indicado para ela — diz Logan, com a voz calma.

— E você está disposto a responder a qualquer um que deseje Tomá-la? — A voz do Comandante tem um tom de zombaria. Preciso me esforçar para conseguir respirar.

Esse é o homem que tirou meu pai de mim. E Oliver. E quer tirar Logan de mim, também.

— Estou — diz Logan, e o grupo dos homens que estão participando da cerimônia da Toma se entreolha e murmura entre si.

Duvido que algum deles pretenda dar um passo a frente para me Tomar. Eu dificilmente seria uma esposa adequada.

O Comandante ri, uma paródia horrível de felicidade, e balança a cabeça negativamente. Virando-se para o grupo de homens mais abaixo, ele pergunta:

— Quem se oferece para Tomar esta mulher?

Ele espera que Logan veja isso como uma abertura. Uma maneira de negociar minha segurança. Em vez disso, Logan espera silenciosamente, como qualquer outro Protetor faria. O único sinal de tensão que ele expressa é um leve aumento da pressão que sua mão faz contra minhas costas.

Peter Carmine dá um passo adiante.

— Eu vou Tomá-la.

Os dedos de Logan se fecham ao redor de uma parte de meu vestido.

O Comandante encara Peter com uma expressão séria, virando-se para Logan em seguida.

— E você aceita que este homem a Tome?

Logan não hesita.

— Aceito.

Se ele puxar meu vestido com mais força, o tecido vai se rasgar.

O olhar do Comandante se concentra em mim e depois em Logan, e a expressão calculista em seu rosto me faz sentir um calafrio. Aperto o braço contra o corpo, sentindo o peso da faca pressionar meu quadril. Logo atrás de mim, sinto quando Logan muda a postura de seu corpo, levantando discretamente os calcanhares e apoiando o peso sobre a parte dianteira dos pés.

O Comandante me fuzila com seus olhos escuros.

— Na ausência do seu pai, sinto que é meu dever perguntar a você, Rachel Adams, se deseja ser Tomada. — Ele coloca a mão ao redor de meu braço e o aperta.

Sinto uma onda de calor rasgar um caminho até meu cérebro e me desvencilho daquela mão antes que consiga pensar no que estou fazendo. Não é assim que as coisas deviam acontecer. Ele não devia quebrar o protocolo da cerimônia da Toma diante de todas essas testemunhas. Não posso dizer que desejo ser Tomada sem que o Comandante perceba que estou agindo contra a suas ordens. Não posso dizer que não desejo ser Tomada sem lhe dar a deixa que ele precisa para me separar de Logan, pois Logan já concedeu sua permissão.

Espero que Logan tenha pensado em alguma coisa para esta situação.

A voz de Logan corta o silêncio que toma conta da praça.

— De acordo com as normas do decoro, Rachel não vai decidir se deseja ser Tomada ou não. Eu decidirei por ela.

Não há como discutir o protocolo que Logan citou, a menos que o Comandante queira estabelecer um precedente muito feio para o restante dos cidadãos. Percebo o momento em que o Comandante percebe aquilo. Ele olha para mim e depois para Logan, e eu sinto meu estômago afundar.

Ele não vai deixar isto acontecer.

— Você tem uma última chance para falar — diz ele, com a voz baixa e ameaçadora, tocando-me outra vez, pressionando as unhas na carne macia de meu antebraço. — Você quer ser Tomada?

A única escolha que tenho é seguir o roteiro preestabelecido da Toma e esperar que o Comandante não transforme a ocasião em um escândalo diante dos cidadãos, com medo de que outros possam se erguer e começar a exigir a oportunidade de escolher seus próprios destinos, também.

— Eu me curvo aos desejos do meu Protetor — eu digo, e vejo a fúria explodir no rosto do Comandante.

Ele torce meu braço e me puxa para a frente, fazendo com que Logan solte meu vestido.

— Você tem noção do que isso significa? — ele pergunta em uma voz que apenas eu consigo ouvir. — Vou matá-lo por essa traição, Rachel. Renuncie a esta Toma e saia conforme o planejado, ou vou deixá-la sem nada.

— Solte-a. — A voz de Logan, carregada com uma determinação férrea, ecoa pela praça.

A multidão irrompe em uma onda frenética de conversas sussurradas, e o Comandante continua a torcer meu braço até eu ter certeza de que ele quer arrancá-lo de meu corpo. A dor é uma coisa viva que me corrói, e eu viro o rosto na direção de Logan.

Preciso saber qual é o plano. Como manter Logan vivo e evitar ser separada dele. Espero ver a expressão firme e racional nos olhos dele. Em vez disso, o que vejo é a fúria cega. Sua mão já está a caminho da empunhadura da espada quando o Comandante me força a ficar de joelhos.

Ele vai atacar o comandante. Vai tentar matá-lo. E o Comandante vai trespassá-lo com a espada, da mesma maneira que apunhalou Oliver. E vai rir enquanto eu fico imóvel e em silêncio, absorvendo cada gota de sangue até que minha pele esteja toda coberta de vermelho com a vergonha de minha impotência.

A fúria implacável que cresce dentro de mim se transforma em um objetivo singular e feroz.

Salvar Logan.

— Não desejo ser Tomada — eu digo, e cada palavra cai ao chão como se fosse uma pedra. Espero que Logan entenda.

— Você nega a autoridade do seu Protetor atual sobre você? — pergunta o Comandante, com a voz tomada por uma expressão cruel de triunfo.

— Sim, eu nego.

Logan não está olhando para mim. Seus olhos estão fixos no Comandante, que ainda está diante de mim, torcendo meu braço, forçando-me a ficar em uma posição de súplica a seus pés. Com a outra mão, ele segura a empunhadura da espada, e as articulações de seus dedos estão brancas com a força que ele faz.

Se ele perder o controle, o Comandante vencerá.

— O que diz sobre isso, Logan McEntire? — o Comandante encara Logan enquanto a multidão se afasta do palco, receosa.

Não dou a Logan a oportunidade de responder. Com nosso plano em pedaços e minhas costas contra a parede, eu digo a única coisa que é capaz de protegê-lo.

— Não interessa o que ele diz. Ele não é o meu verdadeiro Protetor. Quero ficar sob a guarda do Estado.

O Comandante nem se dá o trabalho de olhar para mim, e eu ergo a voz.

— Você aceita que eu fique sob a guarda do Estado?

Um pouco da raiva acaba tingindo minha voz, e eu ergo o queixo. Não me importo. Deixe que ele perceba que estou furiosa. Deixe que ele veja a sede de sangue em meu rosto. Deixe que ele olhe em meus olhos e descubra que a garota que ele imaginava que conhecia já não existe mais, e que em seu lugar está uma arma que ele mesmo criou.

Ele vira o rosto lentamente para olhar para mim, com a cicatriz erguendo seu lábio em um sorriso de desprezo. Ele solta meu braço e me dá um tapa no rosto com as costas da mão.

Caio ao chão e vejo Logan, com a espada em punho e o rosto em chamas, avançando para cima do Comandante.

CAPÍTULO 31

RACHEL

— Não!

Estou gritando, mas já é tarde demais. As garotas que estão no palco começam a correr para todos os lados, e seus pais a levam para longe ao perceber que o Esquadrão dos Brutos sobe rapidamente na plataforma, colocando-se entre Logan e o Comandante. Logan bate com o ombro no primeiro guarda que o alcança e o manda voando para fora do palco, girando em seguida para bloquear o golpe da espada de outro.

O Comandante fica em pé diante de mim e ri.

Enfio a mão na fenda que cortei na lateral de minha saia, encontro a bainha e saco a faca.

Alguém chama o meu nome, e vejo Sylph se soltar das mãos de Smithson e correr na direção do palco.

— Volte! — Eu grito, esforçando-me para conseguir levantar, com a faca preparada para golpear.

Smithson a agarra pela cintura antes que ela consiga se aproximar de mim, e ela lhe acerta um tapa. Eu viro o rosto para o outro lado, implorando para que Logan não esteja morto.

Não está. Logan luta como se estivesse possuído — golpeando, estocando e atacando com força e velocidade impressionantes, desarmando e incapacitando todos os oponentes que se aproximam dele. Eu não fazia a menor ideia de que ele tinha todo esse poder de combate, e está claro que eu não era a única.

O Comandante para de rir e saca sua própria espada.

Erguendo a faca, eu calculo o ângulo que precisarei para cravar a lâmina em suas costas e fazê-la chegar até seu coração. Antes que consiga desferir o golpe, um corpo se choca contra o meu e eu sou jogada sobre o grupo de homens registrados para a Toma que ainda estão ao redor do palco, sem saber o que deveriam fazer em meio a essa demonstração de violência sem precedentes.

Mãos se aproximam de mim, me seguram e tentam me conter. Eu me debato, esperneio e golpeio com minha faca até que eles se afastam. Não posso salvar Logan a menos que esteja no palco. Qualquer um que se atreva a ficar entre nós está morto.

Corro para os degraus, afastando os que ainda tentam me agarrar. Mas, antes que consiga subir à plataforma, um guarda surge diante de mim. Enfio a faca em sua barriga, giro-a para a direita e puxo-a de volta enquanto ele ainda está tentando me mandar parar.

Um jato vermelho mancha minha bela saia azul. Desvio os olhos da mancha e me concentro em chegar perto de Logan. Estou no palco enfiando a faca nas costas do guarda que bloqueava aquela saída, antes mesmo que ele perceba o que o atingiu. Sem parar para verificar se ele está morto, eu salto por cima de seu corpo e tento enxergar Logan.

Ele está preso no centro do palco. Oito soldados do Esquadrão dos Brutos. Mais uma dúzia de guardas. E, no centro de tudo, o Comandante.

Corro para a frente e o Comandante grita para que seus guardas se afastem. Logan está com alguns hematomas, machucado e sangrando, mas empunha a espada com firmeza. Não que isso possa ajudá-lo agora. Há muitos deles. Não vai ser capaz de enfrentar a todos.

E eu também não.

Olho para a multidão esperando ver espadas e rostos amigáveis, mas não há nada além de uma confusão generalizada e pânico. Logan é um morto que ainda está de pé. E eu também sou.

Exceto pelo fato de que não sou. Porque sou a única que sabe onde encontrar o precioso pacote que o Comandante quer. Talvez ele tenha se esquecido disso no calor do momento. Talvez ele tenha imaginado que seria capaz de machucar outros para forçá-los a se curvar e obedecer suas ordens. Talvez ele seja arrogante o bastante para pensar que eu teria muito medo dele, a ponto de não ousar desobedecê-lo mesmo com ameaça de matar Logan pairando sobre minha cabeça. Talvez as vidas das outras pessoas signifiquem tão pouco para ele que o Comandante não imagine que uma única morte possa alterar seus planos de maneira significativa.

Ele está errado.

Logan e o Comandante se encaram no palco, girando lentamente, um ao redor do outro.

Começo a me esgueirar, indo para trás dos guardas e procurando uma abertura.

O Comandante estoca. Logan bloqueia, mas está claro que ele foi ferido e não vai ter forças para continuar a lutar por muito tempo.

Não vai precisar. Eu sei o que preciso fazer para virar esse jogo. Sei como arrancar a única vantagem que o Comandante tem.

Logan gira e brande a espada, e seus movimentos fazem com que seu sangue respingue pelo palco. A espada se abre num golpe muito amplo e o Comandante avança, usando o impulso do braço de Logan contra ele. Em poucos segundos ele já está com a espada no pescoço de Logan, e seu sorriso cruel faz a cicatriz se retorcer em uma bola enodoada e repugnante de carne disforme. Os guardas atrás de Logan agarram seus braços, jogam sua espada no chão e o imobilizam diante do Comandante.

— Você sacou uma arma contra o seu líder. Matou vários guardas. — A voz do Comandante faz a praça tremer conforme morde cada sílaba, transformando-as em estilhaços pontiagudos.

Percebo minha oportunidade e passo por entre os guardas, entrando no círculo. Os olhos de Logan encontram os meus, e sua expressão implora para que eu saia dali. Corra. Fuja dessa cidade e nunca olhe para trás.

— A pena para isso é a morte. — O Comandante olha para Logan.

— E qual é a pena por matar cidadãos inocentes? Por aterrorizar uma jovem? A quem *você* responde pelos seus atos? — Logan está gritando. A mesma raiva ardente que queima em mim transborda dele.

O sorriso do Comandante se apaga lentamente, extinto pelo olhar de puro ódio que ele dirige a Logan. — *Eu* sou a lei. *Eu* sou a justiça. — Ele está cuspindo as palavras no rosto de Logan. — *Eu* sou a única coisa que mantém esta cidade a salvo. Você se atreve a me questionar?

— Você não é a justiça. É somente um monstro criminoso, embriagado demais pelo próprio poder, e indigno de continuar recebendo a confiança das pessoas.

O rosto do comandante assume uma colocação arroxeada, e ele ergue o braço da espada.

— Eu, Comandante Jason Chase, pelos crimes de traição e assassinato, o sentencio à morte — diz ele, e aponta a lâmina para a garganta de Logan.

— Esperem! — Minha voz soa pela praça e paralisa todas as pessoas onde estão durante a fração de segundo de que preciso para me colocar de joelhos onde o Comandante possa me ver, mas onde nenhum guarda seja capaz de me alcançar a tempo.

O Comandante ri.

— Veio implorar para que eu o salve?

Meu sorriso é tão dissimulado quanto o dele.

— Não é ele que precisa ser salvo.

— Rachel, não — Logan murmura.

Eu o ignoro.

— O que você vai fazer, menina? Vai me matar? — A voz do Comandante está cheia de malícia.

— Não — eu digo. Erguendo minha faca, eu a aponto para o ponto macio logo abaixo do meu esterno e respiro fundo.

A espada do Comandante, ainda apontada para a garganta de Logan, vacila.

— O que você está fazendo?

— Estou lhe tirando a única coisa que você realmente quer — eu digo, e forço a ponta da faca contra minha carne, sentindo uma pontada de dor e depois o calor do sangue que escorre por minha pele.

Os guardas fazem menção de se aproximar e eu grito:

— Parem, ou eu vou até o fim!

O Comandante ergue a mão, com a palma voltada para os guardas, e eles param.

— Rachel, por favor — diz Logan, em voz baixa. — Não precisa ser assim.

Não tiro os olhos do Comandante.

— Você quer algo, e eu sou a única pessoa que sabe como encontrar o que você quer. Se você ou qualquer pessoa nesta cidade se atrever a encostar a mão em Logan, eu vou me matar e você nunca encontrará o pacote.

Ele está com o queixo retesado, e a cicatriz forma uma linha tensa.

— Ontem eu não diria que você teria a capacidade de fazer algo assim.

— A menina com quem você conversou ontem não existe mais. — Minha voz está fria, minhas palavras se erguendo em meio à agonia terrível que ele me causou com a morte de Oliver. — Me dê a sua palavra, diante de todos esses cidadãos, de que Logan vai permanecer intocado durante toda a duração da minha viagem. Caso contrário, a chance de encontrar o seu pacote morre comigo.

Os olhos do Comandante são duas poças ferozes de ódio enquanto ele baixa lentamente a sua espada.

— Ele não sofrerá nenhum mal, desde que você retorne com o que eu preciso. — Em seguida, faz um gesto para os guardas que estão segurando Logan, e eles começam a arrastá-lo para fora do palco.

— Esperem! — Eu me levanto com um salto. — Para onde vocês vão levá-lo?

— Francamente! Você não pensou que eu fosse deixar a minha apólice de seguro andar desimpedida enquanto você estiver viajando, não é? — O Comandante sorri. — Ele ficará na masmorra até você voltar.

Ele diz, com a voz suave:

— Lembre-se da minha promessa, Rachel.

Estendo a mão para ele, mas Logan já foi tirado do palco e está sendo empurrado por entre a multidão, que se abre como se fosse água ao redor dele.

— Você partirá ao amanhecer. Melkin vai acompanhá-la. — O Comandante está a meu lado, ainda com a espada na mão. — Sugiro que se apresse. Duvido que até mesmo um rapaz vigoroso como Logan seja capaz de aguentar a hospitalidade da minha masmorra por muito tempo.

Por um momento breve e glorioso eu me imagino girando, enfiando a faca no belo uniforme militar azul do Comandante e observando, com um prazer indisfarçável, enquanto ele descobre o quanto um homem de carne osso é realmente vulnerável.

Mas eu nunca conseguiria chegar até Logan antes que os guardas executassem a sentença de morte que eu causaria. Deixo o momento passar e me viro para olhar diretamente nos olhos sombrios do Comandante enquanto prometo em silêncio a mim mesma que irei buscar o pacote, garantir a liberdade de Logan e fazer valer a justiça antes que o Comandante perceba que a menina de quem ele comprou a lealdade com sangue será aquela que causará sua destruição.

CAPÍTULO 32

LOGAN

Rachel está sozinha. Meu plano fracassou. Um arrependimento amargo toma conta de mim, tão grande e intenso quanto a tristeza terrível que eu sinto por causa de Oliver. Mas não posso deixar que isso me domine. Tenho de prestar atenção e descobrir uma maneira de sair daqui.

A masmorra é um poço úmido e malcheiroso escavado nos alicerces do quartel do Comandante. Celas individuais são simplesmente buracos escavados na pedra. As paredes estão pegajosas devido à umidade. Barras de ferro impedem a saída, e umas poucas tochas mortiças queimam ao longo do corredor entre as celas.

Sou arrastado e forçado a passar diante de cinco celas antes que os guardas alcancem aquela que foi escolhida para mim. Duas das celas por onde passo estão vazias. Uma delas encerra um homem magro vestindo roupas imundas, encolhido ao redor de si mesmo sobre um monte de palha. Outra tem um homem mais jovem, acorrentado à parede dos fundos. A cela que fica de frente para a minha tem uma mulher jovem e grávida, envolvida em um cobertor de lã bastante desgastado. Ela não olha para mim.

Começo a imaginar qual deles é o espião que foi colocado aqui para tentar conquistar minha confiança.

Depois de me jogar em uma cela, os guardas colocam fortes grilhões de ferro ao redor de meus pulsos e tiram minha espada, a adaga escondida em minha bota esquerda e o cinturão com a bainha. Enquanto um dos guardas apalpa meu corpo para me revistar, procurando por outras lâminas, o outro puxa com força as correntes enferrujadas presas aos grilhões em meus pulsos, testando-as para ver se algum dos elos está fraco. As correntes passam por círculos de ferro chumbados na parede dos fundos da cela e restringem minha habilidade de andar para além do centro da cela. Eu os ignoro e decido examinar o teto em busca de aparelhos de vigilância. Não encontro nada, mas decido que o melhor é agir como se eu estivesse sendo observado o tempo inteiro.

Se pretendo escapar, não posso me dar o luxo de cometer qualquer erro.

Satisfeitos quando não encontram nenhuma outra arma, os guardas tiram meu manto e o jogam do outro lado da cela, fora de meu alcance, deixando-me à mercê do frio da masmorra. Eles riem quando batem a porta da cela antes de irem embora.

Para minha sorte, eles são descuidados demais para compreender que a verdadeira arma de um homem não é algo que se encaixa em uma bainha.

Alguns puxões com força me dão a certeza de que minhas correntes não vão se soltar da parede sem ajuda. O que significa que não posso alcançar meu manto. E isso limita as minhas opções.

O temor que sinto por Rachel é um zunido constante entre meus pensamentos, mas não posso me entregar a ele. O único modo de poder ser fiel a ela é manter a cabeça no lugar e aplicar a lógica a minhas circunstâncias atuais.

Tenho minhas botas. A fivela do cinto. A bainha da faca, que agora está vazia. Não é o bastante para tentar uma fuga. Preciso de meu manto, mas me recuso a tentar pegá-lo. Recuso-me até mesmo a olhar para ele. Se eu estiver sendo observado, a maneira mais rápida de ter a certeza de que nunca mais verei meu manto outra vez é dar a impressão de que quero pegá-lo.

Minha cela tem um colchonete fino e manchado pela umidade sobre o piso de pedra, e um balde de madeira meio apodrecido que está enfiado no canto mais próximo de onde estou. Nenhum deles parece ser particularmente útil em uma tentativa de fuga, mas nunca é possível saber com certeza.

Os grilhões apertam meus pulsos quando eu me levanto e caminho lentamente ao longo da parede do fundo, contando as medidas e tentando sentir correntes de vento para calcular o quanto estou perto da parede externa da masmorra.

Passos pesados começam a soar pelo ambiente, vindos da entrada principal. Ergo os olhos e vejo dois guardas, com tochas ardentes nas mãos, que caminham à frente do Comandante naquele espaço miserável.

Aproximo-me do balde, deixando espaço suficiente entre a porta da cela e o lugar onde estou. Se ele quiser me machucar, vai ter de entrar na cela.

— Está bem aquecida, Eloise? — pergunta ele, sem qualquer indício de preocupação na voz.

Ela não responde.

— Achei que você deveria saber que o seu marido concordou com os termos que apresentei a ele. — Ele olha para mim. — Quando compreendeu que a sua vida e a vida do filho de vocês que ainda vai nascer está em perigo, Melkin se mostrou bastante disposto a fazer tudo o que lhe pedi.

Mantenho uma expressão neutra no rosto enquanto sinto como se houvesse uma corda se apertando ao redor de meu peito. Melkin é o único rastreador que ainda está na cidade. Rachel vai partir para tentar encontrar o pacote perdido. Não é difícil chegar à conclusão de que Melkin irá escoltar Rachel em meu lugar.

Por que o Comandante precisaria ameaçar as vidas da família de Melkin para que ele faça seu trabalho?

Considero o fato de que Melkin está sendo obrigado a fazer algo que inicialmente não estava disposto a fazer junto com o fato de que o Comandante quer que eu saiba daquilo, e a corda ao redor de meu peito parece ficar ainda mais apertada.

Rachel. O que está acontecendo tem alguma coisa a ver com Rachel. Nada mais faz sentido. Não preciso saber dos detalhes do plano para ter certeza de que ela está em perigo.

A esposa de Melkin não olha para o Comandante quando aperta o cobertor fino ao redor do corpo, mas não importa. Ele não esperava qualquer resposta. Fez aquilo somente para me impressionar.

Seu riso é uma coisa horrenda que enche o espaço entre nós quando ele atravessa o corredor e, com um gesto, manda os guardas abrirem a porta de minha cela.

Recuo até a parede. Até sentir que o comprimento das correntes a meu dispor é mais do que suficiente.

O Comandante entra em minha cela. A luz bruxuleante das tochas ilumina sua cicatriz, cobrindo o resto de seu rosto com sombras.

— Achou que podia levar a melhor sobre mim, não é? — Ele flexiona a mão direita, abrindo e fechando o punho. A luz reflete ao redor do círculo dourado de seu anel, brilhando em meio à pedra vermelha do tamanho de uma azeitona e destacando os contornos da garra que está entalhada na superfície.

Preparo-me para receber o golpe, empunhando um bom pedaço da corrente com a máxima discrição possível, ignorando o quanto me sinto dolorido e machucado após o combate com espadas no palco da cerimônia da Toma.

— Você sempre foi muito seguro de si mesmo. Sempre se convenceu de que ninguém seria capaz de levar a melhor sobre o grande Logan McEntire. — Seus lábios se retorcem quando ele cospe meu nome em mim.

Talvez eu não deva revidar. Talvez eu deva manter o silêncio e deixá-lo falar, esperando conseguir alguns fragmentos de informação.

Ou talvez irritá-lo até levá-lo ao limite da paciência seja a melhor maneira de lhe arrancar a máscara e descobrir a ameaça com a qual eu realmente estou lidando.

— Como você poderia saber disso? — eu pergunto. — Você nunca se incomodou em ter uma conversa de homem para homem comigo.

O punho dele atinge meu abdômen em cheio, fazendo-me bater violentamente contra a parede. Eu me curvo para a frente e aproveito para puxar mais alguns pedaços da corrente enquanto recupero o fôlego.

— Não tenho conversas de homem para homem com os filhos daqueles que foram desleais. — Ele move a perna com rapidez e me passa uma rasteira.

Eu caio no chão com força, e quase solto a corrente que estou segurando como se fosse uma corda. Esforçando-me para ficar em pé outra vez, eu digo: — Minha mãe não foi desleal.

O punho do Comandante se choca com meu ombro, fazendo meu corpo girar. Por muito pouco meu rosto não bate contra a parede.

— Eu não estava falando da sua mãe. — Sinto a respiração pesada e o hálito dele contra minha orelha.

Afasto-me dele com um passo deliberado. O Comandante está apenas me provocando. Ele sabe que não faço a menor ideia de quem era meu pai, e está usando essa informação contra mim. Ainda assim, uma parte de mim quer perguntar, para finalmente conseguir preencher essa lacuna do meu passado.

— Você conheceu o meu pai.

Ele ri.

— Você é igual a ele. Dois homens da mesma estirpe.

— E que estirpe é essa?

O rosto do Comandante, banhado pelas sombras e pela luz das tochas, está iluminado pela malícia.

— Uma estirpe sem qualquer valor. Desleal. Sem honra.

Eu me ergo e firmo os pés no chão.

— Você não saberia o que é honra, mesmo que fosse marcado a ferro com ela.

Ele avança sobre mim, mas eu me esquivo. Agitando as correntes, eu as giro para prendê-las ao redor de seu braço. Basta um movimento rápido para que eu consiga derrubá-lo no chão imundo da cela. Ele bate no chão com força e eu forço meu joelho contra as costas dele, mas os guardas que esperavam fora da cela já estão sobre mim.

Eles me puxam para longe do Comandante, jogam-me no chão e atacam. Eu agito as correntes, cortando brutalmente o rosto de um dos guardas e quebrando um dos dentes do outro. Um deles saca a espada mas eu me agacho para desviar do golpe. Giro as correntes para enrolá-las ao redor do cabo da espada conforme me movo pelo espaço limitado da cela, e puxo com força. A espada cai e desliza pelo piso.

Outros dois guardas chegam e eu estou lutando por minha vida. Esquivando-me das lâminas, absorvendo os golpes e causando tantos danos letais quanto consigo com as correntes que prendem minhas mãos.

São quatro contra um, e eu sei que não vou conseguir resistir por muito tempo. É o que eu espero que aconteça.

O Comandante se levanta do chão e grita, mandando os guardas pararem. Eles recuam, sangrando e praguejando.

Também estou sangrando e praguejando, mas mantenho a cabeça erguida quando ele se aproxima de mim. Tenho de fazer com que as próximas ações pareçam ter sido concebidas por ele.

— Vá em frente e me mate, se for capaz — eu digo, agitando as correntes nas mãos como se estivesse pronto para mais uma rodada de combate com os guardas. — Foi você mesmo que me deu as armas de que preciso.

Ele vocifera seu veneno contra mim.

— Assim que eu não precisar mais de você para garantir que a garota coopere, você está morto. — Ele encurta a distância entre nós, detendo-se logo antes do alcance das correntes. — Ela vai morrer achando que fez isso para salvar a sua vida. Melkin vai cuidar para que isso aconteça. Mas *você*... você vai viver o suficiente para saber que não salvou ninguém.

Já consegui a resposta que precisava sobre o acordo entre Melkin e o Comandante. Ignorando minha raiva ao pensar em Rachel viajando pelas Terras Ermas em companhia de um homem encarregado de assassiná-la quando não tiver mais utilidade para ele, eu me concentro em conseguir a segunda coisa de que preciso.

Balanço as correntes, fazendo-as tilintar como se ainda tivesse energia para usá-las. O Comandante faz um gesto para o guarda mais próximo.

— Tire essas coisas dele e remova-o desta cela.

Começo a oferecer resistência, tentando parecer convincente, e é necessário que três guardas me segurem para soltarem os grilhões de meus pulsos. No instante em que me vejo livre, eu recuo até um canto da cela, como se soubesse que fui derrotado em meu próprio jogo.

O comandante ri e indica seus guardas que não estão tão machucados com um gesto.

— Deem uma lição nele. Mas certifiquem-se de deixá-lo vivo.

Dois guardas avançam com os punhos erguidos. Eu bloqueio o primeiro soco e recebo o segundo quando ele bate em meu ombro, mas vejo estrelas quando a bota de um dos guardas se choca contra meu peito e me faz cair para trás. A dor se espalha por dentro de mim, e tudo o que eu consigo fazer é me encolher ao redor de mim mesmo no chão enquanto os guardas me usam como saco de pancadas.

Já perdi a noção do tempo quando o Comandante os manda parar. Meu nariz e boca estão sangrando, tenho a sensação de que meu corpo foi atropelado por uma carroça e uma das costelas do lado direito me dá a sensação de que estou sendo trespassado por um pedaço de ferro em brasa toda vez que tento respirar.

O Comandante passa por cima de mim, agarra meu cabelo e puxa minha cabeça para cima de modo que eu o encare.

— Você perdeu o seu joguinho, garoto. E todos que você ama vão morrer por causa disso. — Ele faz um sinal para um dos guardas e eu ouço o som de um chiado que vem da tocha que mais próxima de mim. Não consigo virar a cabeça porque o Comandante me segura com força pelos cabelos.

Um guarda se aproxima, com uma longa vara nas mãos. Na ponta da vara, a insígnia de metal do Esquadrão dos Brutos — uma garra curvada sob duas faixas diagonais — brilha, vermelha e em brasa.

Contorço o corpo para me afastar do Comandante, mas ele apoia o joelho sobre meu abdômen, transformando a dor que sinto pela costela machucada em um uivo medonho de agonia que arranca meu fôlego, e segura meu rosto firmemente com as duas mãos.

— Eu o derrotei — diz o Comandante. — E, toda vez que eu olhar para você, vou me lembrar disso.

O guarda encosta o metal escaldante no lado de meu pescoço, e eu grito.

O cheiro de pele queimada enche o ar e eu sinto ânsias de vômito enquanto manchas brilhantes dançam diante de meus olhos. Respiro fundo e tento afastar a pior parte daquela agonia, mas ela se recusa a me deixar em paz.

Soltando-me, finalmente, o Comandante se levanta e diz ao guarda da masmorra:

— Apenas água. Não se incomode em trazer comida para este aqui. Não vamos precisar mantê-lo vivo por muito tempo.

Deixando-me encolhido no chão, queimado e sangrando, o Comandante e seus guardas saem, batendo as portas gradeadas quando se afastam.

Espero até não conseguir mais escutar o som dos passos deles. Até que a porta de entrada se fecha. Até repassar tudo que sei sobre o teorema de Pitágoras. As propriedades condutivas do cobre. A relação entre massa negativa e energia negativa.

Somente quando tenho certeza de que passei tempo o suficiente dando a impressão de estar derrotado e abatido, de modo que ninguém que estiver me observando questionaria a necessidade de me sentir aquecido, é que me arrasto lentamente pelo chão.

Cada centímetro é uma tortura. Aperto os dentes e digo a mim mesmo que a dor está apenas em minha mente. Posso suplantá-la. Meu corpo não concorda com minha teoria; assim, obrigo-me a recitar toda a tabela periódica para conseguir me concentrar em algo produtivo.

Estou tremendo quando chego a meu destino, mas uma sensação furiosa de triunfo me aquece por dentro quando coloco as mãos na única coisa que quis durante todo esse tempo. Aquilo que fará com que o fato de provocar o Comandante para soltar minhas correntes e me espancar quase até a morte tenha valido a pena. Aquilo que fará com que minha fuga realmente aconteça.

Meu manto.

CAPÍTULO 33

RACHEL

A alvorada é um sussurro no ar frio da manhã conforme aperto as tiras de couro que prendem meu manto, colocando-o ao redor da túnica e da calça que estou usando e ajusto a mochila de viagem até que ela se encaixe confortavelmente contra minha coluna, e encaro o portão que vai me levar até as Terras Ermas.

Estou levando minha mochila comigo. O Comandante instruiu dois dos seus guardas para me acompanhar de volta a minha casa para que eu pudesse me preparar, e nenhum deles achou estranho quando entrei em uma rua lateral próxima a Center Square. Se eles estranharam o fato de eu haver deixado uma bolsa de viagem escondida nos arbustos ao lado da loja de um mercador, não disseram nada. Em vez disso, mantiveram uma das mãos em mim e a outra em suas armas o tempo todo. Aposto que eles pensaram que eu ia tentar escapar.

Eu tentaria, se não tivesse de recuperar o pacote desaparecido para trocá-lo pela vida de Logan. Não que o Comandante seja o tipo de homem que vá cumprir sua palavra quando finalmente estiver com o pacote nas mãos.

Mas isso não é um problema. Não sou mais o tipo de garota disposta a cumprir as promessas que fiz ao Comandante, também.

Afastando temporariamente a necessidade de planejar um meio de libertar Logan sem entregar aquilo que o Comandante quer, eu estudo o meu companheiro de viagem enquanto finjo observar os guardas tirando as correntes do portão.

Melkin é alto, com aproximadamente a mesma estatura de Logan, embora não tenha a mesma musculatura. Em vez disso, sua compleição física é quase toda feita de ossos e ângulos fortes, com uma magreza que ressalta seu esqueleto por baixo da pele. Com olhos escuros e fundos nas órbitas, um nariz que lembra um gancho para pendurar roupas e uma cabeleira rala da cor de lama que lhe cobre a cabeça e lhe cai sobre as costas, Melkin parece um gavião faminto.

Ele segura seu manto com dedos longos e finos, e olha para mim de soslaio.

— Espero que você saiba o que está fazendo. Não quero ter que resgatá-la a cada vez que virar o rosto.

Eu apenas o encaro com firmeza. Não o conheço. Meu pai me manteve longe dos outros que levavam mensagens ou que faziam missões de rastreamento para Baalboden, assim como não revelou a ninguém sobre o treinamento que me deu. Não conheço Melkin, mas isso não impede a fúria que existe dentro de mim de querer explodir sobre ele. Melkin trabalha para o Comandante. Isso é o suficiente.

Não sei o que ele vê em meu rosto, mas isso o faz piscar os olhos duas vezes, segurar seu manto com mais força e desviar os olhos conforme o imenso portão de pedra se abre com um rangido estridente.

Quatro guardas se alinham em cada lado do portão, prontos para nos deixar partir e para começar sua vigília diária, caso haja pessoas que queiram entrar. Melkin coloca a mão em meu ombro e me empurra para a frente.

— Não toque em mim — eu digo pausadamente, deixando a raiva transparecer.

Ele não responde. Quando afasto sua mão, ele me observa atentamente e me segue pela via de pedras sujas que passa diante dos guardas e por baixo do arco de aço com a insígnia do Comandante, a garra recurva sob as duas faixas diagonais entalhadas no meio da superfície lisa.

A estrada se afasta da Muralha pelo terreno calcinado que circunda a cidade, delimitando o perímetro de Baalboden, e que termina nos restos chamuscados das carroças dos salteadores. Caminhamos por ela em silêncio até chegarmos ao ponto onde a estrada termina e a vegetação das Terras Ermas começa. Parando por um momento, nós abrimos as bolsas e sacamos nossas armas.

Melkin afivela uma luva de couro com duas lâminas à mão direita, e as lâminas de prata com quinze centímetros brilham sob o toque hesitante do sol nascente. Reconheço a luva como uma das invenções de Logan, e isso me dá uma boa noção sobre quem é Melkin.

Ele gosta de atacar suas presas de perto, e acha que o alcance anormalmente longo de seus braços lhe deixa com vantagem suficiente para mantê-lo a salvo. Quando prende uma espada ao redor da cintura, eu percebo que ele deve ter habilidade com a mão esquerda, também. Ele retira também um bastão para caminhada e o estende até o comprimento máximo. A superfície negra e metálica devora os raios do sol que incidem sobre ela.

Ele percebe que eu estou observando e fala em voz baixa:

— É um presente que recebi.

— Nunca vi nada igual entre os vendedores de armas da cidade.

— Porque não foi comprado na cidade. Agora, você tem alguma arma ou eu serei responsável por manter nós dois a salvo durante esta viagem?

Abro minha bolsa. Minutos depois, o arco e as flechas estão presos do lado de fora de minha mochila, onde posso facilmente alcançá-los se colocar a mão para trás; minha faca está presa sobre o quadril, e meu Cajado está em minha mão.

— Para onde vamos? — pergunta ele.

— Para um lugar perto de Rowansmark.

— Pode ser mais específica?

— Não.

Ele dá de ombros e nós ficamos em silêncio por um momento, escutando, mas as Terras Ermas não nos trazem nada além do som dos pássaros enquanto se ocupam com sua refeição matinal. Não descarto a possibilidade de que haja salteadores à espreita, mas pelo menos não precisamos nos preocupar em combater o Maldito neste momento.

Melkin se afasta da estrada de pedras e se embrenha por entre as árvores, trepadeiras e mato rasteiro que nos aguardam. Vou logo atrás dele, com o Cajado empunhado caso haja algum problema.

O aroma é a primeira coisa que me atinge. Musgo úmido, folhas de cheiro forte e o toque almiscarado das cascas das árvores. Se eu fechar os olhos, posso imaginar que estou ao lado de meu pai, escutando sua voz grave e tranquilizadora me instruindo cuidadosamente sobre como devo escutar. E como andar sem deixar um rastro óbvio. E como sobreviver a qualquer coisa que o mundo jogue contra mim.

Sinto um desejo muito forte de estar com ele, uma saudade súbita e dolorosa que me faz lembrar que foi por causa dessa sensação que todo esse pesadelo começou. Respiro fundo outra vez, saboreio-o em minha língua e permito-me sentir uma fagulha de esperança. Talvez meu pai esteja com o pacote. Talvez, procurando pelo pacote, eu acabe encontrando meu pai também. Talvez, se eu encontrá-lo, ele seja capaz de fazer com que as coisas voltem a ser do jeito que eram outra vez.

— Você vem? Ou vai ficar por aí cheirando as árvores pelo resto do dia?

Ignoro Melkin e começo a caminhar. As Terras Ermas são uma mistura estranha de florestas densas, brejos, campos e ruínas das cidades que se erguiam até os céus, destruídas ou abandonadas há mais de cinco décadas, quando o Maldito foi libertado pela primeira vez.

— Cuidado com os espinhos — diz Melkin em voz baixa, seu bastão de caminhada na direção de um emaranhado de folhas verdes bonitas que se espalham pelo chão, adornadas com espinhos afiados como agulhas.

Dou a volta ao redor das plantas e uso o Cajado para afastar as trepadeiras de meu caminho conforme avanço. Melkin interrompe a caminhada para poder escutar, e eu paro também, embora meus ouvidos não percebam nada além do sussurro usual de asas de insetos e da brisa que marca as florestas das Terras Ermas que ficam perto de Baalboden.

— Está ouvindo? — pergunta ele, numa voz calculada para não ecoar por mais do que alguns metros.

Apuro os ouvidos mais um pouco até finalmente perceber — um *shush* sutil que poderia indicar um animal procurando comida, ou que poderia ser uma bota roçando contra o galho de uma árvore. Aciono a lâmina do Cajado com um estalido surdo, e percebo Melkin estreitar os olhos quando meu bastão de caminhada se transforma em arma.

Não volto a ouvir o som, mas não cometo o erro de presumir que não há uma ameaça por perto. Segurando o Cajado com mais firmeza e deixando-o perto do corpo, coloco a outra mão sobre a bainha da faca.

Caminhamos tão silenciosamente quanto é possível, mas não voltamos a ouvir sons de perseguição. Percebo o momento em que Melkin decide que não era nada além de um animal. Ele baixa os ombros, e o punho fechado dentro sua luva com lâminas relaxa.

Não recolho a lâmina do Cajado, entretanto; é melhor estar pronta para lidar violentamente com outros do que ser pega desprevenida.

Rowansmark fica a sudoeste, uma jornada de quinze dias a pé. Dezoito se o tempo estiver ruim ou se tivermos de dar a volta ao redor de uma gangue de salteadores. Calculo nosso progresso pelos marcadores familiares que cruzamos no caminho — o carvalho que foi atingido por um relâmpago, o riacho que pode ser atravessado pisando em uma fileira de pedras que foram colocadas ali para servir de ponte, e a cabana de estrutura instável que um dia foi branca, mas que agora está coberta por trepadeiras. Estamos progredindo bem, em parte por causa do bom ritmo de caminhada ditado por Melkin. Suas pernas longas devoram o terreno, mas eu não tenho problemas em acompanhá-lo. O temor que sinto pela vida de Logan exige isso. E a raiva que sinto pelo Comandante não me deixa descansar.

Vou refazer o caminho que meu pai seguiu até seu refúgio perto de Rowansmark e encontrar o pacote. Em seguida, vou descobrir uma maneira de garantir a segurança de Logan e, ao mesmo tempo, obrigar o Comandante a pagar pelo que fez.

Uma voz interior sussurra que, se eu encontrar meu pai com o pacote, não precisarei pensar sozinha na solução. Sufoco a sensação de esperança que quer brotar dentro de mim. O dispositivo de rastreio em meu braço está em silêncio, e os fios estão frios. Ainda não tenho motivo para ter qualquer esperança.

O sol se aquece preguiçosamente pelo céu, transformando a floresta por onde andamos em uma selva úmida e encharcada. Embora já estejamos na primavera, ainda é cedo demais para haver mosquitos, mas besouros e pernilongos se acumulam entre as árvores. E, apesar do calor, eu não tiro o manto de cima do corpo.

Duas outras vezes nós ouvimos um farfalhar atrás de nós, mas, quando Melkin dá a volta, não encontra nada. Como estamos dividindo as Terras

Ermas com uma miríade de animais selvagens, ouvir ruídos não é algo que cause estranheza. Ainda assim, as lições que aprendi sobre a falta de honra do Comandante estão entalhadas dentro de mim em letras profundas e vermelhas, e não consigo me tranquilizar, nem por um momento.

Quando o sol chega ao meio do céu, Melkin se agacha contra o tronco grosso de um carvalho muito antigo, abre sua mochila e me oferece um frasco de água e um pedaço de pão de aveia. Eu os recebo e procuro meu próprio tronco no qual possa me recostar para descansar, mantendo-o à vista enquanto escuto atentamente, buscando por sons de seres humanos que possam estar nos perseguindo.

Comemos em silêncio até que Melkin ergue o rosto, limpa a boca com a manga da túnica azul desbotada e diz:

— Seu pai lhe ensinou bem.

Olho fixamente para ele.

— Como você sabe que foi ele que me ensinou?

— O Comandante me disse. Eu não gostava da ideia de levar uma garotinha indefesa comigo pelas Terras Ermas, mas você sabe andar em silêncio. Mantém a cabeça erguida e os olhos abertos. E parece que sabe usar esse bastão que leva com você, também.

Eu viro o rosto para o outro lado.

— Você realmente não gosta de conversar, não é? — pergunta ele, colocando a tampa no cantil de água. — Sempre achei que você fosse uma garota cheia de rebeldia e coragem. Nunca imaginei que tivesse medo de abrir a boca.

A amargura que cresce dentro de mim começa a transbordar.

— Quanta rebeldia e coragem são necessárias para tagarelar sem parar sobre coisas sem importância? — Eu me levanto e enfio o cantil na mochila. — Tenho coisas mais importantes na cabeça do que discutir as minhas habilidades. Se você quer conversar, escolha um assunto melhor.

Ele também se levanta, com a irritação estampada no rosto, e enfia a parte de baixo de seu bastão de caminhada negro no chão da floresta. Eu imagino que consigo sentir o chão debaixo de meus pés tremer com a força do golpe.

— Ninguém gosta de uma mulher com vinagre na alma.

Volto a colocar a mochila nas costas e me aproximo dele, pisando duro. Um rugido distante enche minhas orelhas conforme a raiva dentro de mim encontra um alvo fácil.

— Vinagre na alma? — Estou me aproximando dele, e sua mão se retesa dentro da luva com lâminas que lhe cobre o punho. — É esse o nome que dão para a traição hoje em dia?

Minha voz está mais alta do que deveria, mas não consigo encontrar o ar de que preciso para me acalmar.

— Você resolve me julgar como se tivesse o direito de fazê-lo. O que foi que você perdeu? — Estou gritando, e meu punho está erguido, como se eu fosse acertá-lo. — O que é que você perdeu, Melkin?

Preciso machucá-lo. Gritar com ele, atacá-lo, e esperar que, se ele sangrar, isso sirva para afastar o espectro do sangue de Oliver me cobrindo de vermelho.

— Quase tudo — diz ele, e puxa seu bastão de caminhada do chão, erguendo as duas mãos para indicar que não deseja me fazer mal. — Perdi quase tudo.

Fico sem saber o que responder. Não consigo saber se ele está mentindo. Antes que possa estudar seus olhos para ver se ele entende a enorme sensação de perda que grita dentro de mim, o chão sob nós estremece discretamente, e algo que tem o mesmo som de um trovão, abafado e distante, se aproxima.

Meu olhar cruza com o de Melkin e nós começamos a avançar. Enfiando o Cajado na alça costurada na lateral de minha mochila para poder transportá-lo, eu agarro o galho mais próximo e começo a subir. Melkin também corre para a árvore, envolvendo seus longos braços e pernas ao redor do tronco e escalando-o até conseguir encontrar um galho que seja suficientemente grosso para aguentar seu peso.

O ronco se transforma em um rugido, e o chão abaixo de nós começa a rachar.

Já consegui subir um quarto da árvore. A rachadura no chão se forma diretamente abaixo de onde estou.

— Pule! — grita Melkin.

Freneticamente, eu examino os galhos ao meu redor até encontrar um que se estende até o coração da árvore ao lado, e que seja forte o bastante para sustentar meu peso. Apoio-me nele e começo a correr pela sua extensão, saltando na direção da próxima árvore. Meus pés escorregam pelo galho quando pouso na árvore, e eu começo a correr, agarrando os galhos para me equilibrar, balançando o corpo para tomar impulso e chegar às partes mais altas da árvore, e depois saltando para a próxima. Melkin também está saltando de uma árvore para outra, embora eu esteja concentrada demais em minha própria sobrevivência para me preocupar com ele agora.

Já coloquei sete árvores entre mim e o ponto de partida quando o rugido se transforma em um berro ensurdecedor, o chão em que estávamos há poucos momentos se dissolve completamente, e o Maldito irrompe pelo chão em uma explosão.

CAPÍTULO 34

RACHEL

Fico paralisada. Estou a cerca de dezessete metros da criatura monstruosa que surge no meio da terra. Não acho que seja o bastante. No mínimo, precisarei subir até um ponto mais alto, mas não posso fazer isso sem indicar exatamente onde eu estou.

O Maldito enrola o corpo perto do chão e se ergue do buraco que acabou de criar. De perto, parece ser um gigantesco dragão sem asas coberto com grossas escamas pretas interligadas, com uma cauda do tamanho de dois homens deitados e uma fileira de espigões afiados e membranosos que se estende por suas costas. Garras grossas e amareladas projetam-se de suas patas musculosas, também.

Nossas armas são inúteis. Espadas se quebram contra aquelas escamas, flechas ricocheteiam e a única área relativamente vulnerável parecem ser seus olhos cegos e amarelados. Mesmo assim, qualquer tentativa de aproximação para tentar apunhalar o olho traz consigo o risco de morte pelas chamas da boca da criatura.

Além disso, golpear os olhos é um esforço inútil. Nenhuma criatura morre quando perde um olho.

A única forma de fugir é ficar longe de seu radar. O monstro rastreia suas presas pelo som e pelo cheiro, e, quando ele para de se mover e mexe a cabeça lentamente de um lado para outro, exalando pequenas nuvens de fumaça, não me atrevo a mover um músculo sequer. Fico contente por não ter comida na mochila. Só serviria para deixar meu cheiro mais forte e me transformar num alvo maior.

Melkin não tem a mesma sorte. Movo os olhos para um dos lados e vejo-o agarrado aos galhos mais altos da árvore ao lado da minha, mas não consigo ver sua mochila em lugar nenhum. Acho que ele teve a boa ideia de largá-la durante a subida.

O Maldito bufa e pequenas labaredas lhe irrompem pelas narinas, chamuscando a terra diante de si. A terra queimada parece enfurecê-lo, e ele balança a cabeça soltando chamas cada vez maiores pelo focinho.

Se ficarmos quietos, absolutamente em silêncio, ele acabará indo embora. Concentro-me em respirar, inspirando e expirando com uma precisão cuidadosa, embora meus pulmões gritem dentro de mim, pedindo que eu inale o máximo de ar que conseguir para que possa decidir entre lutar ou fugir.

Mas não precisarei fazer essa escolha. Tenho apenas de ficar imóvel.

De repente, a cabeça do monstro se vira com um movimento brusco e os dois olhos cegos estão apontando diretamente para mim.

Meu estômago se revira e eu olho ao redor, procurando uma saída. Percebo que a mochila de Melkin está pendurada em um galho alguns metros abaixo de mim. Não percebi que ele veio atrás de mim depois que saltou pelas árvores, largando a mochila no trajeto. Estou prestes a pagar o preço por meu erro.

Abandonando todo o meu esforço para manter a respiração sob controle e em silêncio, cedo aos impulsos de meu corpo, inalando uma quantidade enorme de ar enquanto contraio os músculos para a ação.

A fera cheira o ar novamente, e seu corpo se encolhe como o de uma cobra, preparando-se para atacar.

Se eu não me mover, estarei morta.

Tenho de agir no momento exato. Saltar quando o monstro atacar e esperar que o ruído da bola de fogo que ele cuspir encubra o som que meu corpo vai fazer quando eu pousar em outra árvore. Olhando para a posição de Melkin, julgo a distância que há entre a minha árvore e a dele. Ele percebe meu olhar e move o queixo para indicar o galho logo abaixo dele.

Preparo-me e espero pelo momento de saltar.

Não tenho de esperar muito. Em segundos, a agitação da criatura chega ao ponto de ebulição e ela se ergue sobre as patas traseiras, aponta para mim e ruge, lançando uma enorme bola de fogo violentamente contra minha árvore.

Corro sobre o galho e salto na direção da árvore de Melkin quando o tronco atrás de mim explode em chamas. Meu corpo bate com força na outra árvore; sinto-me escorregar e quase despenco sobre o chão da floresta, mas o braço incrivelmente longo de Melkin se estende como se fosse uma cobra e ele me agarra.

Fico pendurada contra a árvore, com os pés lutando para encontrar apoio no galho que está abaixo de mim enquanto o Maldito ruge furiosamente, movendo a cabeça de um lado para outro, carbonizando tudo que está pela frente.

O pânico começa a tomar conta de mim, forte e absoluto. Não vou morrer. Não assim. Tenho muitas promessas a cumprir.

Meus pés encontram o galho, e eu firmo o corpo, agarrando-me ao tronco que está logo abaixo de Melkin. Ele me segura pela mochila, e nós ficamos imóveis enquanto o Maldito rasteja por entre as árvores, farejando e tentando escutar os ruídos que fazemos.

Não sei o que o chamou aqui. Talvez estivesse perto o bastante para me ouvir gritar. Talvez estivéssemos apenas no lugar errado, na hora errada, embora eu nunca tenha sido muito de acreditar em coincidências. Seja lá o que tenha atraído a atenção do Maldito, estamos em sua alça de mira agora.

Qualquer alívio que eu sinto por estar a uma altura suficientemente distante do chão para que ele não consiga farejar nossa presença desaparece quando o monstro urra, um rugido gutural de fúria, cuspindo um jato de fogo contra as árvores a sua frente. O tronco que está debaixo de nós explode em chamas, e o calor faz os dedos de meus pés arderem.

A fumaça se ergue, sufocando-me, e as chamas começam a subir em nossa direção. Meus pulmões gritam pedindo ar, meus músculos tremem com a necessidade de correr e minha pele parece estar ressecada, mas saltar para outra árvore, neste momento, seria minha sentença de morte. Prendo a respiração para não tossir e me concentro em permanecer imóvel.

E funciona. O Maldito balança a cabeça para a frente e para trás por mais um minuto interminável, e depois dá meia-volta. Suas escamas negras brilham sob a luz bruxuleante das chamas que ele criou, e ele rasteja de volta para o enorme buraco que criou no chão.

Continuamos imóveis até que o último vestígio do monstro tenha desaparecido. Em seguida, explodimos em movimentos desesperados. Subindo rapidamente pelo tronco, corremos pela extensão do galho mais grosso que encontramos e saltamos para outra árvore, apenas para repetir o processo mais uma vez.

O fogo se espalha rapidamente em meio à floresta densa que toma conta das Terras Ermas, mas eu sei que há um rio menos de cento e cinquenta metros a oeste. Melkin também sabe, e nós vamos naquela direção como se um acordo silencioso estivesse firmado entre nós.

Atrás de nós, uma parede de fogo começa a devorar a floresta, cuspindo faíscas e brasas contra o céu e vomitando uma nuvem de fumaça negra atrás de nós. Nós saltamos, escalamos, corremos, pulamos e, em algum momento no meio de toda essa correria, a mão de Melkin se estende e pega a mochila pesada que trago nas costas para que eu consiga acompanhá-lo.

Ao longe eu vejo a superfície escura do rio, os tons de negro e azul que brilham sob o sol da tarde. Meus pulmões estão queimando e minhas mãos estão bastante machucadas por terem de se agarrar nos troncos e galhos ásperos para me equilibrar. Mesmo assim, acelero o passo conforme a muralha de calor atrás de mim sussurra sobre minha pele.

Melkin chega ao rio primeiro, mas não salta nele. Em vez disso ele aguarda, estendendo uma mão magra para mim quando dou meu último salto, deixando meus pés deslizarem pelo galho na direção dele. Ele me agarra, segura minha mão e juntos nós mergulhamos, afastando-nos das árvores e caindo nas águas escuras e frias.

CAPÍTULO 35

LOGAN

Não sei mais que horas são. Estou deitado no chão sujo e úmido desta cela há horas. Talvez há um dia inteiro. Talvez mais. Sem conseguir identificar a posição do sol, não consigo saber com certeza.

A dor é minha companheira constante — apunhalando-me a cada vez que respiro e zombando de minhas tentativas de dormir. Pelo menos uma de minhas costelas está quebrada; meus braços e pernas doem muito, com hematomas que chegam até os ossos, e meus olhos estão tão inchados pelos golpes que recebi que quase não se abrem mais.

Mas o pior de tudo é a queimadura em meu pescoço. A cada vez que a pele queimada lateja em agonia, eu me lembro do poder que o Comandante tem sobre mim. Quero usar a dor para me concentrar na criação de um plano para arrancar esse poder das mãos dele permanentemente, mas meus pensamentos estão confusos e vagos, e a dor parece ser muito mais importante e urgente neste momento.

Um calafrio se espalha pelo meu corpo, vindo do chão de pedra onde estou deitado. Mesmo com o manto enrolado ao redor do corpo eu estou tremendo. Deveria tentar forçar meu corpo a se levantar e caminhar. Esticar os músculos. Isso me ajudaria a sarar mais rápido.

Inspiro lentamente, tentando impedir que meus pulmões pressionem contra as costelas com muita força, e apoio as palmas das mãos contra o chão diante de mim.

Meu corpo estremece enquanto ergo lentamente o corpo até ficar apoiado sobre as mãos e os joelhos. Cada centímetro que eu me ergo é uma tortura. Pontos cinzentos vão de um lado para outro em meu campo de visão limitado, e meu estômago vazio se rebela contra as ondas de tontura que tomam conta de mim.

Consegui ficar com o manto, mas não estou em condições de tentar buscar minha liberdade.

É um pensamento devastador, mas não posso deixar isso ocupar minha mente por muito tempo. O calor está começando a afetar meu cérebro, deixando os limites da realidade indistintos até que eu não consiga saber se o que há em minha cabeça são lembranças, sonhos ou fragmentos de coisas que não valem o esforço necessário para forçá-las a se transformar em algo que faça sentido.

Não consigo me levantar sem ajuda. Rastejar em direção à parede é um processo longo e agonizante, e eu paro frequentemente para descansar, encostando o rosto no chão de pedra imundo e tremendo com os calafrios que vêm tanto do frio que está a minha volta quanto do calor que faz minha cabeça queimar, mas que se recusa a aquecer o resto de meu corpo.

O que alguém deve fazer para curar uma febre? Não consigo me lembrar. Meu corpo treme enquanto me forço a continuar rastejando. A continuar me movendo. Continuo forçando meus músculos a trabalhar, mesmo com todos os ferimentos e hematomas, porque *ele* vai voltar. E eu me recuso a deixar que ele me mate.

Chego até a parede depois de algum tempo e descubro que meu nariz está sangrando. Não sei há quanto tempo isso está acontecendo, e decido que não me importo.

Ao longe eu ouço a porta principal da masmorra se abrir, e sei que deveria estar com medo, mas isso exige um esforço descomunal. Em vez disso, aperto os dedos na textura áspera da parede a meu lado e ergo o corpo até ficar em pé.

O ambiente começa a girar, lentamente, me causando enjoos. Tento respirar por entre as náuseas que isso me causa, mas inalar o ar acende a dor horrível que sinto na altura das costelas feridas.

Alguém está caminhando pelo corredor entre as celas. Não sei quem é. Não consigo virar a cabeça para olhar. Em vez disso, encosto a testa contra a pedra fria da parede e meu corpo treme, incontrolável.

Rachel está lá fora. Em algum lugar. Sei que eu deveria me lembrar de algo importante sobre a situação dela, mas, com a cabeça ardendo, a única coisa em que consigo pensar é nos cabelos dela sob a luz do sol. Como se fossem chamas. Como as chamas que castigam o interior de meu crânio.

Bato a cabeça contra a parede para apagar as chamas, mas elas apenas se multiplicam.

Mover.

Preciso me mover

Se eu não me mover, ele vai me matar antes que eu consiga escapar.

Deslizo um pé pelo chão, a minha frente, mas ele vacila, sem conseguir se firmar, e eu tenho de me apoiar contra a parede para não tombar.

Alguém abre a porta da cela. O ruído explode dentro de minha cabeça, mandando uma onda de martelos brutais de dor contra minhas têmporas. Solto a parede para cobrir os ouvidos e desabo para a frente, esborrachando-me contra o implacável piso de pedra.

Ouço passos que se aproximam rapidamente de mim e levo a mão até a espada. Ela não está no lugar onde eu sempre a deixo, e o movimento desencadeia a dor na lateral de meu corpo até que preciso lutar para respirar, puxando o ar em golfadas rápidas e curtas.

A pessoa que está andando na cela chega até onde eu estou e se agacha. Não consigo ver quem é, mas o aroma suave de alfazemas atravessa o fedor da cela e me faz querer fechar os olhos e fingir que estou no campo. A salvo. Livre. Deitado sobre um leito forrado com alfazemas maceradas enquanto a dor que sinto no corpo se desfaz até não sobrar nada, exceto uma lembrança, e sabendo que as pessoas que eu amo estão vivas e bem.

— Ah — a voz de uma garota exclama em um sussurro. Uma mão fria toca minha testa.

Estou sonhando. Só posso estar. Não há nenhuma garota andando livremente pela masmorra. Meu cérebro criou uma fantasia, e, se eu não conseguir me livrar dela, quem quer que esteja dentro da cela comigo vai me matar antes que eu consiga cumprir a promessa que fiz a Rachel.

Rachel.

Rachel não tem cheiro de alfazemas. Seu aroma é uma mistura de frutas cítricas e jasmim noturno. Tudo o que eu quero é que o cheiro de alfazemas desapareça e se transforme na fragrância de Rachel.

Mas ele não desaparece.

Em vez disso, as mesmas mãos frias que estavam tocando minha testa estão ocupadas, enfiando algo nos bolsos de meu manto.

— É comida — sussurra ela em meu ouvido. — Estou colocando também um remédio para a sua febre na água. Quando a febre baixar, coma.

Uma caneca encosta em meus lábios e um fio de água amarga entra pela minha boca. Meus reflexos a fazem engolir, embora uma parte de mim esteja gritando, avisando-me de que isso é uma mentira. Uma armadilha. Outra artimanha do Comandante para me torturar. Talvez seja veneno. Talvez seja algo que vá me corroer por dentro, multiplicando a dor até que eu queira somente poder me matar para acabar com ela.

Viro o rosto e deixo um pouco da água que estava em minha boca escorrer pelo chão.

Uma garota encosta o rosto ao lado do meu. Seus contornos estão borrados por entre as aberturas inchadas dos meus olhos.

— Engula — diz ela, em voz baixa. — Estamos tentando ajudá-lo.

Quero perguntar sobre quem ela está falando. Ninguém ajuda ninguém que esteja encarcerado na masmorra. Ninguém nunca me ajudou quando eu estava fora da masmorra também, com exceção de Oliver, Jared e Rachel.

Os passos apressados e ruidosos de um guarda ecoam pelo corredor, aproximando-se rapidamente de minha cela.

— Rápido! — sussurra ela, pressionando a caneca contra meus lábios.

A água me dá uma sensação boa, mesmo que o gosto seja horrível, e eu engulo. Pode ser um truque. Pode acabar piorando as coisas, mas o calor que castiga meu cérebro não permitirá que eu me dê o luxo de analisar minhas opções com cuidado, e eu estou com uma sede desesperada.

— O que você está fazendo, garota? — pergunta o guarda.

— Dando água para o prisioneiro, como você mandou — diz ela, com a voz baixa respeitosa.

— Ele já bebeu o bastante. Saia daí.

Ela se levanta imediatamente e sai da cela, com passos apressados. O guarda ri quando me observa, deitado no chão, tremendo enquanto o sangue escorre lentamente pelo meu nariz.

Fecho os olhos e tento sonhar com um mundo onde Rachel e Jared estejam em segurança e onde Oliver esteja vivo.

CAPÍTULO 36

RACHEL

A água me agarra com braços gelados quando atravesso a superfície. O som do fogo fica abafado, um rugido distante que não pode competir com a velocidade da correnteza do rio. Minha mão se solta da mão de Melkin quando o fluxo do rio me carrega. Não consigo parar de girar. Não consigo me livrar da correnteza. Não consigo subir à tona.

Meus pulmões queimam e meu cérebro grita, implorando para que eu respire, mas já girei tantas vezes em meio ao abraço sombrio do rio que não sei mais para que lado fica a superfície. Esperneio, agito os braços e luto contra a água.

É inútil.

Meus ouvidos rugem e um zunido fica cada vez mais alto em minha cabeça conforme meu peito se agita em convulsões e eu tusso, engolindo água no processo.

A água faz meus pulmões queimarem e eu volto a tossir.

Mais água. Mais tosse. Mais dor.

Até que tudo desaparece. A dor recua. Meu peito relaxa. Meus pulmões param de exigir ar. Estou em paz.

Deixo a correnteza me girar enquanto o mundo escurece até se desfazer por inteiro, mas alguma coisa envolve meu corpo, me arrasta por entre as águas e eu chego à superfície.

Começo a tossir, fraca, mas meus pulmões já estão acostumados a ficar cheios de água agora. Não sabem o que fazer com o ar. E eu não me importo. Quero fechar os olhos e deixar a água me tomar. Deixar que a paz que comecei a sentir há alguns momentos me engula por inteiro.

Mas não posso fazer isso. Porque aquilo que está me segurando não deixa que eu afunde outra vez. Quando chegamos à margem, meus pulmões queimam em busca de ar, e a paz que eu sentia desaparece.

Sou jogada contra o chão da margem. Meu corpo é virado para ficar com as costas para baixo, e Melkin se ergue sobre mim como um imenso graveto molhado. Ele junta as mãos, uma sobre a outra, e bate contra meu peito.

A água jorra por minha garganta, queimando e sufocando, enchendo minha boca e meu nariz. Ele estende a mão e gira meu rosto para o lado, e eu cuspo a água sobre a areia. Ele bate em meu peito mais duas vezes e eu cuspo a água em jatos. Quando ele ergue as mãos pela quarta vez, meus pulmões se contraem, e eu começo a tossir por conta própria. Ele baixa as mãos e me vira sobre um dos lados, para que qualquer água que eu ainda venha a tossir escorra para o chão, e desaba meu lado, ofegante.

Não sei quanto tempo se passa até que ele se vire para me encarar.

— Vai conseguir sobreviver? — pergunta ele, e eu vejo que minha mochila ainda está presa a suas costas.

Minha garganta queima quando eu respondo.

— Estou bem.

Eu devia agradecer-lhe. Entre agora e o momento em que ele me agarrou antes que eu me soltasse do galho que estava abaixo dele durante o ataque do Maldito, já salvou minha vida duas vezes. Eu realmente deveria agradecer-lhe, mas fico em silêncio. Porque, mesmo salvando minha vida, mesmo dizendo que perdeu quase tudo o que tinha, ele trabalha para o Comandante. Não preciso de nada além disso para justificar a raiva que sinto arder devagar toda vez que olho para ele.

Logan era quem devia ter me agarrado. Logan é quem devia haver me salvado de morrer afogada. Logan é quem devia perguntar se estou bem.

— Desculpe-me pelo que falei lá atrás — diz Melkin.

Olho para ele com uma expressão intrigada. Não sei do que está falando.

— Sei que o seu pai está desaparecido há meses. Eu vi o que aconteceu durante a cerimônia da Toma. Se existe alguém que tem direito de sentir amargura, acho que é você. — Os olhos escuros dele se afastam dos meus, e ele ergue o corpo para se sentar. A água escorre pela minha mochila encharcada, criando pequenos riachos na margem. A luva com a lâmina dupla que ele usava na mão direita desapareceu.

Eu não queria que ele pedisse desculpas. Nem que ficasse sentado a meu lado como se entendesse o que aconteceu comigo, sem pedir nada em troca. Isso faz com que seja mais difícil concentrar minha raiva nele.

Ergo o corpo para me sentar, também, enfiando os dedos na areia úmida sob meu corpo enquanto minha cabeça gira lentamente, e olho ao redor. Nada parece familiar. O rio nos levou para muito longe, e perdi de vista todos os pontos de referência que conhecia. O horizonte distante não tem qualquer sinal de fumaça, um sinal claro de que viajamos por vários quilômetros em meio ao abraço rápido do rio.

— Onde estamos? — eu pergunto, e sinto o desejo de poder tomar o xarope quente e espesso que Oliver sempre me dava para curar minhas dores de garganta.

A lembrança de Oliver me atinge como uma punhalada, e eu me obrigo a respirar em meio ao desconforto.

— Passamos um pouco de King's City — diz Melkin, erguendo um dedo ossudo para apontar para um barranco acima de nós, à esquerda.

Viro-me para ver um enorme retângulo de metal. Suas pernas já se transformaram em sucata retorcida há muito tempo, e a estrutura está inclinada contra a parte de cima do barranco, com um de seus cantos enterrado no chão. Um homem de cabelos negros e um sorriso torto nos lábios nos observa no meio do retângulo. Sua imagem está desgastada pelo sol e a tinta está descascando em longas tiras. Trepadeiras se acumulam no topo, obscurecendo o canto superior direito, e um capinzal alto esconde sua base, mas a palavra KING se estende pelo centro em letras vermelhas, desbotadas e que também começam a se desprender do retângulo.

— Quantos dias há entre essa coisa e Rowansmark? — preciso de referências familiares. Uma estrada da qual possa me lembrar. Algo que possa usar para encontrar o refúgio de meu pai. Todo mensageiro cria seus próprios esconderijos longe das estradas principais para estocar alimentos e equipamentos essenciais de modo que possa usá-los em suas jornadas. Compartilhar a localização desses esconderijos com outros é um convite a ser assaltado, e talvez mesmo a algumas sessões de tortura por aqueles que ficam de tocaia, esperando conseguir arrancar quaisquer segredos que possam estar escondendo.

— Talvez quinze. Nosso curso foi desviado por uns cinco ou seis dias — diz Melkin. Ele se levanta, ajustando o peso da mochila em suas costas.

Minha mochila. Com minhas armas.

Levanto-me também, e, embora meus joelhos estejam fracos e minhas pernas tremam, não tenho problemas para conseguir ficar em pé. Uma olhada para o céu indica que ainda teremos umas quatro horas até que o sol se ponha. Mais do que o suficiente para passar por King's City e encontrar um lugar seguro para acampar. Solto o manto com os dedos escorregando pelas presilhas de couro encharcadas, e o tiro de cima de mim. A peça molhada é um peso morto sobre meus ombros, e eu preciso que o sol seque minha túnica e a calça enquanto caminhamos. O bracelete de cobre que Logan me deu fica bastante aparente por baixo do tecido úmido da túnica. Espero que Logan tenha tido o bom senso de fazer com que o aparelho de rastreamento seja à prova d'água.

Melkin estende a mão para pegar meu manto, e eu o puxo com um movimento brusco, segurando-o contra o peito.

Ele franze as sobrancelhas.

— Ele está pesado. Vou carregá-lo até que você esteja se sentindo mais forte.

— Ele é meu. E a mochila também. — Faço menção de pegá-la.

Ele se afasta.

— Você não está em condições de carregá-la.

Meus punhos se fecham com força. Ele está com meu Cajado. Meu arco e minhas flechas. Será que ele pensa que, se tirar praticamente todas as minhas armas, vai conseguir me deixar em desvantagem? Eu levo a mão até a bainha da faca que está presa a minha cintura.

Ele ergue as mãos outra vez, e eu não consigo compreender a expressão que ele tem no rosto.

— Você é bastante teimosa e desconfiada, não é?

— Tenho bons motivos para ser assim. — A faca desliza para fora da bainha e eu seguro o cabo com força. — Quero as minhas armas. Você pode carregar a mochila, se quiser, mas eu levo as minhas armas.

Nunca mais serei pega desprevenida. Incapaz de agir.

Ele dá de ombros, mas me observa atentamente enquanto desata a alça que prende meu cajado, passando-o para mim. O arco e as flechas chegam em seguida, e eu vejo que restam apenas três flechas das doze que estavam na aljava quando a viagem começou. O resto deve estar no fundo do rio.

Prendo o arco e as flechas as minhas costas, devolvo a faca a sua bainha e seguro o Cajado com a mão direita.

— Melhor assim? — pergunta Melkin, com a voz suave.

— Não preciso da sua piedade. — Eu pego o manto com a mão esquerda.

— Do que você precisa, então? — ele pergunta, e parece sinceramente querer saber a resposta.

Preciso de Oliver vivo e bem. De Logan a meu lado. Do meu pai, esperando por mim com o pacote, capaz de me ajudar a descobrir o que devo fazer a seguir. E do Comandante morto a meus pés.

É disso que eu preciso, mas não posso dizer a Melkin. Ele trabalha para o Comandante e só está interessado no pacote.

— Rachel? Do que você precisa?

Lembro-me de que Melkin disse que perdeu quase tudo, do peso da dor silenciosa sobre aquelas palavras. Pergunto-me se revelar um pedaço da verdade pode acabar me favorecendo. Especialmente se o que eu preciso for algo que ele também deseje, mesmo que em segredo. Olhando em seus olhos, eu digo:

— Vingança. Preciso de vingança.

Os olhos dele ganham uma expressão sombria e se desviam dos meus enquanto ele ajusta o peso da mochila sobre seus ombros.

— Tente não julgar com tanta severidade aqueles de nós que ainda se importam com outras coisas além disso — diz ele, e começa a caminhar na direção do barranco. Ele não olha para trás para ver se vou segui-lo.

Será que ele acha que eu não me importo com mais nada? Eu tenho Logan. Tenho meu pai. E tenho contas a acertar. Nada disso é insignificante. Aperto os dentes ao redor das palavras que querem sair pela boca e queimar o ar a meu redor. Criar uma discussão serviria apenas para lhe dar mais informações do que aquilo que ele realmente precisa saber. Em vez disso, eu enfio a ponta do cajado na areia macia para me equilibrar, e começo a subida rumo a King's City.

CAPÍTULO 37

RACHEL

Paramos para passar a noite abrigados em um prédio de concreto em forma de caixa, do qual somente dois lados ainda estão em pé, resistindo contra as intempéries e a passagem dos anos. Deixamos King's City para trás há duas horas e eu estou aliviada. Os restos de metal retorcido dos prédios que antigamente serviam de moradia para uma civilização vibrante agora são apenas cascas enegrecidas cobertas de fuligem e tomadas pelas trepadeiras. Andar entre elas me deixa nervosa. É uma lembrança dura do que o Maldito é capaz de fazer conosco se não continuarmos junto daqueles que comprovaram sua capacidade de nos proteger.

Como não tenho intenção de voltar a me submeter à proteção de qualquer outra pessoa, dou as costas para as ruínas da cidade e recuso-me a considerar a hipótese de que talvez eu tenha acabado de vislumbrar meu futuro.

Melkin não fala comigo desde nossa conversa na margem do rio, e não acho que isso seja um problema. Não tenho nada mais a dizer. Só quero que esta parte da viagem termine logo.

Por sorte, tenho pederneiras e combustível na mochila, e não precisamos nos preocupar em nos aquecer ou afastar animais selvagens. Trabalho com Melkin para recolher lenha e amontoá-la no centro de nosso abrigo improvisado. Além disso, ainda tenho meu cantil de água fresca e ofereço-o para ele.

Ele ergue uma sobrancelha quando faço isso, mas aceita o cantil e toma três goles antes de devolvê-lo. Coloco minha mochila contra uma das paredes de nosso abrigo que ainda está em pé e pego meu arco e as flechas.

— Para onde você vai? — ele pergunta quando começo a me afastar do abrigo.

— Pegar o jantar.

— Vou com você.

Olho para ele por cima do meu ombro.

— Eu posso cuidar disso. Você fica encarregado da fogueira. E pare de achar que eu preciso de uma babá.

Pode não ser muito justo agir assim, considerando que precisei da ajuda dele por duas vezes hoje. Mas tenho condições de caçar, e preciso passar algum tempo sozinha sem que os olhos dele vigiem cada movimento que eu faço. Sem ter de me esforçar para dar a impressão de que não quero gritar para extravasar a frustração, após viajarmos por tantas horas e eu ainda não saber onde estamos.

Ele não me segue, mas vai até a beirada da estrutura arruinada e me observa enquanto me afasto.

Nosso abrigo está aninhado contra uma inclinação suave do terreno, coberta por um capinzal alto e ressecado. Mais adiante, depois da colina, o que resta de uma velha estrada serpenteia por entre o capim, com seus fragmentos surgindo em intervalos irregulares. Do outro lado da estrada, uma floresta se estende até onde a vista alcança.

O sol está se pondo por baixo do peso de um crepúsculo arroxeado quando me embrenho nas árvores. Caminho cerca de vinte metros por entre elas, passando por seus troncos finos e galhos finos e graciosos, que se estendem para o céu como se quisessem arranhar as estrelas, e encontro o que estou procurando.

Um arbusto abraça a base de uma árvore, com seus ramos se curvando como um sino e suas folhas tocando o chão. Atrás dele há um espaço pequeno e vazio. Enfio-me ali, encaixo uma flecha na corda do arco e espero.

A noite já dominou quase todo o céu quando eu finalmente percebo um resquício de movimento. Reteso o corpo, sem me atrever a respirar. Minha paciência é recompensada quando uma criatura do tamanho de uma ovelha pequena se aproxima, com o focinho perto do chão, farejando. Inspiro lentamente, profundamente, ensaiando cada passo em minha cabeça; ergo o arco, fecho um olho, alinho a mira com o outro olho e solto a flecha.

Ela voa em uma trajetória perfeita, atingindo a lateral do corpo do animal. Salto de meu esconderijo conforme minha presa se assusta e começa a correr com passos vacilantes. Atravessando a distância que nos separa em questão de segundos, eu puxo a faca da bainha, salto sobre as costas do animal e golpeio debaixo de seu pescoço para lhe rasgar a garganta.

Ele morre instantaneamente, e eu limpo o sangue que cobre a lâmina no chão seu lado. Girando o corpo do animal, percebo que minha presa é um javali. Ainda jovem, pelo tamanho de suas presas.

Não consigo levantá-lo facilmente. Além disso, recuso-me a deixar que todo aquele sangue escorra sobre mim. Só de pensar nessa possibilidade eu sinto a bile tentando subir pela garganta. Tenho um curto acesso de tosse e também engasgo, cuspindo no chão da floresta. Resolvo o problema agarrando o animal pelas patas traseiras e arrastando-o até os limites da floresta. Não quero arrastá-lo por sobre o capim e os restos da estrada até nosso abrigo, porque a trilha de sangue poderia atrair um animal selvagem diretamente até nós enquanto dormimos.

Não preciso fazer isso.

Melkin está em pé no meio da estrada, observando a floresta com a espada nas mãos.

Ele não me vê imediatamente, e eu fico chocada pela sua silhueta digna de um predador, capturada no curto espaço de tempo entre a última luz mortiça do sol e o momento em que a lua começa a surgir no horizonte. Antes que eu consiga prosseguir naquela linha de raciocínio, ele percebe minha presença e se aproxima. Seus passos longos engolem a distância sem qualquer esforço.

— Bom trabalho — diz ele, ao ver o javali.

Dou de ombros, embora aquela atitude constante de cortesia e tolerância que ele demonstra esteja começando a me causar certo desconforto.

Ele ergue o javali com um grunhido e volta para nosso acampamento. Eu o sigo e enumero as razões que tenho para manter distância dele. E para ficar irritada com ele.

Tudo se resume ao fato de que ele está agindo sob as ordens do Comandante.

Claro, ele pode estar pensando o mesmo sobre mim.

Fico ruminando aquelas ideias enquanto Melkin tira uma faca de uma bainha presa a seu tornozelo e começa a cortar a carne do javali, separando os músculos dos ossos com movimentos rápidos. Ele joga alguns dos melhores pedaços de carne sobre as chamas para crepitar e assar. Talvez eu devesse sentir algum tipo de inimizade por ele. Talvez o Comandante soubesse que qualquer pessoa que usasse para substituir Logan seria um alvo para minhas suspeitas. Talvez não devêssemos estar na mesma equipe e trabalhar para alcançar o mesmo objetivo, porque, se começarmos a pensar com nossas próprias cabeças, o Comandante poderia se ver em perigo.

A ideia começa a me aquecer com alguma coisa além da fúria que já sinto.

Algo que parece ser outro pequeno fragmento de esperança.

Abro meu manto úmido sobre o chão para secá-lo perto da fogueira e me sento ao lado de Melkin. Longe o bastante para que consiga sacar minha faca antes que os braços longos dele me alcancem, mas perto o bastante para indicar que não estou tentando ignorar sua presença.

Ele olha para mim, mas não diz nada.

Forço-me a dizer a palavra que eu sei que ele merece ouvir.

— Obrigada.

Ele usa um graveto para tocar a carne e virá-la sobre a brasa. O aroma enche o ar e me dá água na boca.

— Por quê? — pergunta ele.

— Por salvar a minha vida. Duas vezes. Por carregar o javali. E por... — Neste momento eu fico sufocada com as palavras, e tenho de empurrá-las para que ultrapassem meus lábios, mesmo que elas pareçam ser forçadas e insinceras. — Por entender a minha atitude.

Ele fica em silêncio durante o tempo necessário para espetar três pedaços grandes de carne em um graveto e entregá-lo para mim. Em seguida ele diz:

— Não achei que ouviria isso de você.

Dou de ombros e mordo a carne, que queima meus lábios mas explode num sabor delicioso sobre minha língua. Eu o observo enfiar um graveto fino na carne que separou para si antes de responder.

— Você trabalha para o Comandante.

— Você também.

— Não faço isso por escolha própria.

— E você acha que eu trabalho para ele porque quero?

Ele olha para mim, e fico abalada ao perceber o tamanho da tristeza estampada em seu rosto esquálido. Procuro falar cuidadosamente, escolhendo as palavras a seguir.

— Você é um rastreador. Você trabalha para o Comandante há vários anos. Pensei que, para você, fosse apenas mais uma missão.

Ele olha para a fogueira.

— Você pensou errado.

Não sei se realmente estava enganada. A única coisa em que posso confiar é no meu instinto, e meu instinto me diz que Melkin não deseja me fazer mal, e que precisa lidar com a própria dor, algo que leva dentro de si. Se eu conseguir conquistar a simpatia dele pela minha causa, talvez possamos formar uma equipe para dar o troco no Comandante.

— Talvez eu esteja mesmo errada — eu digo. — Mas como vou ter certeza disso?

Ele ri, um som curto e entrecortado, e olha para mim.

— Como é que nós dois podemos ter certeza de qualquer coisa? Fomos encostados contra a parede, ameaçados de perder tudo, e depois soltos para ficarmos um de olho no outro como dois cães de South Edge que têm medo de perder um osso grande.

Olho para ele, com a mente trabalhando em alta velocidade. Será que ele realmente está na mesma situação que eu? Ou foi treinado para dizer isso, apenas para ganhar minha confiança?

Ele balança a cabeça negativamente.

— Um de nós precisa contar a verdade aqui. Permita que eu comece. Você pode fazer o que quiser com a informação que eu lhe der.

Não digo nada, mas observo-o cuidadosamente, atenta a sinais de que ele possa estar mentindo.

— É verdade que eu trabalho para o Comandante há onze anos. E é verdade que ele mandou que eu a acompanhasse.

— Por quê?

— Aparentemente, ele achou que você poderia precisar de ajuda. Afinal de contas, você é só uma menina. — A sombra de um sorriso passa rapidamente pelo seu rosto. — Uma garota que sabe como manter a cabeça no lugar diante do Maldito, que é capaz de andar pelas Terras Ermas por quatro horas depois de quase morrer afogada, e que sabe caçar e matar um javali. Aposto que o Comandante não faz a menor ideia do quanto ele a subestima.

E eu aposto que o Comandante não me subestima nem um pouco, e que a verdadeira função de Melkin é se certificar de que eu não cometa uma traição. O que significa que Melkin pode armar a situação para que pareça que estamos do mesmo lado quando tudo o que está tentando fazer é ganhar minha confiança. Calcular cada uma dessas possibilidades faz com que eu sinta saudades de Logan, que não teria dificuldades em avaliar as opções, enumerar o melhor e o pior dos casos e bolar planos para lidar com cada situação na metade do tempo que eu levarei para decidir se o melhor a fazer é simplesmente deixar Melkin para trás na calada da noite e me esforçar para sobreviver sozinha nas Terras Ermas.

— Então por que você diz que não aceitou esta missão por livre e espontânea vontade? — eu pergunto, e Melkin engole em seco. Seu pomo-de-adão se agita na garganta como uma rolha sobre a água.

Ele fica em silêncio por um longo tempo. Começo a pensar que não vai responder à pergunta. Quando finalmente fala, ele dirige as palavras para as chamas numa voz tão baixa que eu preciso me esforçar para escutá-lo.

— Eu podia ter feito isso. Sairia em busca do pacote com você e retornaria com ele, assim como fiz com todas as outras missões que ele me deu. Mas o Comandante não me deu nenhuma chance de provar a minha lealdade. — Ele olha para mim subitamente, com uma tristeza desesperada nos olhos. — Ele jogou a minha esposa na masmorra. Ela está grávida, o bebê vai nascer em dois meses, e ele a jogou na masmorra.

Não duvido dele nem por um segundo. A dor forte e pungente em sua voz me faz lembrar de minha própria perda, e eu sinto vontade de enfiar os dedos nos ouvidos e fingir que não ouço o que ele diz. Suas emoções são verdadeiras, mas ainda assim isso não significa que eu possa confiar em suas palavras.

— O que você tem que fazer para tirá-la de lá? — eu pergunto cuidadosamente, porque este é o ponto central da questão. Se ele me contar a verdade, talvez possamos começar a confiar um no outro. Mas se ele mentir... se eu *pensar* que ele está mentindo, então terei de pensar como Logan e começar a fazer planos para o que pode acontecer na pior das hipóteses.

Ele esfrega a mão pelo rosto, desviando os olhos dos meus e voltando a encarar a fogueira.

— Tenho que levar o pacote de volta. Mesmo que você não concorde com isso. — Ele olha para mim. — Não posso permitir que haja qualquer obstáculo no meu caminho.

E aí está. Se eu estiver planejando trair o Comandante, Melkin é a pessoa encarregada de me impedir. Não importa o que aconteça. E ele fará isso, com certeza. Porque sua esposa e o filho deles, a criança que ainda nem nasceu, estão em perigo.

Não posso culpá-lo por fazer exatamente o que eu faria.

E não consigo evitar simpatizar com o que ele sente. Sei exatamente qual é a sensação ter meus entes queridos com a lâmina da espada do Comandante sobre a garganta. A diferença é que eu não acredito mais nas promessas do Comandante.

Mesmo assim, não compartilho minha convicção com Melkin. Isso não mudaria o perigo que ameaça sua esposa. Serviria apenas para machucá-lo ainda mais. Ou fazer com que ele se volte contra mim.

Em vez disso, eu me aproximo um pouco dele e digo, com a voz tranquila:

— Eu também preciso levar o pacote de volta. Se não o fizer, vou perder uma pessoa de que gosto muito.

— E a sua chance de se vingar? — pergunta ele, capturando meu olhar como se o destino de todo o mundo dependesse de minha resposta.

E talvez dependa. Talvez ele precise saber que alguém está disposto a se erguer contra o Comandante, e que todo esse sofrimento pelo qual Melkin está passando não será simplesmente varrido para debaixo do tapete.

— Sim. Preciso entregar o pacote para conseguir resgatar Logan. E para conseguir a minha vingança, também. — As palavras corroem o ar entre nós.

Melkin faz que sim com a cabeça, como se tivesse ouvido a resposta que procurava, e vira de frente para o fogo para assumir o primeiro turno da vigília. Deito-me e encolho o corpo sobre o manto que ainda está secando, de costas para a fogueira e com os olhos virados para Melkin.

Talvez tenhamos chegado a uma espécie de acordo. Podemos estar tentando alcançar o mesmo objetivo. Mas sinto minha faca pesar confortavelmente na mão quando a retiro silenciosamente da bainha e a seguro, com a lâmina para fora, onde posso atacar qualquer coisa que venha contra mim.

Apenas uma precaução para o caso de eu estar errada.

CAPÍTULO 38

LOGAN

Ela não me matou. Não sei o que a garota com cheiro de alfazemas colocou na minha água, mas serviu para acalmar meus pensamentos febris e afastou um pouco a dor. Consigo me enrolar no manto, apoiar-me contra a parede e dormir até que o próximo guarda venha fazer a ronda.

Quando ele chega a minha cela, eu estou novamente no chão, encolhido e tremendo. Não é difícil fazer isso. As pedras sob meu corpo irradiam o frio. Ele me estuda por um momento, depois volta para a porta principal, tranca-a por trás de si e sai da masmorra em silêncio outra vez.

Espero mais alguns momentos para ter certeza de que ele foi mesmo embora, e depois me sento lentamente, dando a impressão de que realmente tenho de me esforçar bastante para erguer o corpo. Também não é algo difícil de fazer. Meus músculos protestam contra qualquer movimento, por menor que seja; a pele queimada em meu pescoço lateja e minha costela quebrada ainda me causa uma dor muito intensa.

Mas minha febre desapareceu e eu consigo pensar com clareza outra vez.

Juntamente com o retorno de minha capacidade de raciocinar vem a percepção de que gastei um tempo precioso sucumbindo a meus ferimentos. Não sei que dia é hoje, ou há quanto tempo Rachel partiu. Meu corpo está fraco pela falta de comida e de movimento. E o Comandante provavelmente vai chegar a qualquer momento para me atormentar.

Não posso consertar tudo de uma vez. Tenho de priorizar e determinar uma linha de ação apropriada. Qualquer que seja minha escolha, tem de ser algo que eu seja capaz de fazer sem levantar suspeitas se eu estiver sendo vigiado por mais alguém além do guarda que passa ocasionalmente por ali.

A comida é a primeira coisa com a qual me preocupo. Curvo o corpo como se estivesse tomado por uma dor excruciante e apalpo os bolsos do manto até encontrar o embrulho pequeno que a garota deixou para mim. Dentro do pano há um pedaço de pão de aveia com queijo e maçãs secas. Como devagar, balançando o corpo para a frente e para trás para simular espasmos de dor, de modo que possa esconder o que estou fazendo. Meu estômago está vazio há horas, talvez dias. Preciso ir com calma.

Depois de comer um terço da comida que a garota deixou para mim, eu paro. É o suficiente para fazer com que meu corpo volte a funcionar direito, e preciso conservar o que ainda tenho. Não sei quando vou receber mais.

Encosto-me na parede outra vez e a exaustão toma conta de mim. Esperava conseguir me levantar e andar um pouco pela cela, mas minha cabeça já está girando e não posso me arriscar a cair outra vez. Em vez disso, estico vagarosamente meus braços e pernas, um membro de cada vez, pelo tempo que levo para recitar a tabela periódica. Quando termino, estou tremendo e um pouco nauseado.

Seria bom ter um pouco de água, mas isso é um problema que não vou conseguir resolver sozinho.

Em meio a toda essa situação, saber que Oliver está morto é algo que me faz sofrer, uma dor constante que me fustiga com cada pensamento que surge em minha mente. Apenas por um momento, a imagem do sorriso da minha mãe, a sensação do braço de Oliver ao redor de meus ombros e o calor da confiança que Rachel sente por mim se mesclam em um poço gigante que representa toda a minha sensação de perda. Estou oco por dentro. Totalmente vazio, sem nada do que me dava razão para viver.

A tristeza é um abismo escuro que me suga para suas profundezas, e eu me encolho no piso frio e úmido. Eu tinha algo que não queria perder. Agora que tudo se foi, agora que *eles* se foram, estou percebendo que a vida solitária que sempre achei que queria não é tão boa quanto eu pensava.

Não quero ficar sozinho.

Não quero ter apenas o conforto frio de minhas invenções para me fazer companhia.

Quero minha família.

Quero *Rachel.*

Não porque ela é bonita. Não porque ela está sob minha responsabilidade. Eu a quero porque ela me faz rir. Me faz pensar. Me inspira a ser o tipo de homem que sempre tive vontade de ser.

Quero Rachel porque pensar em uma vida sem ela é algo que não consigo suportar.

A tristeza recua. Não vai me ajudar a planejar. Não perdi Rachel. Ainda não. Apoio a cabeça contra a parede com cuidado para não encostar a pele queimada contra a pedra úmida e considero minhas opções. Um movimento nas proximidades chama minha atenção, e eu me viro para ver que a esposa de Melkin, Eloise, está olhando para mim.

Não a cumprimento. Não preciso anunciar a ninguém que sou capaz de fazer isso. Mas olho nos olhos dela, tentando avaliar o que estou vendo ali.

Na Melhor das Hipóteses: ela é uma pessoa inocente que acabou envolvida nisso tudo contra sua vontade e não deseja me fazer mal.

Na Pior das Hipóteses, 1: Ela não deseja me fazer mal, mas vai prestar atenção no que eu faço e repassar as informações para o Comandante mais tarde, sob pressão.

Na Pior das Hipóteses, 2: Ela é inteligente o bastante para saber que pode conseguir sair deste lugar se entregar meus segredos para o Comandante.

Na Pior das Hipóteses, 3: Ela é a espiã do Comandante, fantasiada e maquiada para parecer que está grávida e indefesa. Esperando que eu sinta pena dela. Esperando para poder se aproveitar do senso de honra que o Comandante jura que eu não tenho.

A resposta para cada uma das hipóteses é a mesma: Não devo revelar nada, e preciso colocar meu plano de fuga em ação antes que alguém perceba que estou bem o bastante para fazer isso.

Ela ainda está me observando, mas eu fecho os olhos e viro de costas. É fácil dar a impressão de que estou exausto e doente. Não preciso nem fingir. Ela que informe o Comandante de minha fraqueza, se quiser. Ou do fato de que mal consigo ficar em pé. Ela pode dizer aos guardas que o Comandante acabou comigo.

Quando ele perceber a verdade, eu já estarei longe daqui.

— Faça-o parar — alguém sussurra, apenas um sussurro de som, algo que eu mal consigo ouvir direito.

Abro meus olhos, apenas uma fresta, e ela ainda está me observando com olhos que parecem implorar. Fazê-lo parar? Quem? O Comandante? Melkin?

Esse é exatamente o tipo de conversa que eu preciso evitar. Fecho os olhos outra vez e continuo em silêncio.

— Por favor.

Outra mistura de sussurro e suspiro. Tento reprimir a onda de irritação que tenta me fazer abrir os olhos e olhar fixamente na direção dela, com uma expressão dura no rosto, até que ela fique em silêncio. Será que ela pensa que eu sou tão ingênuo assim?

Será que ela realmente pensa que, neste momento, eu tenho capacidade para fazer alguém parar?

— Ele não é um assassino. Ele não é... — os sussurros dela são estrangulados pela surpresa quando a porta da masmorra se abre com um tranco.

Se "ele" não é um assassino, a mulher só pode estar falando sobre Melkin. Mas, se ela acha que conseguirei chegar até onde ele está a tempo, embora esteja deitado e dolorido no fundo dessa masmorra, isso é um mistério para o qual eu não sei a resposta.

Não que eu não tenha um plano para este caso, é claro. Mas ela não tem como saber disso, e a confiança que ela parece ter por mim soa um pouco fajuta.

É outro sinal de que preciso tomar cuidado com o que deixarei que ela veja.

Os passos que andam pelo corredor são leves. Eles param diante da primeira cela ocupada e a porta se abre com um rangido agudo. A voz de uma garota, suave e tranquila, murmura pelo ar e meu estômago se retorce.

Deve ser minha salvadora secreta. Aquela que me deu a esperança de que alguém do lado de fora está interessado em me ajudar. Preciso de mais informações, mas tenho de esconder essas transações para que Eloise não perceba.

Encosto-me na parede e deixo o corpo deslizar até o chão outra vez, encolhendo-me ao redor de mim mesmo, com as costas viradas para a porta da cela. A garota está conversando com cada um dos prisioneiros que encontra. Vê-la conversar comigo não vai causar nenhum alarme; por outro lado, se eu começar a lhe fazer perguntas, isso vai revelar mais do que eu gostaria.

Ela vai até a cela com o rapaz acorrentado e sua voz fica mais clara agora. Escuto-a oferecer comida e água ao prisioneiro, e depois sugerir em voz baixa que ele aplique a pasta que ela colocou em sua vasilha de comida sobre os pulsos arranhados em vez de colocá-la na boca.

Só isso já seria motivo suficiente para prendê-la.

Fico maravilhado com a coragem que ela tem, mesmo que eu esteja em alerta, esperando que algum guarda apareça. Mas ninguém vem, e ela vai até a cela onde a esposa de Melkin está. Esforço-me para ouvir o que elas conversam e consigo compreender alguns fragmentos de recomendações para comer toda a comida que lhe é servida e beber a água devagar. Em seguida, o som de um tecido caindo no chão.

— Você não pode me dar o seu manto — sussurra a esposa de Melkin. Aparentemente, ela é incapaz de perceber que a melhor maneira de repudiar uma boa ação é anunciá-la para todas as outras pessoas. Ou talvez porque ela ache que, se denunciar a garota, vai ganhar algum benefício com o Comandante.

Seu erro pode se dever simplesmente a sua juventude e ignorância, mas tenho muito pouca simpatia por qualquer uma dessas coisas agora. Rachel também é jovem, mas ela é inteligente demais para cometer um erro tão imbecil.

A porta de minha cela range ao se abrir, e o cheiro delicado de alfazemas me atinge com força, um segundo antes que ela se agache no chão a meu lado, com um balde de metal cheio de água e uma caneca.

A preocupação no rosto dela não se desfaz, nem mesmo enquanto observa meu olhar firme e livre da febre. Ela é alta e tem o corpo esguio, gracioso; a luz das tochas ilumina e ressalta sua pele morena. Os cabelos escuros que lhe caem pelas costas espalham o cheiro de lavanda toda vez que ela se move.

Ela parece familiar, e eu tento me lembrar de onde a vi antes. Em uma das tendas do Mercado Baixo? Na loja de algum mercador em North Hub? Nenhum desses locais parece se encaixar.

Ela enfia a caneca no balde d'água para enchê-la e se aproxima de mim.

— Dia? — eu formo a palavra com os lábios, silenciosamente, antes de aceitar alguns goles. A água está morna e tem gosto de metal. É a bebida mais refrescante que já tomei.

Ela franze a testa como se eu houvesse derramado a água que estava em minha boca, e enfia a mão no bolso da saia para pegar um pedaço de pano. Curvando-se, ela finge que está limpando meu rosto com o pano e deixa o rosto na mesma altura do meu. Os cabelos escondem suas feições de qualquer pessoa que esteja fora da cela.

— Terça-feira — ela diz, e coloca algo pequeno e embrulhado com papel em minha mão. — Para a dor.

Terça-feira. A cerimônia da Toma ocorreu no sábado. Perdi três dias.

Ela se ergue e pega mais água com a caneca. Bebo obedientemente e observo seus movimentos calmos e competentes. Já vi esses movimentos antes, mas meu cérebro ainda se recusa a fazer a conexão, e eu paro de me esforçar. Tenho coisas mais importantes com que me preocupar. Ela arriscou a vida hoje, não apenas por mim, mas por todos os prisioneiros que estão aqui. Não consigo entender.

— Por que nos ajuda? — eu balbucio para ela, embora ache que a resposta seja longa demais para que ela a compartilhe comigo desta forma.

Ela mergulha o pedaço de pano na água que resta e limpa gentilmente meu rosto, usando o cabelo mais uma vez como escudo para mascarar o rosto, caso alguém esteja observando.

— As coisas precisam mudar — diz ela, com a voz tão baixa que eu mal consigo escutar. — Alguém precisa liderar a mudança. Achamos que será você.

Fico atordoado com aquelas palavras e me calo. Espero alguns momentos para fazer as outras perguntas que estão queimando dentro de mim, mas ela já está saindo, fechando a porta por trás de si como se não houvesse acabado de acender uma tempestade de especulações dentro de mim, quando finalmente me lembro de onde foi que a vi.

Thom's Tankard. Limpando as mesas enquanto vigiava o bar e os arredores para Drake e seus homens.

O grupo de Drake queria me recrutar como membro, mas agora está me nomeando para ser seu líder? Eu até soltaria uma gargalhada se minhas costelas não estivessem doendo tanto. Estou ferido, trancado numa masmorra, e as únicas pessoas com quem ainda me importo estão longe de Baalboden. Que parte de minha situação me capacita a liderar uma revolução aqui?

Não que eu não sinta certa simpatia pela causa. Os cidadãos de Baalboden precisam desesperadamente de mudanças. Foi errado pensar que a morte de minha mãe significava que o preço da rebeldia seria alto demais. A submissão silenciosa diante da tirania não era melhor do que a aceitação explícita. Minha mãe sabia disso. Agora, eu também sei.

Mas a revolução e a mudança terão de esperar.

Rachel precisa de mim.

Melkin precisa ser impedido.

Jared precisa ser encontrado.

E o Comandante precisa ser levado à justiça.

Se eu tiver de liderar uma revolução para conseguir tudo isso, eu o farei.

CAPÍTULO 39

RACHEL

Estamos viajando pelas Terras Ermas há uma semana. Há quatro dias nós passamos pelos arredores de um vilarejo do Povo das Árvores sem incidentes. Não que eu imaginasse que o Povo das Árvores pudesse querer se intrometer nos assuntos das pessoas que não os incomodam, mas não podemos correr riscos. Antigamente eu não entendia por que as pessoas decidiriam construir casas nas árvores, esperando escapar dos ataques do Maldito, em vez de viver sob a proteção de uma cidade-estado. Hoje eu sei que, às vezes, a proteção de uma cidade-estado tem um preço muito elevado.

Dois dias atrás comecei a reconhecer alguns pontos de referência pelo caminho, e percebi que estávamos de volta à trilha que leva a Rowansmark. A floresta mudou e ficou mais densa; os carvalhos esparsos que deixamos para trás agora se transformaram em agrupamentos densos de plátanos prateados entremeados por pinheiros. O orvalho da manhã, já bastante saturado, paira no ar e no chão, e extensões enormes de capim que chegam até a altura da cintura se agitam preguiçosamente ao sabor de uma brisa suave.

Melkin e eu encontramos um ritmo para a viagem. Ele vai à frente, afastando a vegetação mais grossa, e eu o sigo de perto, batendo no chão que deixamos para trás para encobrir nossos rastros. Eu saio para caçar nosso jantar todas as noites, ele acende a fogueira e cozinha o que eu trago. Falamos somente quando é necessário durante o dia, mas, à noite, enquanto comemos a carne de coelhos, javalis ou perus, conversamos mais. É raro discutirmos assuntos pessoais, mas estou começando a ter a sensação de que estou viajando com um amigo.

Embora eu nunca esqueça que nossa amizade poderia ser uma estratégia de Melkin para garantir que eu siga as ordens do Comandante, quando eu o percebo me observando com uma expressão sombria e reservada nos olhos, sei que ele sente o mesmo.

Quando preparamos mais uma vez o acampamento para passar a noite, eu percebo que ele sente saudades da esposa. O sentimento está entalhado nas linhas tristes que lhe marcam o rosto, emoldurando sua boca com uma tensão que ele não se permite aliviar.

Sinto saudades de Logan, também. Mais do que eu achei que sentiria.

O tapa humilhante que eu sentia toda vez que pensava nele já desapareceu. Em vez disso, vejo Logan sacrificando noites de sono para conseguir terminar o dispositivo de rastreamento. Oferecendo-se para me ensinar a usar o Cajado e me ajudando guardar as boas lembranças que tenho de meu pai. Puxando sua espada e empunhando-a contra o Comandante, apesar da enorme desvantagem em que se encontrava, para me proteger. Logan é a pedra de salvação onde eu posso me segurar quando a tristeza pelo que houve com Oliver e o medo que sinto pelo destino de meu pai ameaçam roubar o pouco de esperança que ainda me resta.

Alguma coisa dentro de mim despertou e responde apenas para Logan. Fico deitada, sem conseguir dormir, por um bom tempo depois que Melkin inicia seu turno de guarda, pressionando os dedos contra meus lábios enquanto me lembro de Logan se aproximando, seu hálito acariciando meu rosto e seus olhos fixos em minha boca. Uma dor deliciosa pulsa em mim. Sinto-me como se fosse uma estranha despertando dentro de meu próprio corpo, ciente de cada centímetro de meu ser. O calor corre por minhas veias, uma sensação que é ao mesmo tempo emocionante e aterrorizante.

Emocionante porque cada parte de meu corpo vibra, cheia de vida.

E aterrorizante porque, por baixo de todo esse desejo, há uma verdade inescapável: se ele é minha pedra de salvação, isso aconteceu porque, nas últimas semanas, eu comecei a confiar nele. Contar com ele. Precisar dele. Meu coração bate um pouco mais rápido quando me dou conta disso.

Preciso de Logan.

Não porque preciso ser salva. Não porque ele seria capaz de criar um plano para nos tirar dessa situação. Mas porque, em algum ponto dentro de mim, no fundo de minha alma, ele é o chão firme sob meus pés. A pessoa que vai mover montanhas para cumprir as promessas que fez. Aquele que olha para mim e realmente me *vê*.

Não consigo imaginar minha vida sem ele.

Eu o vejo em todo lugar que olho. Uma corda firme que envolve meu passado, meu presente e o futuro que quero muito ter com ele.

Com *ele*.

Meus olhos se abrem, subitamente.

Estou apaixonada por Logan.

Não como achei que estava há dois anos, quando lhe ofereci meu coração. Aquele amor era descomplicado e inocente, algo mais adequado a uma vida simples. O amor que me consome agora é feroz e absoluto — forjado em uma bigorna de dor e perdas, e unido pela força que compartilhamos.

Eu amo Logan. Uma risada começa a se formar dentro de mim enquanto as lágrimas fazem meus olhos arder. Levo a mão até o colar que pertenceu à mãe dele, o símbolo da promessa que ele fez a mim, e toco na lembrança carinhosa e vibrante dele, sentindo-o perto de mim enquanto as estrelas perseguem umas às outras pelo céu.

Na metade do percurso que trilhamos no dia seguinte, nós nos aproximamos da clareira onde eu e meu pai sempre parávamos para comer, e a dor da saudade de Logan lateja no mesmo ritmo da tristeza que sinto pela perda de Oliver. Se eu conseguir encontrar meu pai agora, a pressão feroz dessa tristeza vai diminuir. Ele saberá o que precisamos fazer para salvar Logan sem entregar o pacote ao Comandante. Ele tirará esse fardo enorme de responsabilidade de cima de meus ombros.

Não percebo o quanto desejo vê-lo a minha espera enquanto passamos por uma linha estreita de plátanos e chegamos até uma clareira pequena coberta por um capinzal amarelado. Apenas me dou conta disso quando vejo que ele não está lá.

Ele não está lá.

Sei que não é lógico sentir tanto desespero, já que não tinha qualquer razão para pensar que ele estaria acampando na beirada da clareira esperando por mim, mas não consigo evitar que as lágrimas rolem por meu rosto. A solidão me corrói por dentro, e, pela milionésima vez desde que saí de Baalboden, desejo ter Logan a meu lado.

Esfregando rapidamente as palmas sobre o rosto antes que Melkin me apanhe chorando, eu começo a virar para o outro lado quando um movimento atrai minha atenção. Alguma coisa roxa e escura brilha gentilmente sobre o tronco de uma árvore na parte mais distante da clareira. Desviando-me do caminho sem dizer qualquer palavra, eu vou na direção dela. Meu coração começa a bater com força dentro do peito, como se quisesse se libertar de meu corpo.

— O que você está fazendo? — pergunta Melkin, atrás de mim.

Eu o ignoro e começo a correr. Os tufos endurecidos de grama se abrem a minha frente e voltam a se fechar com um farfalhar súbito atrás de mim. A mancha roxa é uma fita de tecido castigada pelo vento e pela chuva, amarrada na base do galho mais baixo da árvore. As iniciais *S. A.* estão bordadas em um dos cantos.

Eu conheço essa fita. É uma das que pertenciam a minha mãe. Meu pai sempre a levava consigo quando saía para alguma missão nas Terras Ermas.

Sinto vontade de rir. De dançar. De abrir a boca e deixar a alegria intensa que canta dentro de mim ecoar pelo topo das árvores.

Ele esteve aqui.

E queria que eu soubesse.

CAPÍTULO 40

RACHEL

Como se estivesse conectado a meus pensamentos, o bracelete ao redor de meu braço esquerdo vibra suavemente. Olho para baixo e vejo os fios azuis começarem a brilhar — uma luz hesitante e crepitante que me enche com uma esperança avassaladora.

Pai.

Posso encontrá-lo.

Ele saberá o que fazer para consertar essa situação

Só terei de esperar um pouco mais.

— O que é isso?

Melkin está à minha direita, observando-me atentamente, e eu começo a revirar minha mente, procurando uma resposta. Não posso lhe dizer que estamos próximos do meu pai. Não sei como ele reagiria, e é melhor não introduzir novos elementos em nossa aliança precária até que nossa tarefa esteja cumprida.

— Uma indicação de que estamos no caminho certo.

As sobrancelhas finas de Melkin se unem no meio da testa.

— Achei que já soubéssemos disso.

Dou de ombros e avanço alguns passos, de modo a poder tirar a fita de tecido da árvore e esconder meu rosto daqueles olhos penetrantes.

— Quer dizer que isso é um sinal?

Percebendo que eu não vou responder àquela pergunta, ele muda de postura, e eu sinto sua sombra me engolir por trás. Ele fala com uma voz que eu mal consigo reconhecer, muito diferente do Melkin cortês e tranquilo com quem venho viajando há uma semana.

— Quem é que está trabalhando com você? É melhor dizer a verdade, garota. Talvez você não tenha uma segunda chance.

Dobro a fita cuidadosamente e guardo-a num dos bolsos internos do manto antes de me virar para encará-lo. Ele se ergue sobre mim, com uma expressão cheia de ângulos fortes no rosto, um olhar desconfiado e a mão sobre a empunhadura da espada.

— Fique calmo. Não há ninguém trabalhando comigo, mas você precisa saber que estamos seguindo a trilha do meu pai, já que foi ele que escondeu o pacote. Você devia se sentir aliviado por eu ser capaz de reconhecer os sinais.

Não que meu pai já tenha deixado um sinal no meio das Terras Ermas deliberadamente. Mas ele nunca partiu para uma missão sem que tivesse planos de retornar. Eu o agradeço silenciosamente por saber que eu o seguiria, e por saber que tipo de sinal indicaria que eu estou no rumo certo.

A mão de Melkin se afasta da espada e ele recua um passo, embora seus olhos ainda demonstrem preocupação. Dou meia-volta e embrenho-me por entre as árvores outra vez. Não suporto perder tempo. Ele me segue e, após alguns momentos, passa por mim para voltar a tomar a dianteira. Seu rosto parece novamente ser um mar de tranquilidade.

Não me deixo enganar. Ele está com medo. Das consequências, se falhar em sua missão. Mas também está com medo de mim e de qualquer artimanha que eu tenha em mente. Sinto vontade de dizer a ele que não precisa ter medo de mim ou do meu pai, desde que não se interponha entre o Comandante e a justiça, mas duvido que ele acredite em mim. Não totalmente. É difícil para ele imaginar que o Comandante possa cair com força suficiente e perder o poder de arruinar vidas. Além disso, Melkin tem duas outras vidas em risco além da sua.

Paramos para almoçar. A refeição é composta pelas sobras frias da carne de coelho, água recolhida de um riacho e um silêncio espesso o suficiente para que seja possível cortá-lo com uma faca. Finalmente eu o encaro e pergunto:

— Qual é o problema?

Ele mastiga um pedaço do coelho lentamente. Os ossos do maxilar se movem como se fossem um conjunto das engrenagens de Logan.

— Não gosto nem um pouco desta situação.

— Bem, então somos dois.

— E se estivermos sendo atraídos para uma armadilha?

Aperto os olhos, ofuscada por um facho de luz do sol da tarde.

— Quem você acha que estaria nos atraindo para uma armadilha?

— Alguém que quer o que está naquele pacote.

Poderia ser qualquer pessoa. Rastreadores de Rowansmark. Outros agentes a serviço do Comandante. Salteadores que ficaram sabendo de sua existência. Se eu não tivesse certeza absoluta de que o sinal foi deixado por meu pai, eu estaria pensando na mesma coisa.

Tiro a fita de tecido de meu bolso e a aliso sobre o joelho por um momento, com os dedos lentamente seguindo o contorno prateado das letras *S. A.* que estão bordadas no canto, e entrego-a para Melkin. Seus dedos estão frios quando tocam nos meus.

— *S. A.?*

— Sarabeth Adams. Minha mãe.

O silêncio cresce entre nós, embora as Terras Ermas não demorem a preencher o vazio com o canto dos pássaros e o zumbido modorrento dos insetos. Entre os piados e os zumbidos, eu escuto o que parece ser o som de um graveto se quebrando.

Fico paralisada e olho para Melkin, mas ele está concentrado na fita e parece estar distraído. Virando-me, eu examino o terreno a nosso redor, mas não consigo perceber nada de estranho.

Não sinto que estou segura.

— Sente saudades dela?

Viro a cabeça rapidamente na direção de Melkin.

— Na verdade, não. Ela morreu logo depois que eu nasci.

Não tenho tempo para lhe dizer nada além disso. Há alguém logo atrás de nós. Tenho certeza disso. Jogo o resto da carne de coelho para longe, enfio os braços por dentro das alças da mochila e tiro a faca da bainha.

— Aposto que Jared sente.

— Acho que sim — eu digo, mantendo a voz baixa. — Vamos. Temos que continuar andando.

Ele olha para mim, com a fita trançada por entre os dedos como se fosse um conjunto de anéis.

— Não posso perder Eloise. Ela é... — a voz dele fica embargada. Melkin limpa a garganta e diz: — Você acha que o Comandante vai manter a promessa de libertá-la se eu...

— Se você o quê? — Mal consigo prestar atenção nele. Estou de pé agora, com o Cajado na mão, observando as árvores.

Ele se levanta também, erguendo-se como uma torre a meu lado, e seus olhos subitamente me lembram dos buracos escuros e profundos abertos na terra pelo Maldito.

— Se eu fizer o que ele me pediu. Será que ele vai manter a sua promessa se eu fizer o que ele me pediu?

A espada dele também está desembainhada. Isso é bom. Pelo menos ele não é completamente imune aos sinais que estou fazendo. Minha voz não é muito mais alta do que um suspiro quando eu lhe digo:

— Acho que há alguém no nosso rastro. Aproximando-se de nós. Ouvi um galho se quebrar.

Ele empunha a espada.

— Para a direita. Mais ou menos trinta metros. Talvez mais. Não ouvi mais nada depois do estalo, mas, agora nós precisamos ir embora ou encontrar um lugar para armar uma emboscada e esperar. — Olho para ele, esperando uma decisão, e percebo que a escuridão sem fim de seus olhos ainda está apontando para mim.

— Você não respondeu à minha pergunta.

Eu o encaro e considero a hipótese de lhe dar uma pancada com meu Cajado, mas não quero fazer barulho.

— Estamos em perigo, Melkin. Ande logo.

Seu braço se estende como uma serpente e agarra a parte da frente de meu manto quando tento passar por ele, e eu o observo, sem conseguir acreditar.

Será que ele quer morrer?

— Você acha que o Comandante vai libertar Eloise se eu fizer o que ele me pediu?

O idiota não vai se mover até que eu lhe diga o que ele quer ouvir. Será que o Comandante vai cumprir sua palavra? Não, a menos que isso lhe traga algum benefício. Mas não vou tocar nesse assunto enquanto alguém se aproxima de nós, e o bom senso de Melkin parece haver alçado voo e partido para algum lugar desconhecido.

— Vai sim — eu digo, com toda a convicção que consigo reunir em um sussurro. — Sim, tenho certeza de que ele vai libertá-la. Cumpra a sua parte do acordo e ela ficará bem. Agora, vamos embora.

Ele solta meu manto. Apertando os lábios até que eles se transformem em uma linha fina, ele usa a faca para indicar um grupo denso de árvores à esquerda.

— Você primeiro.

Não preciso que ele fale outra vez. Deixando-o para trás, eu me enfio entre as árvores, avançando como uma sombra, enquanto Melkin vem logo atrás, com a espada brilhando sob um raio perdido da luz do sol.

CAPÍTULO 41

LOGAN

Acho que hoje é sábado, o que significa que sou um dos hóspedes da masmorra do Comandante há uma semana. A garota que trabalha no Thom's Tankard não voltou desde que me entregou um pouco de pó medicinal embrulhado em papel na terça-feira. Em vez disso, uma mulher gorducha e de ombros encurvados, velha o bastante para ser minha avó, é quem vem cuidando dos prisioneiros, em silêncio.

Decido que foi bom não ter visto a garota outra vez. Pensar em revoluções pode acabar me distraindo de meus problemas mais urgentes. Entre eles, o mais importante é conseguir escapar, mas não tenho certeza de que estou suficientemente bem para despistar nenhum guarda que venha em perseguição enquanto eu corro para a Muralha. Estimo que ainda vai levar uns dois ou três dias até que minha costela quebrada permita que eu consiga correr sem acabar com o corpo encurvado pela dor.

Talvez menos, se eu conseguir encontrar um pedaço de pano para amarrar ao redor do peito.

Suponho que possa usar a camisa que estou vestindo, mas prefiro não agir de maneira tão óbvia. Especialmente porque Eloise, na cela que fica de frente para a minha, me observa a cada segundo, dia após dia, como um filhote de pássaro desesperado para ganhar uma minhoca.

O Comandante não voltou a visitar a masmorra, e a ansiedade fustiga meus nervos, tanto que eu quero que algo aconteça, apenas para dar um fim nisso. Pensei que ele aproveitaria a oportunidade para me atormentar.

Para me machucar. Para ter certeza de que eu sei que ele ganhou. Decido assumir que sua ausência é um sinal de que Melkin ainda não conseguiu matar Rachel, e concentro-me em preparar meu corpo para a fuga. Mesmo assim, esperar pelo inevitável é algo que fervilha no fundo de minha mente como se fosse um ferimento infectado.

Passei os últimos dias sentado ou deitado no piso da masmorra, esforçando-me para dar a impressão de estar bastante machucado enquanto contraio e tensiono meus músculos até que eles começam a tremer pela exaustão. Também fiz o melhor que podia para honrar a dor que sinto pela morte de Oliver com um plano de ação sólido. Acho que ele ficaria orgulhoso se eu lhe contasse os detalhes.

Mas, de maneira geral, passei quase o tempo inteiro pensando em Rachel. Seu jeito de rir já me dá vontade de gargalhar, antes mesmo de saber por que ela está rindo. A luz em seus olhos quando ela me encara e desafia minhas opiniões. A curva de seu quadril à luz das tochas quando ela sobe a escada até o segundo andar de minha casa.

Antigamente eu me sentia envergonhado e desconfortável com a intensidade e a concentração com as quais ela encarava qualquer coisa que estivesse diante de si, e consegui encontrar um pouco de paz quando me afastei dela. Agora, a distância entre nós abre um espaço vazio dentro de mim que só pode ser preenchido por *ela*. Não sei como explicar e não me incomodo em tentar fazê-lo. Basta saber que eu preciso dela como nunca precisei de ninguém. Só pensarei no que devo fazer a seguir depois que a encontrar.

Prometo a mim mesmo que não vai demorar muito até que eu esteja pronto para escapar deste inferno e partir em seu rastro.

Minha comida acabou na manhã de hoje, mas não estou preocupado. Não vou ficar trancado nesta cela por muito mais tempo. Ainda assim, quando ouço a porta da masmorra se abrir com um rangido, espero que seja a garota, porque mais comida significa mais força.

Mas, em vez dos passos leves da garota, ou do ruído discreto da mulher mais velha que anda arrastando os pés, eu ouço o som claro e resoluto de botas que marcham rumo a minha cela.

O Comandante.

O próximo confronto está prestes a acontecer, e eu preciso conseguir duas coisas: informação e evitar outros ferimentos. Viro o corpo para encostar a costela machucada na parede, fora do alcance da bota do Comandante, e começo a fazer planos quando ele manda um dos guardas abrir a porta de minha Cela.

Ele entra na cela, e a cicatriz que lhe marca o rosto parece agarrar e soltar a luz bruxuleante da tocha como um jogo macabro de gato e rato. Finjo não ter força suficiente para erguer a cabeça e encará-lo. Venho fingindo essa fraqueza desde que minha febre abrandou. Assim, se ele mandou alguém me vigiar, esse comportamento não vai causar qualquer estranheza.

Ele ri, um som feio e vulgar, repleto de arrogância.

— Olhe só para você. — Com três longos passos, ele está a meu lado. — Que imagem mais patética.

Deixo a cabeça pender um pouco para o lado e olho para ele.

— Eu largo você nesta masmorra por uma semana. O grande inventor Logan McEntire. O homem que sempre tem um plano. — A bota golpeia, batendo em meu ombro e me fazendo rolar pelo chão da cela.

O pontapé dói, mas nem tanto quanto eu finjo sentir. Ele precisa sentir que eu já estou derrotado, ou nunca vai me dar o que eu preciso.

— E aí está você. Ainda trancafiado. Ainda incapaz de cumprir suas promessas. — O sorriso cruel em seu rosto cresce quando ele encosta a sola da bota na pele queimada e latejante de meu pescoço, forçando o peso do corpo sobre mim.

Não preciso fingir dor desta vez. Ondas de agonia rolam por minha mandíbula e fazem com que luzes estonteantes explodam dentro de meu cérebro.

— Você ainda não acabou com ela — eu digo, empurrando as palavras para que saiam por entre os dentes, lutando contra a agonia sem fim que me corrói por dentro.

Ele se abaixa, pisando com mais força e raspando a sola da bota em meu pescoço.

— O que foi que você disse, seu cão imundo?

— Rachel. Você ainda não acabou com ela. — Inspiro uma golfada de ar com dificuldade, sentindo o gosto do couro e do aço da bota do Comandante em meio ao ar fétido da masmorra. — Ela é mais forte do que você pensa.

— Ela é uma garota sozinha no meio das Terras Ermas, com um homem que é mais forte do que ela e está muito mais motivado a cumprir as ordens que lhe dei.

O orgulho característico escorre pela voz dele. Duas partes de poder e uma parte de egolatria cega.

Perfeito.

— Ela saberá se defender. É mais esperta do que você imagina.

Ele bufa, mas eu quase consigo ouvir a dúvida tomar conta dele.

— Você não vai saber se está certo até ser tarde demais para ajustar seus planos — eu digo.

— Isso é o que você quer que eu pense. Mas, quando Melkin mandar o sinal, inventor, você pode apostar a sua vida que ele estará sozinho. — Ele ri outra vez. — E você já está apostando a sua vida, não é mesmo? Porque, no momento em que eu tiver o que quero, você estará morto.

Ele não vai me dizer o que eu preciso saber. É inteligente demais para isso. Preciso encontrar outra fonte de informação ou agir por minha conta e risco quando conseguir chegar às Terras Ermas.

Ele se ergue. A bota desliza sobre minha pele queimada como uma dúzia de navalhas. Respiro fundo, tentando controlar as ondas de dor que tomam conta de mim, e vejo Eloise me olhando com uma expressão de horror no rosto.

E isso é interessante.

Ela não quer que eu me machuque. Porque não consegue suportar ver outra pessoa sofrer? Ou porque, de algum modo, acha que eu posso impedir que seu marido se torne um assassino?

Se eu não puder fazer com que o Comandante me dê o que preciso, talvez eu possa forçá-lo a usar Eloise para isso.

— Quando o sinal surgir, eu vou procurar por quem o enviou com unhas e dentes. — Encolho-me no chão, caso ele decida chutar algum dos meus órgãos vitais. — Sou capaz de apostar a minha vida que Rachel vai matar Melkin quando ele partir para o ataque.

— Ela é só uma garota — diz o Comandante, com desprezo, enquanto se afasta.

É hora de dar a cartada final. Aquela que eu espero que assuste bastante Eloise e a faça dizer tudo o que eu quero saber.

— Todas as outras meninas da cidade foram criadas com bonecas, conjuntos de chá, panelas e noções sobre a etiqueta adequada. Rachel passou todos esses anos lutando com espadas, espancando um boneco de madeira que usamos para treinar técnicas de combate e aprendendo a eviscerar homens em luta corpo a corpo com sua faca.

Eloise agarra seu cobertor com dedos nervosos.

— Melkin nem vai saber o que o atingiu. Você o enviou para a morte.

O Comandante balança a cabeça negativamente e sai de minha cela.

— Você realmente acha que eu me importo com qual deles vai voltar vivo, desde que eu consiga o que quero?

A porta da cela se fecha com uma batida forte.

— A próxima vez que nos virmos, inventor, será no dia da sua execução.

Ele vai embora, levando seus guardas consigo, e o silêncio que preenche o vazio é pontuado pelo choro desesperado de Eloise.

Espero, desejando que ela olhe para mim, e finalmente consigo o que queria. Minha voz é um sussurro discreto quando digo:

— Eu posso impedi-la de fazer isso. Posso chegar até eles a tempo.

Ela franze a testa, mas se aproxima cuidadosamente das barras da porta.

— Como? Eu achei que você fosse capaz de sair daqui. Aquela garota disse que você conseguiria. Mas você não fez isso. Você só fica deitado aí.

A voz de Eloise é um sussurro miúdo que quase se perde sob o crepitar das tochas que iluminam o corredor. Preciso manter a esperança de que o chiado das tochas e as paredes grossas de pedra sejam suficientes para impedir que os outros prisioneiros nos ouçam.

Sento-me e a encaro, com cuidado para não revelar a ela que já consigo me mover com facilidade.

— É claro que eu não ia mostrar aos guardas que não estou tão ferido. Você acha que eles precisam dessa informação?

Ela morde o lábio inferior.

— Estou dizendo a verdade sobre Rachel. Ela é uma guerreira implacável. Quando partiu nessa viagem, já estava furiosa e querendo sangue. Melkin não vai retornar vivo, a menos que eu consiga sair daqui a tempo.

— Então *saia*.

— Eu vou sair. Mas preciso de mais uma informação antes disso. Uma informação que, espero, você tenha para mim.

— O que é?

Não há resistência em sua voz. Ela acredita em mim. Acredita que eu posso impedir que seu marido se torne um assassino, ou pior, que seja morto. Não gosto do peso súbito da responsabilidade que sinto sobre os ombros ao ter de encarar a verdade.

— Preciso saber qual é o sinal que Melkin vai enviar ao Comandante quando retornar.

Ela franze as sobrancelhas, assumindo uma expressão séria.

— Por que você precisa saber disso? Melkin vai enviar o sinal.

— Várias coisas podem acontecer nas Terras Ermas. É um lugar perigoso. Dou a minha palavra: farei tudo que puder para salvar tanto Melkin quanto Rachel. Mesmo assim, se eu falhar, você não acha melhor que eu saiba como atrair o Comandante para fora da cidade para que ele enfrente a justiça que merece?

— Não sei.

— Foi ele mesmo quem disse, com todas as letras. Pouco importa qual dos dois voltará vivo, desde que ele consiga o que quer.

— Se Melkin... se você não chegar a tempo, por que você voltaria até aqui?

— Porque Rachel e eu não vamos deixar você aqui. Nem você, nem ninguém. — As palavras fluem com facilidade pela minha boca, e eu me pergunto há quanto tempo elas estavam reprimidas no fundo de minha cabeça. Provavelmente desde o momento em que vi a vida se esvair pelos olhos de minha mãe por causa de um capricho de nosso líder. Não consigo suportar a ideia de mais uma vítima inocente ser esmagada sob a bota sangrenta de Baalboden. — Chegou a hora de fazer mudanças, e nós vamos fazê-las.

Ela fica em silêncio por um momento, com as mãos quase rasgando o cobertor. Em seguida, diz:

— Ele precisa acender uma tocha no carvalho do leste, ao amanhecer.

O carvalho do leste é uma árvore gigantesca que assinala o limite entre o perímetro de Baalboden e as Terras Ermas. Pode ser avistado sem qualquer dificuldade da torre de guarda do lado leste da muralha, do lado oposto ao portão. Preciso dar crédito ao Comandante por pensar em um sinal que eu nunca conseguiria adivinhar, mesmo em meus melhores dias, e faço um sinal afirmativo para Eloise.

— Farei tudo o que puder para alcançá-los a tempo, mas, de qualquer forma, voltarei para tirar você daqui.

Em seguida, espero até que o barulho de roncos indique que os outros prisioneiros estão dormindo antes de me levantar lentamente, pela primeira vez em uma semana. Rasgando minha camisa até fazer uma longa tira de tecido, eu a enrolo firmemente ao redor do peito e salpico um pouco do medicamento em minha língua. Preciso ser capaz de correr e lutar sem que a dor interfira. Tenho a informação de que preciso, e, se houver algum guarda observando, é possível que o Comandante esteja recebendo informações sobre minha longa conversa com Eloise neste exato momento.

É hora de escapar.

CAPÍTULO 42

RACHEL

Enquanto o Maldito destruía todas as áreas densamente povoadas que existiam, muitas das casas isoladas construídas longe dos limites da cidade ainda estavam em pé. Algumas delas ficaram inabitáveis devido à ação do tempo, do clima e da falta de manutenção. Mas outras ainda são seguras o bastante para serem usadas como locais de descanso em nossa jornada pelas Terras Ermas. Todo mensageiro que se preza encontra suas próprias casas seguras, abastece-as com mantimentos e espera que a aparência externa desses refúgios esteja suficientemente dilapidada para não atrair o interesse de um bando de saqueadores que estejam passando pelas proximidades.

Chegamos ao primeiro refúgio de meu pai quando a noite começa a cair. A sensação de que estamos sendo seguidos ainda não arrefeceu, embora Melkin insista que não está sentindo nada.

Não tenho certeza de que Melkin esteja concentrado no problema mais imediato, e, por causa disso, não confio nos instintos dele. Está distante e calado desde a hora do almoço, e eu não consigo decifrar sua expressão. Mesmo assim, ele me leva suficientemente a sério para manter a espada desembainhada durante o resto da jornada.

O refúgio é uma casa de tijolos de dois andares com uma varanda ampla que a circunda inteiramente, e há também uma fileira de colunas elegantes na fachada que já foram brancas um dia, até que um século de sol as fez desbotar até assumir um tom acinzentado. Há trepadeiras cobrindo os tijolos e as janelas, e também penduradas nas bordas do telhado como se fossem cortinas verdes e lustrosas.

O jardim diante da casa provavelmente foi um lugar muito bem cuidado no passado, mas agora o capim se ergue até a altura de minhas coxas, espesso e desgrenhado; as árvores atrás da casa se aproximam lentamente a cada ano que passa. Ainda assim, a localização da construção permite uma visualização decente de toda a circunferência da estrutura, uma qualidade que meu pai sempre insistiu em ter quando escolhia um refúgio.

Os fios em meu bracelete brilham sem piscar agora, embora a luz esteja suficientemente fraca para que eu duvide que meu pai ainda esteja por aqui. Não me importo. É o que basta para manter viva a esperança caótica e intensa que existe dentro de mim.

— Foi aqui que ele escondeu o pacote?

— Não.

— Então por que estamos parando aqui?

Eu passo por ele e subo os degraus empenados da varanda, tomando o cuidado de não pisar no penúltimo, cuja madeira está apodrecida e tem a mesma consistência de um pudim.

— Porque já está escurecendo, e porque há alguém nos seguindo. Quero a proteção de quatro paredes ao meu redor.

E também porque meu pai pode ter deixado outro sinal para mim ali dentro.

Além disso, Melkin está muito tenso, quase prestes a explodir. Ele precisa descansar em vez de passar as noites em claro vigiando o acampamento ao redor da fogueira.

Um enorme cadeado com um teclado numérico na superfície — outra invenção de Logan — bloqueia a porta. Meu pai sempre insistiu para que eu e Logan soubéssemos os códigos que dão acesso a todos os seus refúgios. Eu digito o código, impedindo que Melkin veja o teclado enquanto sobe os degraus atrás de mim, e a porta se abre com um clique suave de engrenagens metálicas se movendo.

O ar dentro da casa está úmido e pesado com o cheiro de bolor e a poeira cobre todas as superfícies visíveis, como uma camada de neve cinzenta.

Passo pela porta e vejo pegadas — contornos finos, cobertos com menos poeira do que o restante da casa.

Ele passou por aqui.

A esperança dentro de mim arde com tanta força que eu quase sinto medo de tocá-la.

Melkin fecha a porta por trás de si, coloca o ferrolho no lugar e se vira. Ainda está com a espada na mão.

— Pode guardar isso agora.

— E se houver alguém aqui, usando este lugar? Não gosto de pegar ninguém de surpresa, a menos que tenha uma arma na mão.

— Se alguém esteve aqui, deixaria pegadas por toda essa poeira. Está vendo? — Eu aponto para os contornos suaves que os pés de meu pai deixaram pelo chão em algum momento dos últimos meses.

Melkin resmunga qualquer coisa, mas continua com a lâmina desembainhada enquanto examina o interior da casa, observando as flores desbotadas do papel de parede com manchas pretas de mofo que se espalham pelo teto e o sofá que um dia foi azul, mas que hoje está desbotado e tem uma cor acinzentada.

— A menos que tenham entrado por uma janela.

Todas as janelas estão fechadas e travadas. Meu pai cuidou disso quando escolheu a casa para ser um de seus refúgios. Não me incomodo em dizer isso a Melkin, entretanto. Ele precisa sentir que fez todo o possível para garantir nossa segurança, então eu deixo que ele examine a casa, batendo nas cortinas e olhando debaixo dos móveis até que fique tão sujo quanto o resto do lugar.

Deixo-o se ocupar daquela maneira e ando cuidadosamente diante das janelas que vão do chão até o teto e que cobrem a frente da casa, mantendo uma distância segura das cortinas finas e amareladas para que ninguém que esteja se aproximando do refúgio consiga me ver ali.

Há alguém lá fora. Ainda não consigo ver quem é, e acho que essa pessoa pode ser suficientemente inteligente para se manter fora do alcance. Mas sei que estamos sendo seguidos.

A questão é: por quem?

Alguém que sabia que iria interceptar nosso rastro no caminho para Rowansmark? Podem ser os guardas destacados para nos seguir, o que significaria que o Comandante está disposto a quebrar sua promessa muito antes do que eu imaginava. Salteadores que imaginam ter identificado presas fáceis? Seria o último erro que eles cometeriam em suas vidas. Rastreadores de Rowansmark incumbidos de vigiar as rotas que os mensageiros usam, caso um deles os leve diretamente ao pacote?

Esse é um risco que não posso correr.

Teremos de atrair nossos perseguidores para uma área aberta ou dar a volta ao redor deles e montar uma armadilha. O que significa que Melkin terá de esfriar a cabeça e me ajudar.

— Tem certeza de que o pacote não está escondido aqui? — ele pergunta diretamente atrás de mim e eu giro sobre os calcanhares. Minha mão busca o cabo da faca antes que a razão consiga sobrepujar meu pânico instintivo.

— Esgueire-se por trás de mim outra vez e eu vou arrancar as suas tripas como se você fosse um peixe.

Seus olhos, dois poços negros de algo que parece ser amargura, capturam os meus.

— Tem certeza de que ele não está escondido aqui?

— Sim. Está perto do próximo esconderijo.

— Seu pai poderia ter trazido o pacote para cá.

— Você acha mesmo? Com o Comandante e Rowansmark revirando as Terras Ermas em busca dele e do pacote? Quando saiu de Baalboden pela última vez, ele sabia que seria seguido. Meu pai é inteligente demais para levá-los diretamente ao pacote.

Ele concorda com um aceno de cabeça, um movimento súbito que corta toda a tensão que o dominava desde a hora do almoço, e embainha a espada. Na outra mão ele traz um retalho amarelo.

— Encontrei isso amarrado na maçaneta da cozinha.

É outra das fitas de tecido de minha mãe. Eu a pego quando Melkin a estende para mim, deslizo os dedos pelo *S. A.* bordado em uma das pontas e a guardo no mesmo bolso onde coloquei a roxa. Não preciso de sinais para saber que estou chegando perto; o aparelho de rastreio de Logan cuida disso. Mesmo assim, ter essa conexão tangível com meu pai ajuda a mitigar um pouco da dor que existe dentro de mim. Ter Logan a meu lado ajudaria a curar o restante dela.

— Eu vi quem está nos seguindo. Venha até o sótão e você vai poder vê-los também. Cuidado com as escadas, a maioria dos degraus já está bastante apodrecida.

Eu o sigo, esquivando-me de pontos onde a podridão está óbvia e esforçando-me para não esbarrar em lugares muito empoeirados. O sótão é um cômodo retangular, abafado e entulhado de coisas com duas janelas sujas, uma em cada extremidade. Vamos até a janela que dá para a parte da frente da casa. Dou uma olhada por ela, examinando o capinzal, erguendo os olhos até o lugar onde as árvores começam a ficar mais densas e os encontro em menos de um minuto.

Em pé atrás de algumas árvores, observando a porta da frente e movendo-se agitadamente sob os últimos raios do sol poente.

Amadores.

Isso indica que são guardas. Salteadores e rastreadores são experientes demais para agir de maneira tão óbvia. É o que eu digo a Melkin.

— Pensei a mesma coisa. Não consigo imaginar por que o Comandante acha que precisamos de proteção extra.

— Por favor, me diga que você não é tão idiota.

Ele franze as sobrancelhas e me encara.

— Eles não estão aqui para nos proteger, Melkin. Se fosse assim, estariam viajando conosco desde o começo. Eles estão aqui para nos atacar assim que estivermos com o pacote.

— Mas nós vamos levá-lo de volta. Nós temos que fazer isso. Não vou perder Eloise. Você disse que achava que, se eu fizesse o que o Comandante pediu, ele cumpriria a sua palavra.

Eu menti. Mas, olhando para a tristeza estampada em seu rosto, não consigo reunir a crueldade necessária para revelar a verdade.

— Talvez eles estejam nos seguindo apenas por precaução, se resolvermos que o conteúdo do pacote é mais importante do que a segurança de Logan e Eloise.

— Não há nada que seja mais importante do que a segurança dela.

— Para *você*. Mas o Comandante não dá à vida humana o mesmo valor que você dá.

Ficamos em silêncio por um momento, observando os dois guardas enquanto o dia dá lugar à noite e as primeiras estrelas brilham no céu escuro como se fossem limalhas de prata.

— E se eles quiserem roubar o pacote para si mesmos?

— Então eles tentarão nos matar quando o encontrarmos.

— Não se nós os matarmos primeiro.

Vermelho. Lâminas prateadas sendo enfiadas. Cobrindo-me com uma culpa da qual nunca vou conseguir me livrar.

Procuro afastar aqueles pensamentos mórbidos. É ridículo pensar que eu me sentiria culpada por derramar o sangue de um guarda. Especialmente no caso de um guarda que está aqui com o propósito específico de derramar o meu.

Mas, se eu fizer isso — se eu emboscar e matar deliberadamente, sem qualquer provocação —, será que perderei algo de que preciso? Algo que impede que eu me torne uma pessoa igual ao Comandante? Será que isso vai me deixar insensível à violência, assim como empunhar minha faca repetidamente cria calos na pele de minha palma?

Ou isso servirá para me dar forças, transformando-me no tipo de arma que preciso ser para derrubar o Comandante?

— Vou sair e dar a volta por trás deles. Já olhei pela outra janela e não há ninguém nos vigiando nos fundos da casa. Espere pelo menos uma hora para conseguir chegar até eles sem ser notado. Depois, saia da casa como se fosse procurar pelo pacote. Enquanto eles estiverem prestando atenção em você, eu vou matá-los.

Sua voz é fria, vazia e bastante assustadora. O Melkin cortês e compreensivo com quem estou viajando há uma semana desapareceu. Em seu lugar, agora, há um predador feroz que está disposto a aniquilar qualquer pessoa que se interponha entre ele e Eloise.

Pergunto a mim mesma se isso é um presságio que indica o tipo de pessoa que estou me tornando.

Afastando aquele pensamento desagradável antes que ele consiga se enraizar em minha mente, eu indico que concordo com o plano e sigo-o até o andar de baixo. Ele sai pela porta dos fundos e eu começo a contar o tempo, acendendo velas na cozinha e preparando o jantar com os mantimentos que meu pai guarda aqui. Faço minha refeição, deixo uma boa quantidade para Melkin sobre a mesa e encho uma bolsa com mais mantimentos e outras coisas que pego nos armários da cozinha.

A hora passa. Certificando-me de que a faca desliza suavemente na bainha, eu acendo uma pequena tocha para ficar mais visível e abro a porta da frente. O cheiro argiloso do chão aquecido pelo sol está começando a se desfazer em meio aos aromas noturnos. Ando devagar por toda a extensão da varanda, olhando por baixo das tábuas como se estivesse procurando alguma coisa.

Minha pele se eriça com a percepção. Estou sendo vigiada.

E é exatamente esse o objetivo de toda essa encenação, mas isso não faz com que eu me sinta mais tranquila.

Melkin não aparece nos primeiros minutos. Assim, eu saio da varanda e vou até a lateral da casa, até estar bem à vista dos guardas escondidos entre as árvores. Sinto-me exposta com minha tocha flamejante e iluminada em meio ao capim alto e sob as estrelas frias e distantes. O formigamento que sinto na pele, amplificado pela adrenalina, se transforma na necessidade irresistível de empunhar uma arma e ficar pronta para qualquer coisa.

Não ignoro essa sensação.

Em vez disso eu me abaixo, enfio a ponta flamejante da tocha na terra macia para apagá-la e começo a correr, afastando-me silenciosamente do lugar onde fui avistada pela última vez. Em poucos segundos eu ouço o som de alguém abrir caminho pelo capim, atrás de mim.

Esquivo-me para a esquerda, agacho-me e fico imóvel. A escuridão vai me esconder. A pessoa que está me seguindo não tem uma máscara de visão noturna. Se tivesse, eu conseguiria ver o brilho esverdeado característico.

Ele também não tem o bom senso de parar de se mover quando não me ouve mais. Passos leves se aproximam do lugar que acabei de deixar para trás. Saco minha arma sem fazer qualquer ruído e me preparo.

O medo que eu sentia, quando pensei em derramar o sangue de alguém sem lhe dar uma chance de se defender, desapareceu. Em seu lugar surgiu uma determinação fria.

Não vou morrer. Não até que o Comandante esteja deitado em uma poça do próprio sangue a meus pés.

Meu perseguidor está perto o bastante para que eu consiga ouvir sua respiração agora, ofegante, inalações descompassadas que indicam alguém sem o treinamento adequado para controlar sua respiração nos momentos mais críticos. Espero até que ele esteja a menos de três metros de mim e me preparo para atacar.

Sinto a primeira mão surgir por trás de mim e cobrir minha boca enquanto a segunda agarra o cabo de minha faca antes que eu possa golpear.

— Espere — Melkin sussurra em meu ouvido e eu desisto de tentar me debater.

Meu seguidor avança, fazendo ruído suficiente para anunciar sua presença a qualquer pessoa que estiver por perto, mas eu confio em Melkin e espero.

Quando o homem finalmente se afasta, meus músculos estão rígidos e eu não consigo mais sentir minhas canelas ou os pés. Viro o rosto na direção de Melkin e vejo sua silhueta magricela contra o céu estrelado.

— Quem? — minha voz é pouco mais do que um sussurro.

— Rastreador de Rowansmark.

Isso não faz sentido. Qualquer rastreador que vale o que come já estaria sobre mim antes que eu soubesse o que me atingiu. Se por acaso eu conseguisse fugir, ele não me perseguiria de maneira tão ruidosa e desajeitada.

— Tem certeza?

— Sim. Ele matou os guardas antes que eu chegasse até onde eles estavam. Vi o que ele fez. É um especialista.

— Por que ele está agindo como um amador, então?

Melkin olha para mim e eu compreendo o que aconteceu. O rastreador não queria me matar. Queria me afastar da casa para poder me capturar e me obrigar a revelar a localização do pacote. Perceber aquilo faz meu coração bater com tanta força que chega a doer. A crueldade dos rastreadores de Rowansmark é lendária. Alguns dizem que eles retalham os corpos de suas vítimas e dão para os abutres comerem, parte por parte, enquanto a pessoa sangra e implora por sua vida. Dizem até mesmo que são capazes de matar suas vítimas com um único toque.

Em nossa penúltima viagem a Rowansmark nós entramos na cidade por um corredor ladeado por cabeças humanas em diferentes estados de decomposição, colocadas no alto de estacas fincadas na terra. Cinco de um lado. Seis do outro. Um bando inteiro de salteadores que tentou roubar o dinheiro dos mercadores de Rowansmark.

O que um rastreador faria comigo para saber a localização do pacote que foi roubado de seu líder? Minha pele está gelada quando me viro para Melkin.

— Precisamos ir embora daqui.

Melkin assente. Juntos, nós damos a volta lentamente no terreno e voltamos à casa. Fico agachada sob a sombra de uma árvore, com a faca na mão, enquanto Melkin entra para pegar minha mochila, o Cajado e a bolsa de mantimentos. Quando ele volta, nós nos mesclamos silenciosamente às árvores atrás da casa e rumamos para o sul, com as armas em punho e forçando os ouvidos para tentar escutar o som da perseguição.

CAPÍTULO 43

LOGAN

Ando de um lado para outro em minha cela, tentando forçar o sangue a circular mais rápido por minhas pernas para que eu saia antes que algum guarda decida investigar a conversa que tive com Eloise. A masmorra está cheia com os sons de água gotejando e pessoas dormindo. Sinto frio sem minha camisa, mas ainda não posso me cobrir com o manto.

Preciso desmontá-lo antes.

Minhas pernas ainda estão formigando, mas elas vão aguentar meu peso quando eu precisar correr. Aproximando-me do canto mais distante da cela, no lugar onde uma corrente de vento passa por entre as frestas, eu deslizo os dedos pela rocha úmida e áspera, tentando estimar as distâncias e procurando por um ponto fraco que não estou convencido de que existe ali.

Não interessa. Vou destruir toda essa parede, com ponto fraco ou não.

Ocupando-me com o manto, eu retiro os cinco botões que cobrem a lapela da frente. Eles se soltam com estampidos suaves e revelam as presilhas de aço sob o tecido. Ignorando-as por enquanto, eu viro os botões, deixando-os com a face para baixo, e sorrio. O fundo de cada um deles contém uma das invenções mais destrutivas que já criei — as engrenagens de um antigo relógio de bolso conectadas a dois frascos minúsculos cheios de líquido. Um deles tem ácido. O outro, glicerina. Todos os meus experimentos comprovaram que a mistura é explosiva.

Espero que seja o bastante para transformar o fundo de minha cela em cascalho.

Enfio os dedos no fundo do casaco até encontrar uma linha fina com um nó na ponta. Puxando-a, eu rasgo a costura sobressalente que fiz ali poucos dias antes da cerimônia da Toma, e retiro um pedaço de fio de cobre que já está dividido em cinco fios menores em uma das pontas. Finalmente eu me sento, tiro a bota esquerda, puxo a sola até que ela se solte e retiro um pequeno detonador encapsulado em cobre.

Os botões se prendem à parede com facilidade, aderindo às pedras com a mesma substância pegajosa que os prendia às presilhas de aço do manto. Enrolo cuidadosamente as pontas soltas dos fios ao redor da engrenagem central de cada botão, e depois recuo até a porta da cela, trazendo comigo o saco de palha fino que serve de cama.

Colocando o manto sobre os ombros, eu fecho as presilhas, cubro a cabeça com o capuz e me agacho sob o colchonete, de costas para a parede. Com dedos firmes, enrolo a outra ponta do fio ao redor do detonador e respiro fundo.

É hora de mostrar ao Comandante qual de nós vai levar a melhor sobre o outro.

Aperto o botão do detonador e ouço um clique suave que indica que as engrenagens começaram a funcionar, colocando os frascos em movimento, em rota de colisão. Em seguida, a masmorra inteira treme com a força da explosão atrás de mim.

Não espero até que os escombros parem de cair. Não posso fazer isso. A porta principal do outro lado do corredor das celas já está se abrindo, e um guarda está gritando o alarme. Com o colchonete de palha sobre a cabeça para me proteger da maior parte do impacto, eu levanto e encaro a destruição de minha cela.

Os fundos da cela não são nada além de pedaços macerados de pedra e poeira. Um pouco de poeira está escorrendo para dentro do lugar pelo buraco que a explosão abriu, mas, logo adiante, o céu noturno se abre para mim. Corro para a frente, subo pelos escombros e passo pelo buraco enquanto alguém bate com as chaves na porta de minha cela.

O colchão de palha fica preso na abertura quando passo por ela, e eu empurro o máximo de poeira e pedras que consigo enquanto me esforço para escalar a parede até chegar ao nível do chão.

Dentro do quartel um sino começa a tocar, agitando a escuridão com seu clamor insistente. Examino a área a meu redor, preparando-me para vencer a distância entre o lugar onde estou e a cerca de ferro que cerca o quartel, e começo a correr.

Ainda estou a dez metros da cerca quando ouço alguém gritar atrás de mim. Não me incomodo em olhar. Isso serviria apenas para me atrasar. Em vez disso, levo a mão ao bolso interno do manto e pego o que parecem ser duas moedas de Baalboden, um pouco mais grossas do que o habitual. Um movimento rápido para acionar o mecanismo incrustado nas bordas das moedas ativa as molas dos mecanismos que instalei ali, e elas se transformam em versões menores das manoplas de escalada que Rachel tentou usar em sua tentativa desastrosa de fuga.

Mais gritos ecoam pelo pátio, e eu percebo guardas com máscaras de visão noturna correndo perto da cerca, prontos para me interceptar se eu demorar mais de vinte segundos para escalar os postes de ferro.

Continuo em frente, acelerando. Bato as mãos no metal, sinto os ímãs se prenderem ao ferro como se estivessem soldados a ele e começo a escalar.

Minhas costelas parecem gritar dentro de mim, mesmo com o remédio contra a dor que tomei, mas eu ignoro a sensação. Não vou ter outra chance de fazer isso e me recuso a fracassar.

O topo da cerca parece ser impossível de alcançar, e o meus braços tremem com o esforço que faço para ignorar a dor na lateral do corpo, mas eu o alcanço assim que os guardas convergem abaixo de mim. Um deles agarra meu pé, mas eu o acerto na testa com a bota. Em seguida, coloco as mãos ao redor do topo da cerca e salto por cima dela.

Não espero para ver quem virá atrás de mim.

O quartel fica na parte leste da cidade. Viro para o norte e começo a correr, esperando que os guardas vejam a direção que tomei e passem a informação para o Comandante. Ele vai reforçar a vigilância na parte norte da Muralha. Vai revirar, esquadrinhar as ruas da cidade. Não estarei ali.

Quando tenho certeza de que estou fora do campo de visão dos guardas, eu mudo minha trajetória e passo a correr na direção sudoeste, acreditando que o campo magnético das manoplas de escalada vai impedir que minha marcação no pulso seja detectada por qualquer Identidisc que eles estejam usando para tentar me encontrar.

As únicas maneiras de sair da cidade são saltar por cima da Muralha ou atravessar o portão. Durante a última semana, graças à insistência de Rachel, eu passei um bom tempo pensando em outra maneira de escapar.

A maioria das ideias que tive apresentavam um problema fatal: eram soluções óbvias, e o Comandante não é nenhum idiota. Desconsiderei todas elas e decidi que a solução perfeita seria aquela que ninguém seria louco o suficiente para se arriscar a executar. Aquela que poderia acabar atraindo acidentalmente a atenção do Maldito para mim, e ele poderia acabar me devorando com um único movimento chamejante.

Vou sair da cidade passando por baixo da Muralha.

Entro em North Hub evitando as tochas que iluminam as ruas e passando por becos e quintais atrás das casas e dou a volta ao redor de Center Square, continuando a avançar para o oeste. Quando me distanciei o suficiente para ter certeza de que não serei visto por nenhum cidadão que respeita as leis, dou uma guinada para o sul e aperto o passo para chegar até o Mercado Baixo.

Tenho certeza de que a bolsa de viagem que deixei em Center Square já desapareceu há muito tempo. Da mesma forma, sei que a bolsa que sempre deixo na casa de Oliver já foi confiscada também. Se o Comandante acha que me colocou contra a parede numa situação onde minhas duas únicas opções são voltar para casa em busca de mais mantimentos ou recorrer aos mercadores, que, sem dúvida, foram advertidos que a punição por fazer negócios comigo seria a morte, ele está errado.

Preciso agradecer a Rachel por isso. No dia em que eu a persegui, quando ela tentou escapar dos limites da Muralha, atravessei a viela que existe entre o armorial e o galpão deserto nos limites do Mercado Baixo, e percebi que era o lugar perfeito para esconder os preparativos para uma fuga emergencial. Ninguém entra naquele galpão abandonado. Como eu não tenho qualquer relação com esse lugar, o Comandante nunca suspeitaria que eu o usaria como uma base de operações.

Levo quase uma hora para conseguir chegar até ele. Procuro ficar nas sombras, às vezes trocando a velocidade pela furtividade, mas não consigo ver sinais de perseguição. Provavelmente a maior parte dos guardas está convergindo para a parte norte da Muralha, ou os guardas da parte oeste da cidade têm o bom senso de manter o silêncio enquanto procuram por mim.

Não interessa qual das duas opções é a verdadeira. Tudo o que importa é que cheguei ao galpão. Entro no lugar e uso a luz fraca do luar que entra por uma janela quebrada para verificar se minhas coisas estão em ordem.

Guardando as manoplas em minha mochila, eu visto uma nova túnica e calças e rapidamente como um pedaço de carne de carneiro seca para recuperar minhas forças, que começam a se esgotar. O couro de meu manto raspa contra a queimadura no meu pescoço, e decido usar um minuto a mais para pegar o unguento e uma atadura de meu kit de primeiros socorros e fazer um curativo. Em seguida, afivelo um cinto com uma espada, enfio uma faca embainhada em minha bota, prendo o manto ao redor do corpo outra vez e recolho minha bolsa de viagem, ignorando a dor que sinto na região da costela quebrada por causa do peso extra.

A distância entre o galpão e a Muralha é relativamente curta, mas demoro quase vinte minutos para cruzá-la porque estou constantemente atento à presença dos guardas. Vou para a curva que a Muralha faz no ponto médio entre as duas torres de guarda mais próximas. Quando outro exame da área onde estou não revela o brilho de nenhuma máscara de visão noturna, eu me ajoelho na base da Muralha e abro a mochila. Depois de cobrir o rosto com uma máscara para proteger os olhos e filtrar o ar que respiro, eu calço um par de luvas pesadas de couro e retiro uma máquina que se parece com uma besta de metal com uma perfuratriz de aço espiralada projetando-se na frente. Prendendo a mochila às costas com firmeza, eu enfio os braços nas correias do aparelho, amarro outra correia ao redor da cintura e aciono o mecanismo da bateria que construí por baixo da perfuratriz espiral. O aparelho ganha vida com um chiado abafado.

Abaixando-me, pressiono a perfuratriz, que gira cada vez mais rápido no chão que está diante da Muralha, e ela começa a abrir caminho, jogando terra para todos os lados. As vibrações fazem com que eu sinta ondas súbitas de agonia dentro do peito, e tenho de me lembrar o tempo todo de respirar em meio àquela dor. Quando o buraco já está grande o bastante para me acomodar, eu entro nele e mudo o ajuste de meus óculos para ativar a visão noturna, confiando no brilho esverdeado para iluminar meu caminho enquanto eu calculo rapidamente ângulos, trajetórias e todas as possibilidades que o meu plano tem de falhar.

Exceto pelo fato de que falhar não é uma possibilidade.

Não quando tantas pessoas dependem de mim.

A perfuratriz começa a devorar o chão e eu tento chegar a um ponto bem profundo. Profundo o suficiente para ultrapassar os alicerces da Muralha. O suficiente para evitar causar quaisquer tremores que possam afetar as várias toneladas de pedra e aço que estão sobre mim. Profundo o bastante para que atrair a atenção do Maldito seja uma possibilidade real.

As luzes de minha máscara iluminam a terra ao meu redor, menos de um metro de cada vez. O ar parece estar úmido e saturado ao entrar em contato com minha pele. A cada vez que respiro, sinto uma agonia forte arder ao redor de minha costela quebrada, como se não houvesse tomado nem uma dose do remédio para a dor. A necessidade de ar fresco e de um espaço aberto me esmaga, sussurrando-me constantemente que vou acabar enlouquecendo se não conseguir sair de debaixo da terra *agora.*

Ignoro aquilo. A mente é mais forte que o corpo. Tenho muitas outras coisas para pensar a respeito. Equações matemáticas a resolver. Ajustes minuciosos a fazer. E, sob tudo isso, uma tristeza horrível pela morte de Oliver se mistura com o desespero da preocupação que sinto por Rachel, até que não sou mais capaz de diferenciar um do outro.

Não vou chegar até ela tarde demais.

Não vou.

Quando calculo que já avancei muito além da espessura da Muralha, começo lentamente a abrir o túnel que vai me levar de volta à superfície, certificando-me de continuar com minha trajetória até estar além da circunferência do perímetro de Baalboden. Chego à superfície com cuidado, desligando a máquina assim que vejo o céu noturno para apurar os ouvidos e saber se há alguma ameaça.

Surgi entre dois carvalhos grandes e bastante antigos. Sem tirar a máscara de visão noturna, eu observo a área. Estou suficientemente longe para que Baalboden seja apenas uma mancha grande e distante no lado leste do horizonte. A porção oeste da Muralha parece estar em silêncio.

Na melhor das hipóteses, ninguém descobrirá meu verdadeiro ponto de fuga até o raiar do dia.

Na pior das hipóteses, o Comandante percebe que minha fuga rumo ao norte da cidade foi um engodo e manda os guardas examinarem toda a Muralha.

A resposta para as duas hipóteses é a mesma: correr.

Desligo a máquina e volto a guardá-la; tiro a máscara porque prefiro deixar que meus olhos se ajustem à escuridão a ter de anunciar minha presença a possíveis perseguidores com o brilho do aparelho e guardo os dois. Em seguida, retiro um bracelete de cobre de minha bolsa. Suas engrenagens estão forradas com os mesmos fios azuis que usei para fazer o de Rachel, e o prendo a meu braço.

Os fios brilham com uma luz suave, mas vão se iluminar como uma tocha quando eu me aproximar dela. De acordo com minha melhor estimativa, ela ainda vai ter de viajar por mais uma semana até alcançar o esconderijo de Jared nas redondezas de Rowansmark. Eu paro por um momento para repassar mentalmente o mapa que Jared me fez memorizar há algum tempo, quando o Comandante permitiu que eu deixasse Baalboden em minha primeira missão de mensageiro. Se eu me apressar, usando atalhos perigosos pelos quais Jared nunca se atreveria a passar se estivesse viajando com Rachel, acho que consigo encurtar a distância entre nós pela metade em apenas quatro dias. Três, se eu não dormir muito.

Preciso acreditar que Melkin não quis se arriscar a levar Rachel por rotas infestadas por Salteadores também. Se Rachel fosse avistada, ela e Melkin seriam atacados sem piedade em questão de horas. Melkin nunca conseguiria escapar vivo, e Rachel iria desejar poder morrer, também.

Afastando aquele pensamento antes que ele me domine, eu ajusto a mochila as minhas costas e pressiono a lateral dolorida do corpo com o braço. Em seguida, viro o rosto para o sul e desapareço em meio às Terras Ermas.

CAPÍTULO 44

RACHEL

Nós mal conseguimos dormir nos últimos cinco dias, desde que saímos do primeiro refúgio de meu pai. Os plátanos voltaram a se transformar em carvalhos, e enormes raízes encarquilhadas aparecem por entre o musgo que cobre o chão. Viajando durante o dia e dormindo por alguns momentos à noite enquanto um de nós fica de prontidão para detectar a presença do rastreador de Rowansmark, vamos lentamente ficando exaustos.

Melkin sente isso mais do que eu. Linhas de preocupação e cansaço passam a marcar permanentemente seu rosto, exibindo linhas severas de expressão em sua testa. Acho que ele está preocupado com a possibilidade de que alguém queira destruir seus planos de levar o pacote de volta e resgatar a esposa. Quanto mais perto chegamos do segundo refúgio, mais ele fica calado e distante.

Não importa. Os fios ao redor de meu pulso estão ficando cada vez mais brilhantes a cada dia que passa. Logo, tudo isso vai terminar. Logo eu vou conseguir encontrar meu pai e nós voltaremos para resgatar Logan.

Estamos a menos de um dia de jornada até o próximo esconderijo quando sinto que não estamos mais sozinhos. Melkin caminha a minha frente, usando seu bastão para afastar o musgo que se pendura nos galhos a nosso redor como se fosse um punhado de fitas. Diminuo a velocidade como se estivesse examinando uma marca no chão e viro de repente, esperando ver um rastreador de Rowansmark.

Um rosto moreno olha para mim atrás de um galho pelo qual passamos há menos de trinta segundos. Trocamos um olhar, piscamos os olhos e, em um lampejo de cabelos negros e membros graciosos, ela desaparece.

Era uma menina. Tenho certeza disso. Isso indica que quem está atrás de nós não é um rastreador, um guarda ou um membro de uma das gangues de salteadores. Deve ser alguém do Povo das Árvores.

Não me sinto ameaçada pela sua presença. É natural para o Povo das Árvores demonstrar curiosidade pelos forasteiros que atravessam seu território nas Terras Ermas — mas não há nenhum vilarejo do Povo das Árvores por aqui, exceto por um deles perto do segundo refúgio, e ainda vai demorar algumas horas até conseguirmos alcançá-lo. É estranho ver uma Garota das Árvores tão longe de casa. Guardo aquela informação para pensar a respeito mais tarde, se for necessário, e esqueço-me dela até pararmos para almoçar, duas horas depois, quando volto a vê-la.

Desta vez ela não recua quando eu a percebo, olhando para mim enquanto se equilibra nos galhos de uma árvore a vários metros de distância do lugar onde estamos sentados. Em vez disso, trocamos um longo olhar quando baixo o capuz de meu manto, e ela se expõe o suficiente entre a folhagem da árvore para que eu perceba que temos mais ou menos a mesma idade. Vejo a alça de uma aljava de flechas presa sobre um de seus ombros, e ela empunha um arco. Uma longa pena negra está pendurada em um adorno intrincado de prata espiralada preso a sua orelha esquerda. Seus olhos escuros estão tomados por uma autoconfiança tranquila.

Não consigo defini-la, e não gosto daquilo que não posso definir. Ela não deveria estar nos seguindo. Estou prestes a alertar Melkin sobre a presença da garota quando ela recua para trás da folhagem da árvore e desaparece.

Continuo observando as árvores em busca de sinais de sua presença enquanto termino de almoçar uma refeição composta por sobras frias de um peru que cacei no dia anterior e as ameixas em conserva que trouxe do primeiro refúgio. Busco por outros sinais de que ela está por perto enquanto Melkin esbraveja comigo, dizendo-me para não ficar para trás. E procuro por outros sinais dela conforme as sombras ficam mais longas e se transformam em poços de escuridão sob o sol poente.

Ela não aparece outra vez.

Em vez disso, os fios azuis começam a brilhar com bastante intensidade, e eu me esqueço de me preocupar com os passeios insignificantes de uma Garota das Árvores. Vai doer muito ter de contar a meu pai sobre o que aconteceu com Oliver. Também vai doer contar a ele que tive de deixar Logan para trás, mas meu pai vai saber consertar essa situação.

Ainda não contei a Melkin que estamos prestes a encontrar meu pai. Há cinco dias, eu teria contado. Há cinco dias ele parecia ser mais afável e amistoso, preocupado apenas em salvar a esposa e determinado a me proteger.

Agora ele é um fantasma frio e silencioso, uma sombra do homem que eu achei que conhecia. Quanto mais nos aproximamos do pacote, mais ele se fecha, até que eu percebo que estremeço um pouco quando ele aponta aquele olhar sombrio e triste para mim.

Talvez ele esteja finalmente percebendo que o Comandante não é um homem que mantém a palavra. Talvez ele esteja começando a perceber que, se entregarmos a ele nossa única vantagem, aqueles que amamos serão mortos.

Talvez ele esteja se preparando para o pior.

Emergimos da floresta e eu reconheço uma linha de carvalhos muito antigos, com troncos tão grossos quanto um dos balaústres de aço que reforçam a estrutura da Muralha de Baalboden. Seus galhos se erguem e formam um arco sobre uma trilha coberta de musgo, como se estivessem oferecendo proteção.

Estamos quase lá.

Passo na frente de Melkin, que não protesta. A coluna de árvores parece se estender até o infinito enquanto avanço a passos rápidos.

Estou quase lá.

O bracelete ao redor de meu pulso brilha como o sol do meio-dia.

Quase lá.

No final do túnel formado pelas árvores haverá uma casa em estilo rural com janelas que um dia foram vermelhas, mas que agora desbotaram até um tom rosado, e ele estará esperando. Seus braços grandes estarão abertos para me receber, seus olhos cinzentos vão brilhar com orgulho e eu finalmente estarei com minha família.

Meus pés deslizam sobre o musgo quando chego à última árvore, agarrando-me no tronco para me equilibrar. Me agarro ao tronco por mais um segundo, longo e desesperado, lutando contra a vertigem enquanto meus olhos avistam o impossível.

A casa desapareceu.

Não resta nada além de uma pilha de destroços chamuscados e um buraco enorme por onde o Maldito voltou a seu covil.

Olho ao redor, alucinada, procurando. Meu bracelete está iluminado como uma tocha. Ele está aqui.

Ele está aqui.

Mas não está. Não consigo vê-lo. Vejo apenas a destruição.

— Oh — diz Melkin por trás de mim, ao vislumbrar o desastre.

Aquela pequena palavra faz com que eu sinta vontade de atacá-lo. Assim, eu saio do abrigo que as árvores me dão e caminho rumo aos escombros com as pernas trêmulas.

Meu bracelete ainda brilha. Começo a examinar as copas das árvores. Ele poderia estar ali. Esperando por mim. Escondendo-se dos rastreadores.

O chão sob meus pés se transforma em cinzas. Flocos negros e frios que se prendem a minhas botas como se estivessem tentando me imobilizar.

Onde ele está?

Alguma coisa se move nas árvores que estão adiante, e a Garota das Árvores surge, seguida por um rapaz que parece ter a idade de Logan. Os dois têm a pele morena e cabelos negros, longos e lisos. Os cabelos da garota estão presos em uma longa trança. Os do rapaz estão soltos e lhe caem por sobre os ombros. Ele se move, e os meus olhos se concentram em um pacote do tamanho de um pão doce, embrulhado em papel branco, que ele traz nas mãos.

— Quem são eles? — sussurra Melkin.

— Rachel Adams? — Os olhos castanhos do rapaz se fixam nos meus, fazendo meu estômago se retorcer. Há um toque de pena em seu olhar. Mas não quero pena.

Quero somente o meu pai.

— Sim — eu digo, mas minha voz não é mais do que um sussurro. A brisa encobre o som e o leva para longe. Tento outra vez: — Sim.

A garota faz um gesto para que eu me aproxime, acenando com a mão esguia.

Talvez meu pai esteja com eles. Escondido em seu vilarejo. Talvez seja por isso que ela estava nos seguindo. Talvez ele a tenha enviado para vigiar as trilhas, sabendo que eu chegaria até ali algum dia.

Minhas botas esmagam os escombros chamuscados até transformarem-nos em poeira conforme avanço pelo chão queimado. Os alicerces da casa ainda estão ali, enterrados sob as cinzas, um amontoado de concreto quebrado sobre o qual eu preciso subir. Meus pés deslizam quando chego ao alto, e acabo escorregando e caindo do outro lado. Quando chego ao chão, ergo os olhos para olhar os jovens do Povo das Árvores, mas fico paralisada quando percebo outra coisa.

Logo além dos limites da destruição, onde as cinzas lentamente voltam a se mesclar com a terra, uma pequena elevação no solo está marcada por uma cruz de madeira pintada de branco.

Não consigo respirar. Sinto um estrondo nos ouvidos e alguém diz alguma coisa que não consigo compreender, pois estou andando na direção da sepultura e os fios em meu bracelete estão reluzindo como se fossem estrelas azuis brilhantes.

O rapaz fica ao lado da sepultura e estende a mão para mim. Eu a seguro sem pensar, mas não consigo senti-lo. Nem sequer consigo sentir a mim mesma, e não quero fazer isso. É melhor que a garota que está ali seja outra pessoa, segurando a mão de um estranho enquanto o que resta de seu mundo começa a desmoronar.

Por favor, não.

— Ele morreu como um herói, Rachel. O Maldito iria matar a minha irmã e a mim, mas ele o atraiu para longe de nós. Ele salvou as nossas vidas. — Ouço a voz dele como se estivesse lutando para não chorar. — Lamento.

Solto a mão dele. A cruz está entalhada com desenhos muito bonitos, e alguém pintou as palavras Jared Adams no centro.

O luto é um poço imenso de trevas que cresce dentro de mim. Mal consigo ficar de pé sob aquele peso enorme. Os estilhaços pontiagudos deixados pela morte de Oliver colidem com a imagem impensável diante de mim, e eu sinto algo se despedaçar por dentro de meu corpo quando caio de joelhos.

Não vou conseguir suportar isso. Não vou.

A esperança que queimava dentro de mim flutua como cinzas, mesclando-se à escuridão.

Ele está aqui, mas não está.

Quero morrer, também. Quero simplesmente parar de respirar. E ter a esperança de encontrá-lo do outro lado. Ele não está aqui.

Abaixo-me para deitar sobre a terra.

Ele não está em lugar nenhum.

Estou sangrando por dentro, em um lugar que ninguém nunca conseguirá ver. Onde nunca ninguém vai procurar.

Ele se foi.

Ele se foi.

CAPÍTULO 45

LOGAN

Chego ao primeiro esconderijo de Jared após pouco mais de três dias. Estou atravessando um território dominado por salteadores, deixando a adrenalina tomar conta de meu corpo em vez do sono. Sinto o corpo todo dolorido e minha costela lateja incessantemente, não importa com quanta força eu aperte as ataduras ao redor de meu peito. De tempos em tempos eu preciso parar, respirar fundo e me concentrar em deixar a dor sob controle antes de prosseguir. Dormi por algumas horas em duas ocasiões, mas acordei no meio de sonhos horríveis, com uma sensação de pavor crescendo dentro de mim.

A dor se recusa a me deixar em paz, mesmo durante o sono, mas não posso me dar o luxo de me render a ela. Haverá guardas em meu encalço. Talvez alguns rastreadores também, se algum deles voltou a Baalboden desde que eu fugi. O Comandante não vai ficar esperando até que Melkin cumpra suas obrigações. Com certeza ele tem outros planos que já estão em andamento.

Tudo o que tenho a fazer é me manter um passo adiante.

Dou a volta ao redor do refúgio, uma estrutura que já foi branca mas que hoje está coberta por trepadeiras, e procuro por sinais de vida antes de sair de trás da proteção das árvores. Não encontro sinais de vida, mas a morte está esperando por mim perto dos limites da propriedade. Dois guardas estão deitados no chão; a carne de seus rostos já foi quase toda arrancada por animais carniceiros, mas a marca de Baalboden ainda está visível em seus uniformes. Sobre cada um de seus corações há um pequeno ferimento causado por perfuração.

Eles foram assassinados com eficiência, e as possíveis ramificações me fazem gelar. Foi um profissional que fez isso. Alguém que sabe matar com uma precisão incrivelmente letal.

Percebo que não é obra de Melkin. Ele é um rastreador, mas, como Eloise disse, tão desesperada, não é um assassino. Ele não saberia derrubar um homem sem que sua vítima sentisse que a morte se aproxima.

Também não é obra de Rachel. Ela deixa suas ações serem influenciadas pela fúria que sente, e estas mortes contêm menos emoção do que o solo sobre o qual os homens tombaram.

Há mais alguém tentando recuperar o pacote. Aproximando-se de Rachel e Melkin. Quando o perseguidor alcançar seu objetivo, as vidas deles não valerão mais do que as duas pobres almas que jazem aos meus pés.

O pânico começa a me dominar quando considero a possibilidade de que o rastreador já tenha encontrado Rachel e Melkin, e que seus corpos também estejam caídos em algum lugar da floresta, apenas esperando que eu tropece neles.

Esquecendo-me do plano de descansar por algumas horas, eu me aproximo da casa e digito o código no cadeado. Ao abrir a porta, percebo que há pegadas recentes marcando a poeira. Abaixo-me para examiná-las. Um grupo de pegadas foi deixado por Rachel. Outro grupo é grande o suficiente para ter sido feito por Melkin. E um terceiro grupo, já coberto por uma camada fina de pó, foi deixado por Jared. Se Jared esteve aqui nas últimas semanas, é possível que esteja esperando por Rachel no segundo refúgio. Ele a protegerá de Melkin até que eu consiga chegar.

A possibilidade é real, mas o peso da responsabilidade se recusa a sair de cima dos meus ombros. Não posso depositar minha esperança em possibilidades. Tenho de lidar com a realidade, e a realidade diz que, mesmo que Melkin não tente matar Rachel, eles têm um assassino em seus calcanhares. E o assassino não vai hesitar em aniquilar os dois quando estiverem com o pacote em mãos.

Quando deixo as pegadas para trás e entro na cozinha para me reabastecer com provisões e combustível, o medo começa a tomar conta de mim outra vez, sussurrando coisas horríveis.

Você chegou tarde demais.

Rachel não pode vencer um assassino. Ele vai atravessar seu coração com uma espada e deixá-la tombar como se ela não fosse nada. Como se fosse menos do que nada.

A menos que Melkin a mate antes.

Você perdeu toda a sua família porque chegou tarde demais.

Tarde demais.

A cozinha está uma bagunça. Mantimentos foram arrancados dos armários e deixados sobre os balcões sujos. Um prato de comida que mal foi tocado repousa sobre a mesa da cozinha. O medo toma conta de meu coração e se recusa a ir embora.

Eles saíram às pressas. Tiveram de fugir.

Tenho de acreditar que eles conseguiram escapar do assassino que os persegue. Qualquer outro pensamento ameaça colocar em risco minha capacidade de fazer planos. Forçando o medo a ficar acuado num canto distante de minha mente, eu volto a prender as ataduras com força ao redor de meu peito, e coloco mais mantimentos na mochila.

Preciso descansar, mas não posso fazer isso. A cada segundo que perco, a morte se aproxima mais de Rachel.

Em vez disso, eu rapidamente preparo e como uma refeição decente, bebo uma boa quantidade de água e engulo um pouco do medicamento para a dor. Trancando a casa ao sair, volto a rumar para o sul, procurando atentamente por sinais de alguém que esteja seguindo Melkin e Rachel.

Levo quase quatro horas para encontrá-los, mas finalmente consigo. Perto de uma pequena clareira onde Rachel e Melkin pararam para comer, um homem se agachou atrás de uma moita espessa de azaleias floridas. Suas botas pressionaram o chão de uma maneira que sugere que ele estava apoiando o peso do corpo na parte dianteira dos pés. Não consigo perceber todos os detalhes da sola para estimar sua altura e peso, mas a marca do sapateiro no bico da bota me revela um fato muito importante.

O assassino vem de Rowansmark.

Quando Rachel conseguir encontrar o pacote, ela morrerá. Se Melkin não matá-la, esse homem vai cuidar para que isso aconteça.

Meu corpo grita, pedindo que eu pare e descanse. Minha cabeça parece estar pesada e pendendo para um dos lados. Respiro fundo, preparo-me para a dor que vou sentir e começo a correr.

A mente é superior ao corpo.

Não posso deixar que meu corpo me controle agora. Tenho de encontrar um assassino e matá-lo.

CAPÍTULO 46

RACHEL

Vozes flutuam a meu redor enquanto fico deitada sobre o chão frio e duro. Imagino-me afundando nele. Deixando que me devore.

Encontrando paz.

Aquela dor lancinante é como uma lâmina afiada que não consigo suportar nem mesmo tocar. Como posso demonstrar a tristeza que sinto por ele? Chorar por ele? Sangrar por dentro com a morte dele, quando isso não vai mudar em nada a situação?

Isso não vai mudar em nada.

Ele está *morto.*

Todas as palavras que nunca encontrei tempo para dizer. Todas as coisas que nunca tivemos tempo para fazer. Arrancadas de mim e deixando apenas a sensação irreparável de que tudo terminou.

Morto.

Mas eu não morri. Ainda estou aqui — a muitos quilômetros de casa, cercada por um terreno calcinado e estranho, deitada de bruços sobre a sepultura de meu pai.

Aqui.

Ouço um choro desesperado que vem de algum lugar dentro de mim — o lamento sem palavras de uma tristeza incomensurável. Não suporto ouvir esse choro. Nem senti-lo. Nem mesmo deixar que viva.

Uma escuridão enorme se escancara dentro de mim, sussurrando promessas de que é capaz de fazer a dor ir embora. De engolir a perda. De fazer com que seja possível respirar sem que eu sufoque nos destroços que ninguém nunca conseguirá consertar.

Enfio os dedos na terra que cobre a sepultura e gemo conforme as imagens de meu pai e Oliver tomam conta de meu cérebro, ardendo em brasa. Vou me engasgar nessa tristeza. Ficar deitada aqui, impotente, incapaz de vingá-los. A perda é um abismo enorme com as bordas afiadas como estilhaços de vidro, e eu não sou capaz de suportá-la.

Empurro aquelas imagens para longe de minha mente, afasto-me da beirada do abismo e deixo que a escuridão dentro de mim devore tudo. O choro desesperado dentro de mim lentamente perde a intensidade até se transformar em um poço de silêncio gélido — ensurdecedor e absoluto. O silêncio me rasga em duas, jogando-me para longe de tudo o que eu não consigo encarar. Não faço qualquer esforço para impedir que isso aconteça. Se eu sentir essa perda, vou me quebrar por inteiro.

E não posso me deixar quebrar até que o Comandante esteja morto.

Porque meu pai morreu. E eu ainda estou aqui.

Fecho os punhos. Minhas unhas se quebram quando as enfio por entre a terra batida. A fúria é uma companheira bem-vinda e me aquece com algo que quase dá a sensação de ser conforto.

O Comandante é o culpado por meu pai haver recebido o pacote, em primeiro lugar. É por culpa dele que nunca mais verei Oliver outra vez. É por culpa dele que Logan está jogado no fundo de uma masmorra.

É por culpa dele que meu pai está morto.

Devo a ele tudo o que está acontecendo.

Não consigo encontrar a tristeza que sinto por Oliver. Nem o temor que sinto pela vida de Logan. Nem minha agonia por perder meu pai para sempre. Não consigo encontrar nenhum desses sentimentos, e não me importo.

Não sentir nada além da fúria e determinação me fortalece.

Em breve, o Comandante vai saber exatamente o quanto ele me fortaleceu.

CAPÍTULO 47

LOGAN

Quando tropeço pela quarta vez em menos de dez minutos, percebo que a noção de que a mente é superior ao corpo não está mais funcionando. Preciso descansar. Se eu continuar avançando no estado de exaustão em que me encontro, corro o risco de deixar passar alguma informação crucial, de esbarrar com salteadores ou de perder a trilha deixada por Rachel e Melkin.

Além disso, a dor que sinto na lateral do corpo está me causando dificuldades para pensar com clareza.

Sou capaz de pensar em uma centena de Piores Hipóteses, mas as soluções parecem vagas e há muitas chances de fracassar.

A necessidade de alcançar Rachel é uma pressão constante contra meu peito. Tudo o que falei para o Comandante era verdade. Se Melkin atacar Rachel abertamente, ela vai derrubá-lo como se ele fosse um saco de batatas.

Mas Melkin não é idiota. Está viajando com ela há mais de uma semana. Quaisquer ideias preconcebidas que ele pudesse ter sobre o perigo de ter Rachel como inimiga já devem ter sido afastadas agora.

Encontro um carvalho enorme, e seus galhos grossos formam uma espécie de cama a vários metros do chão. Subo cuidadosamente na árvore; minha costela quebrada dói demais, durante toda a subida. Enrolando o manto a meu corpo para conseguir me mesclar melhor ao ambiente, encosto a cabeça nos joelhos e admito que Melkin não é o maior dos problemas de Rachel.

O rastreador de Rowansmark vai torturá-la antes de matá-la.

Balanço a cabeça negativamente e me obrigo a afastar aquele pensamento. Ela não vai morrer. Não vou permitir que isso aconteça. Vou bolar algum plano. Vou encontrar uma maneira de chegar até ela a tempo.

Vou conseguir.

Fechando os olhos, permito-me dormir por uma hora antes de voltar a caminhar. Conjuro a lembrança do rosto de Rachel e me apego a ele como se fosse uma boia no meio de um redemoinho enquanto deixo que meus olhos cansados se fechem.

CAPÍTULO 48

RACHEL

Meus dedos doem, enrijecidos. Estou deitada de bruços sobre a sepultura de meu pai há várias horas, apertando punhados de terra nas mãos como se, ao tocar o que o cobre agora, eu seja capaz de tocar nele, de algum modo.

Após algum tempo eu percebo que o Garoto das Árvores está sentado em silêncio a meu lado, como se quisesse indicar que eu não estou sozinha.

Ele está errado.

Nunca estive tão só.

Viro o rosto para olhar para ele e percebo que a escuridão está se aproximando, obscurecendo as árvores e escondendo os restos feios do refúgio. Ele está sentado no chão com as pernas cruzadas e deixou o pacote sobre o colo, com as palmas grandes apoiadas nos joelhos. Seus olhos escuros parecem penetrar o vazio que há dentro de mim com algo que parece ser arrependimento.

Ele pode ficar com o arrependimento para si. E com sua pena também. E sua compreensão silenciosa.

Não quero nada disso.

Não preciso de nada disso.

Tudo o que preciso é do sangue do Comandante em minhas mãos.

Continuo olhando fixamente para ele. O garoto estende lentamente a mão para mim, como se tivesse medo de que eu poderia me afastar caso ele faça algum movimento brusco.

— Willow preparou o jantar.

Ignoro a mão dele. Não estou com fome.

— Willow é a minha irmã. — Ele vira o rosto para olhar por cima do ombro. Acompanho seu olhar e vejo a Garota das Árvores curvada sobre uma panela colocada em uma pequena fogueira. Melkin está agachado do outro lado da panela, me observando. — Ela fez um cozido.

Será que ele não percebe que eu não me importo com aquilo? Viro o rosto para o outro lado, deixando o chão raspar meu rosto. A sensação que a dor me causa é boa. Verdadeira. Um pequeno fragmento do que eu deveria estar sentindo neste momento, mas que não posso realmente sentir porque o silêncio que há dentro de mim engoliu tudo, exceto a raiva.

— Meu nome é Quinn.

Não consigo ficar de conversa fiada. Se eu abrir a boca agora, todo o ódio e a fúria que fervem logo abaixo da superfície vão transbordar e consumi-lo.

Sua voz está carregada com algo que parece ser uma sensação de tristeza.

— Seu pai era um bom homem. Eu lamento muito.

Olho para meu braço. O bracelete ainda está brilhando, crente de que encontrou seu objetivo. De repente, ilogicamente, eu fico irritada com Logan por haver inventado essa coisa.

Por me dar algo tão cruel quanto a esperança.

— Você não pode ficar aqui. — O rapaz ainda está falando, embora eu não demonstre que estou escutando. — Há homens de Rowansmark atravessando a floresta na direção noroeste, procurando pelo conteúdo deste pacote. Seu pai disse que, se alguma coisa lhe acontecesse, eu deveria buscar isso no lugar onde ele o escondeu e entregá-lo a você ou a alguém chamado Logan McEntire. — Há certa urgência em sua voz, e fico surpresa ao perceber nela uma preocupação e uma tristeza genuínas.

Não posso ir embora. O que vai me restar se eu sair deste lugar?

Ele se inclina para a frente, com os olhos parecendo ter uma idade muito mais avançada do que o restante de seu corpo.

— Lamento, Rachel. Gostaria que você pudesse ter mais tempo, mas não pode. Se você for capturada, tudo o que Jared fez para manter este pacote longe das mãos erradas será em vão.

Aquelas palavras finalmente atingem o alvo. Se eu for capturada, então meu pai morreu a troco de nada, e eu perco a vantagem contra o homem que responsabilizo pelo que aconteceu. Ergo o corpo lentamente até me sentar, com as mãos ainda segurando punhados da terra que cobre o túmulo. Não suporto a ideia de me separar daquilo.

Ele olha para minhas mãos e uma linha de expressão sutil se forma sobre seus olhos. Em seguida, leva a mão a um dos bolsos do colete de couro que está vestindo.

— Aqui, pegue. — Estendendo a mão, ele me oferece uma pequena bolsa.

Eu a pego. A terra desliza para dentro da bolsa com um som que lembra um sussurro, e eu a fecho. Os cordões são suficientemente longos para que eu consiga atá-los e deixar a bolsa pendurada ao redor de meu pescoço. Amarro-os com força e deixo com que a última parte de meu pai repouse sobre meu coração, logo abaixo do colar que Logan me deu.

— Venha comer. Você vai precisar de toda a sua força.

Ele tem razão. Não posso viajar de volta a Baalboden e destruir o Comandante se estiver de estômago vazio. Levanto-me e o sigo até chegarmos perto de Willow. Agora ela está cobrindo a fogueira que usou para cozinhar com terra antes que as chamas alertem alguém sobre nossa presença sob as últimas luzes do dia.

Meu corpo se move da mesma maneira de sempre. Meus pés avançam, um após o outro. Minhas narinas absorvem o cheiro de fumaça e carne, e meus ouvidos percebem o rangido dos galhos e o ruído dos destroços sujos de cinzas sob meus pés quando piso neles. Mas nada disso tem nenhum significado. Sou uma estranha dentro de minha própria pele. Uso uma armadura por dentro, um metal forjado da fúria e do silêncio que desliga meus sentidos.

Não sou mais uma filha.

Não sou mais uma neta.

Não sou mais uma garota com sonhos. Nem com esperanças.

Sou uma arma, agora.

Abraço minha fúria. Deixo que ela seja absorvida nos cantos mais secretos de meu corpo e entrego-me a ela quando me sento ao lado dos restos da fogueira, aceitando uma tigela do cozido. E começo a traçar meus planos.

CAPÍTULO 49

LOGAN

Dormi demais.

Já está escuro quando acordo. Embora insista em praguejar contra minha própria estupidez, eu percebo que o sono ajudou. Meu corpo dói, mas a exaustão esmagadora desapareceu. O melhor de tudo é o fato de conseguir pensar com clareza outra vez.

Estou a dois dias de viagem do segundo refúgio, se usar os atalhos e parar apenas mais duas vezes para períodos curtos de descanso. Uma olhada no bracelete mostra que os fios estão brilhando constantemente, embora a luz ainda esteja um pouco fraca para indicar que Rachel está perto. Ainda assim, estou recebendo o que restou do sinal dela, e o sinal fica cada vez mais forte conforme avanço para o sul. Estou no caminho certo.

Mas há mais alguém que está seguindo a mesma trilha.

Gastando mais alguns minutos para comer e voltar a amarrar as ataduras ao redor das costelas, começo a analisar minhas opções.

Posso continuar minha trajetória atual e tentar interceptar Rachel perto do segundo refúgio antes que ela encontre o pacote e tudo vá para o inferno. Ou posso seguir a trilha deixada pelo rastreador de Rowansmark e tentar alcançá-lo antes que ele ataque.

Talvez eu esteja dando uma leve vantagem ao rastreador se alertá-lo sobre minha presença quando me unir a Rachel, mas essa vantagem será anulada porque eu conheço os planos dele.

E eu não consigo suportar a ideia de quebrar a promessa que fiz a

Eloise. Talvez eu não consiga impedir Melkin de cumprir as ordens do Comandante, mas a honra me obriga a tentar.

Descer da árvore faz a dor em meu peito arder outra vez. Balanço o manto lentamente para bater as folhas que caíram sobre ele, reajusto minhas armas e coloco um pouco do remédio para a dor sob a língua. Depois, aguardo um momento para avaliar a qualidade do silêncio a meu redor.

Corujas piam lamentosamente nas copas das árvores. Ouço também o farfalhar sussurrante de uma brisa noturna deslizar por entre as folhas. E o som ocasional das patas de algum animal que passa discretamente pelo chão coberto de musgo.

Estou pronto para continuar. Se os animais se sentem seguros, então eu também estou em segurança.

Na Melhor das Hipóteses, vou progredir rapidamente e não esbarrarei em ninguém pelo caminho.

Na Pior das Hipóteses, de 1 a 3: Encontro uma gangue de salteadores enquanto avanço por uma das suas trilhas preferidas; tropeço no escuro, caio no chão e machuco ainda mais a costela, perdendo ainda mais velocidade; ou meus caminhos se cruzarão com o rastreador de Rowansmark.

A resposta para cada uma dessas hipóteses é ter cautela, mas ter cautela demais pode custar a vida de Rachel. Esperando conseguir encontrar um ponto de equilíbrio entre o bom senso e um avanço rápido, acelero o ritmo da marcha e me esforço para ouvir quaisquer mudanças na cadência da floresta a minha volta conforme me embrenho no território dos salteadores, deixando a mão na empunhadura da espada.

CAPÍTULO 50

RACHEL

O cozido tem gosto de cinzas em minha boca, mas eu mastigo tudo com uma determinação acirrada. Preciso de todo o meu esforço para conseguir engolir a comida em vez de morrer engasgada, como eu preferiria que acontecesse agora.

É preciso ter energia para conseguir a vingança.

Melkin não come. Em vez disso, ele fica agachado com o corpo um pouco inclinado para a frente como se fosse um enorme louva-a-deus, cutucando a terra arenosa com a ponta da faca enquanto nos observa com um silêncio inquietante.

O pacote está no chão, a meu lado, um lembrete inerte de tudo o que perdi. O que poderia haver nele para fazer valer toda essa matança? E para despertar essa cobiça obsessiva no Comandante e em Rowansmark?

Deixando minha tigela de cozido de lado, estendo a mão para pegar o pacote.

— Não o abra.

Meus olhos se cruzam com o olhar sombrio de Melkin em silêncio. Meus dedos ainda estão ocupados com os cordões que prendem o papel grosso que embrulha o conteúdo.

— *Não.*

Desato os nós e rasgo o papel. Por baixo do invólucro há um pedaço de tecido negro, enrolado como se fosse uma tora de lenha. Colocando-o sobre o colo, desenrolo cuidadosamente o pano até conseguir ver o que há no centro.

Uma varinha fina de metal cinzento e escuro com um buraco em uma das extremidades — como se fosse uma flauta, mas com apenas três teclas para os dedos ao longo de sua extensão — brilha com um reflexo fosco sob a luz crepitante da única tocha que Melkin permitiu que usássemos para iluminar o lugar.

— O que é isso? — Eu olho primeiro para Quinn, que não demonstra qualquer desejo de me responder, e depois para Willow.

Os olhos castanhos da garota estão faiscando com a empolgação. Ela se inclina para a frente e diz:

— É um aparelho de Rowansmark. Está vendo as três teclas?

Indico que sim com um movimento de cabeça, e Melkin se aproxima de mim, com os olhos fixos na varinha.

— Elas têm símbolos.

Deslizo o dedo sobre os círculos e descubro que há símbolos diferentes gravados em alto-relevo em cada uma das teclas.

— O que significam?

— Willow. — A voz de Quinn é gentil, mas sua irmã dá uma rápida olhada em Melkin e fica um pouco mais reservada.

Não consigo compreender a sutileza daquela forma de comunicação, e nem quero. Desejo apenas entender o que tenho nas mãos para visualizar os planos do Comandante e destruí-los.

Preciso de Logan. Ele saberia decifrar isso. Como conseguir tirar a informação deles e como criar um plano.

E preciso de Logan porque ele entenderia que algo dentro de mim se quebrou. Algo que não faço a menor ideia de como consertar. Ele entenderia, e, se não soubesse consertar o que está quebrado, certamente iria se esforçar para aprender.

Preciso dele, mas ele precisa de mim ainda mais. Ele precisa de mim para conseguir as informações, criar um plano e resgatá-lo. Não vou decepcioná-lo.

Olhando para Quinn, eu falo com uma voz que é tão dura quanto a terra batida onde estamos sentados.

— Preciso saber o que significam estes símbolos. Você me disse que há homens procurando por isso. Com certeza, o meu pai não queria que eles o pegassem, ou teria simplesmente devolvido essa coisa a eles. O líder da minha cidade também está procurando por isso.

— Rachel, já chega. — Diz Melkin, com a voz baixa e furiosa.

Eu o ignoro.

— Se vocês não me contarem tudo o que eu preciso saber, mais pessoas podem acabar morrendo. Eu posso morrer. E foi você mesmo que disse que não queria que o meu pai...

Morresse? Sacrificasse sua vida? Não consigo definir a perda dele em palavras. Elas não são terríveis o bastante para expressar o quanto eu me sinto vazia sem sua presença. Minha mão se ergue para agarrar a bolsa de couro que está pendurada no meu pescoço, e vejo que Quinn me observa com os olhos cheios de piedade.

É por isso que sinto ódio dele.

— Você disse que o meu pai foi um herói — eu jogo as palavras contra ele. — Você disse que ele morreu para salvar vocês.

— Sim.

— Não estou pedindo que vocês morram. Não estou pedindo que arrisquem nada além da verdade. Você também pode ser um herói, se me contar a verdade.

— Seu pai não queria que você usasse isso. — Ele olha para a varinha.

— Você não sabe o que o meu pai queria.

Ele parece estar magoado, e a fúria dentro de mim começa a explodir. Agarro a varinha com força e agito-a diante do rosto dele.

— O que essa coisa faz? Diga logo!

— Pare! — Willow se coloca entre nós dois. — Deixe-o em paz!

— Diga-me você, então.

Ela olha rapidamente para o irmão.

— Já fizemos mais do que nos sentimos confortáveis em fazer, mas devíamos isso a Jared.

— E vocês ainda não conseguiram pagar sua dívida.

— Rachel! — A voz de Melkin é ríspida, mas eu continuo olhando fixamente para Quinn e Willow.

— Como vocês esperam que eu mantenha essa coisa em segurança se não sou capaz de compreendê-la?

Melkin solta um ruído estrangulado que vem fundo da garganta, mas eu mantenho os olhos fixos em Willow. Ela vai me contar. Consigo ver isso no rosto dela.

— Embrulhe-a outra vez e esconda-a — diz ela.

— Não se eu não souber o que ela faz. — Aponto o rosto na direção de Quinn. — Se vocês não me contarem, se eu não conseguir entender o que é isso, eu posso acabar confiando na pessoa errada para conseguir a informação. É isso que vocês querem?

— Você está realmente querendo apenas manter essa varinha em segurança? — pergunta ele. Eu olho em seus olhos e percebo que ele *sabe*. Sabe que eu vou usá-la. Sabe que eu sou capaz disso.

Ergo o queixo.

— Se você considera que mantê-la em segurança é igual a não deixar que caia em mãos erradas, então, sim. É isso o que vou fazer.

— Jared não queria que você a usasse. Queria que a varinha fosse entregue a Logan McEntire para que fosse destruída.

— Logan está na masmorra de Baalboden. Para tirá-lo de lá, é preciso que eu entregue isso — eu digo, indicando a varinha com um gesto — ao nosso líder.

— Você não pode fazer isso! — diz Willow, e estende a mão como se quisesse arrancar a varinha de mim.

Seguro o objeto longe de seu alcance e continuo a encará-la com um olhar duro.

— Então, diga o que isso faz. Não tenho nada a perder. Diga-me para que serve essa coisa, ou vou começar a apertar os botões e descobrir por conta própria.

Ela olha para Quinn.

— A decisão é dela — diz ele, com a voz baixa. Alguma coisa no peso daquelas palavras me dá a impressão de que ele acha que as consequências serão maiores do que eu posso suportar.

Mas ele está errado.

Willow simplesmente baixa as mãos.

— Certo. Bem, as diferentes teclas criam ondas sonoras individuais em frequências que o ouvido humano não é capaz de perceber.

— E qual é a serventia disso?

— Humanos não conseguem ouvir esses sons. Mas o Maldito ouve.

Imediatamente, eu afasto os dedos das teclas.

— Quer dizer que isto...

— É um aparelho para chamar e controlar o Maldito.

Uma sensação insana de poder floresce dentro de mim. Aperto o aparelho contra o peito e sinto-me invencível.

CAPÍTULO 51

LOGAN

Estou andando há pelo menos duas horas, ou talvez três, e a onda de energia que senti após dormir já desapareceu há um bom tempo. Assim como a pequena dose do medicamento para a dor que eu tomei. Ainda não posso me dar o luxo de parar para descansar, apesar da dor e da exaustão. Por isso, obrigo-me a catalogar as folhagens que atravesso e criar nomes científicos para elas. A mente é superior ao corpo. A razão é superior à dor.

A escuridão encobre tudo, com exceção do cheiro e das formas mais óbvias, o que acrescenta um desafio extra para me fazer pensar em outra coisa além da dor que arde dentro de meu corpo e do temor que sinto pela vida de Rachel.

Estou passando por um terreno coberto de pinheiros. O cheiro é forte. Galhos enodoados. Folhas em formato de agulha, bastante espaçadas entre si. Pinheiros de folhas curtas. *Pinus echinata.*

O que vou fazer se, depois de encontrá-las, Melkin ainda insistir em cumprir suas ordens?

O piado grave de uma enorme coruja com chifres ecoa pela floresta, vindo de algum lugar a minha esquerda. *Bubo virginianus.*

Como vou poder olhar nos olhos de Eloise se tiver de matar o seu marido?

O musgo sob minhas botas cresce em tufos esponjosos que se erguem sem dificuldade depois que levanto os pés. *Bryum argenteum.*

Talvez a lógica funcione. Melkin pode escutar o que eu tenho a dizer. Entender que a única maneira de resgatar a esposa é pegar em armas contra seu líder.

Ou talvez não me escute.

Preciso aceitar a ideia de que posso ter de matá-lo ou deixá-lo para trás nas Terras Ermas para que Rachel e eu possamos chegar a Baalboden antes dele.

Avançando silenciosamente por entre alguns pinheiros que cobrem esparsamente o terreno, eu sinto o corpo esbarrar contra uma folha larga e brilhante que adorna uma árvore cuja copa larga bloqueia minha linha de visão por alguns momentos. *Magnolia grandiflora.*

O piado grave da coruja subitamente desaparece quando eu dou a volta ao redor da árvore e quase trombo com um homem que está de pé do outro lado. O fato de ele estar de costas para mim acaba salvando minha vida.

Ele ouve meus passos e se vira com a arma em punho. Eu caio de joelhos, puxo a adaga que está em minha bota e golpeio para cima quando o movimento dele faz com que seu abdômen se choque contra minha lâmina.

Antes que ele tenha qualquer chance de fazer mais do que soltar um suspiro, eu ergo o corpo com um movimento rápido, agarro-lhe a cabeça com as duas mãos e a torço para o lado com força. O pescoço dele estala e o corpo fica flácido, perdendo o equilíbrio. Eu o coloco no chão da floresta, fazendo o mínimo de barulho que consigo.

Mas não consigo ser tão discreto quanto quero. Se houver outras pessoas por perto, é certo que ouviram alguma coisa. Mesmo que não tenham ouvido, a súbita falta de piados ou outros sons dos animais noturnos a nossa volta cria um alarme tão ensurdecedor quanto se o homem que derrubei houvesse chamado o resto de seu batalhão.

E é realmente um batalhão. Consigo identificar os contornos da escama de dragão polida que adorna o bolso frontal de seu uniforme. É um soldado de Rowansmark.

A situação é pior do que eu pensava. E não somente para mim, mas para Melkin e Rachel também. Serem caçados por rastreadores de Rowansmark já é algo muito ruim. Serem caçados por um batalhão inteiro de Rowansmark faz com que nossas chances sejam muito menores, e eu fico abalado só de tentar planejar algo que facilite nossa fuga. Seja lá o que haja no pacote, James Rowan não vai deixar que nada o impeça de recuperá-lo.

Tiro minha adaga do corpo do soldado, limpo a lâmina em sua calça e coloco-a de volta na bainha. Nenhum salteador seria idiota o bastante para tentar atacar um dos sentinelas noturnos que vigiam um acampamento militar. Acabei de anunciar minha presença para todo o batalhão.

Melhor das Hipóteses: posso conseguir uma boa dianteira, apagando meus rastros e usando as árvores, ganhando terreno antes que o corpo do homem seja descoberto na hora da mudança da guarda.

Pior das Hipóteses: vou atrair a atenção de todo o exército de Rowansmark sobre nós antes que tenha a oportunidade de lidar com Melkin ou com o rastreador.

Abaixo-me e meço o tamanho do pé do guarda morto. Um pouco maior do que o meu, mas isso não chega a ser um problema. Arrancar as botas dele faz com que um vulcão de agonia entre em erupção dentro do meu peito, mas não tenho tempo para tomar o remédio contra a dor agora. Vários minutos se passam enquanto troco as botas dele pelas minhas e limpo o chão ao redor dele para que ninguém veja o que acabei de fazer.

Preciso de todo o meu esforço e concentração para me afastar sem mancar e denunciar minha presença a qualquer rastreador que faça parte daquele batalhão, por mais incompetente que seja. Ando um pouco pela área, apagando meus rastros, até encontrar o que procuro: os limites do acampamento militar.

Agora minhas pegadas não vão se destacar entre as outras. Se eu tiver sorte, ninguém vai pensar em procurar por mim naquele lugar que fica tão próximo do coração do batalhão. E, se chegarem a fazer isso, tudo o que encontrarão serão as pegadas curiosas de um homem de Rowansmark que se ergueu até ficar na ponta dos pés por um momento, no meio da floresta.

Vai doer muito. Pego um graveto do chão e coloco-o entre os dentes para que eu possa mordê-lo quando a dor tomar conta de mim, sem fazer barulho. Em seguida, olho para o galho baixo que está a menos de meio metro de mim. Respiro fundo, tomo impulso e salto.

CAPÍTULO 52

RACHEL

— Vamos levar isso de volta a Baalboden.

Melkin não se moveu do lugar onde se sentou diante do fogo, embora Quinn e Willow tenham se afastado há algum tempo para trançar galhos, trepadeiras e musgo para criar uma espécie de cama onde poderão dormir durante a noite. Quanto a mim, estou sentada diante da tocha acesa, examinando os símbolos da varinha e tentando entender o que eles significam.

— Sim. Vamos levar.

Mesmo assim, não estou disposta a entregar ao Comandante, de livre e espontânea vontade, uma arma capaz de destruir tudo o que existe em nosso mundo.

— Eu tenho que entregar a varinha ao Comandante. Sozinho. Tenho que fazer isso, Rachel. Por Eloise. — A voz de Melkin está carregada pelo desespero e pela tristeza, mas, onde antigamente eu conseguia sentir compaixão, agora não sinto mais nada.

— Não. — Eu coloco o aparelho dentro do pano e começo a embrulhá-lo cuidadosamente outra vez.

— Por Eloise.

— Nem mesmo a vida de Eloise é suficientemente importante para entregarmos ao Comandante o poder de destruir qualquer pessoa que se atreva a enfrentá-lo.

Ele solta um xingamento e se arrasta em minha direção. Aperto o aparelho contra o peito e tiro a faca da bainha.

— E o que me diz de Logan? O que você vai fazer para resgatá-lo? Ele é tudo que lhe resta!

Ouço a acusação que transborda naquelas palavras. Ele achava que éramos iguais. Dispostos a fazer qualquer coisa, independentemente de ser possível ou impossível, se isso nos poupasse das perdas. O Comandante também pensou que éramos iguais.

Os dois estão enganados.

— Eloise e Logan serão mortos. Exceto se conseguirmos destruir o Comandante.

— Não. — Ele balança a cabeça negativamente, com a fúria tomando conta de seu olhar.

Eu vejo sua fúria e a duplico.

— Sim! Tire a cabeça de debaixo da terra, Melkin. Você trabalha para um monstro traiçoeiro que nunca cumpre o que promete. Nunca! Assim que ele tiver o que quer de você, ele vai matá-lo. Provavelmente vai matar Eloise diante dos seus olhos, também; apenas porque ele tem o poder de fazer isso. Depois, o que você terá feito da sua vida? Nada, além de entregar o poder de governar o mundo ao pior homem que existe nele.

— Pare com isso! — ele grita para mim, com respingos de saliva voando pela boca e a mão segurando o cabo da faca, como se precisasse encontrar um alvo.

— Não vou parar. Não até que ele esteja morto. E agora eu tenho como garantir que isso aconteça. — Enfio a varinha envolvida pelo pano no bolso interno do manto. — Ou você concorda em seguir o meu plano, ou sai do meu caminho. Sua escolha não faz diferença para mim.

Ele enfia a faca no chão a seus pés, e olha para mim com um desprezo que, até pouco tempo atrás, faria minha pele formigar. Agora, a opinião de Melkin a meu respeito é algo que tem tão pouca importância quanto seu desejo tolo de sacrificar o resto do mundo em troca de mais um momento com sua esposa, cujos dias já estão contados.

Meu pai não morreu em vão. Vou me certificar disso.

Que Deus tenha piedade de Melkin se ele tentar me impedir.

CAPÍTULO 53

LOGAN

Salto de uma árvore para outra tão silenciosamente quanto consigo. Sem pressa. Agarrando-me aos galhos e mordendo o graveto com força enquanto uso meus joelhos para amortecer a parte final de cada salto.

Eu tinha razão. A dor é infernal. Cada salto pressiona e fere ainda mais minhas costelas. A cada vez que salto para outra árvore me agito o bastante para acender o desejo de poder me deitar, enrodilhado ao redor de mim mesmo, engolir uma quantidade suficiente do remédio para abrandar a dor e dormir por várias horas.

Mas não me atrevo a parar. A qualquer momento alguém vai encontrar o guarda morto e dar o alarme. Eu provavelmente devia ter arrastado o corpo até o meio das árvores, devia tê-lo escondido, e depois voltado pelo mesmo caminho por onde vim para apagar meus rastros, mas a dor e a fraqueza em meu peito acabariam me fazendo perder tempo demais. É melhor fugir o mais rápido possível.

Estou a cerca de sessenta metros do acampamento quando ouço alguém gritar. Eles o encontraram. E não posso saltar de uma árvore para outra sem fazer barulho enquanto o exército de Rowansmark vasculha a floresta a minha procura. Avaliando rapidamente as árvores em volta, escolho um plátano prateado alto com uma copa bastante frondosa, mas sem galhos que estejam muito perto do chão, e dou os três saltos necessários para chegar até ele.

A dor afeta meus pensamentos e entorpece meus instintos enquanto subo até as partes mais altas da árvore. Após chegar quase ao topo, encontro o que preciso e me acomodo em um berço seguro formado pelos galhos. Dois deles são grossos o suficiente para suportar meu peso caso eu precise saltar, e os outros dois dão acesso a outras árvores. Estou em uma altura suficientemente elevada para que ninguém que esteja no chão possa olhar para cima e me ver por entre toda aquela folhagem.

É minha melhor opção no momento.

Trazendo minha mochila silenciosamente para perto de mim, busco o pacote com o pó medicinal — do qual já consumi praticamente metade — e um dispositivo de camuflagem feito em Rowansmark que comprei dos salteadores que vendiam coisas do lado de fora da Muralha de Baalboden.

Uma pitada do pó medicinal ajuda a afastar a pior parte da dor, e eu prendo o dispositivo de camuflagem, que tem o tamanho de um pequeno disco oval, à parte da frente de minha túnica. Quando aperto o botão que liga o aparelho, ele vibra uma vez. Espero que o sistema de bloqueio que ele contém seja forte o bastante para resistir ao poderio tecnológico do exército de Rowansmark.

CAPÍTULO 54

RACHEL

Melkin e eu não conversamos desde que exigi que ele escolhesse um curso de ação. Decidi entender seu silêncio como aceitação, embora realmente eu não me importe com a alternativa que ele escolheu. Quanto a mim, já resolvi o que vou fazer. Se ele quer entregar este aparelho ao Comandante, terá de passar por cima de meu cadáver.

Quinn e Willow estão dormindo em árvores nas proximidades. Imagino que, pela manhã, eles retornarão para o lugar onde vivem. Isso também não tem importância para mim.

Tudo o que importa é o fato de que finalmente tenho uma maneira de forçar o Comandante a pagar por tudo o que fez. A fúria dentro de mim exulta, triunfante, quando penso no que isso significa.

Deixando que Melkin faça o primeiro turno de guarda, eu desenrolo meu colchonete de viagem sobre a sepultura de meu pai e deito com o rosto encostado na cruz de madeira entalhada. O luar reflete na superfície da cruz, iluminando o nome de meu pai com uma beleza que deveria me causar dor. Estendo o braço e agarro a madeira com a mão nua, segurando-a com força e ignorando as farpas que perfuram minha palma.

É uma dor bem-vinda, mas não é o bastante para aliviar o peso silencioso que me esmaga por dentro. Soltando a cruz, eu viro o rosto para o outro lado, na direção oposta à de Melkin, na direção oposta a todas as pessoas, e fecho os olhos.

O vento suspira por entre as copas das árvores e sussurra sobre minha pele como uma canção de ninar, mas não consigo dormir. Em breve, conseguirei fazer valer a justiça. Uma vida por outra vida. Não será o bastante para juntar as pontas de tudo o que se desfez dentro de mim. Não será o bastante para estraçalhar o silêncio e deixar que eu sofra em paz.

Não será o bastante, mas é a única coisa que eu tenho, e preciso acreditar nisso com toda a força de meu desespero.

O vento perde a força e eu ouço um *crunch* baixo nas cinzas que estão atrás de mim. Sentindo a tensão crescer, apuro os ouvidos mais uma vez, mas não consigo escutar nada além do rugido repentino de minha pulsação que lateja dentro da cabeça.

A faca sai de dentro da bainha sem fazer barulho. Apoio o cotovelo no chão, aponto a lâmina para cima e me levanto com um salto.

Melkin está a dois metros de mim, empunhando sua faca. Seus olhos são dois poços de fúria e tristeza.

Ele quer tirar o aparelho de mim. Destruir qualquer oportunidade que ainda resta de fazer justiça. Fazer com que o sacrifício de meu pai não valha *nada*.

Ergo a arma.

— Para trás — eu rosno para ele, com uma voz que mal consigo reconhecer. Fria. Vazia.

— Você disse que ele cumpriria sua palavra se eu fizesse o que ele pediu.

A voz de Melkin também está fria e vazia.

— Eu menti.

Seu rosto se contorce, seu corpo estremece e suas pernas ficam tensas.

— Para trás. Agora — eu digo, enfatizando cada palavra, lentamente.

Ele me observa. A mão que empunha a faca treme tanto que ele não vai conseguir me apunhalar antes que eu o desarme, o amarre e o deixe aqui para que Quinn e Willow decidam o que fazer com ele. Erguendo os calcanhares do chão, eu avanço sobre o braço direito de Melkin.

O esquerdo se move, e um reflexo prateado risca a noite sob a luz do luar, fazendo com que eu me lembre de sua técnica ambidestra de combater com espadas um instante antes que ele consiga me ferir. Girando para o lado, eu me jogo no chão e rolo para a frente, colocando alguns metros entre nós.

Ele não está tentando roubar a varinha. Está tentando me matar.

Eu me agacho, empunhando a faca. Um impulso animalesco toma conta de mim, esmagando Eloise, o filho que ainda não nasceu, o tipo de garota que eu sonhava ser e cada uma das palavras cautelosas que Logan já me disse, e deixando apenas uma força sanguinária, pura e ardente, por onde passa.

Melkin agita a espada em círculos estonteantes e avança. Espero até que ele esteja quase sobre mim para mergulhar para a frente, caindo no chão, batendo em suas pernas e fazendo-o voar por cima de mim. A lâmina da espada abre um corte em mim quando ele se projeta, mas não consigo sentir dor. Ele larga a espada quando cai no chão.

Estou gritando agora. Berros selvagens e agoniados que fustigam o ar com a fúria que sinto. Pelo canto do olho eu vejo Quinn e Willow, que se aproximam correndo, mas não tenho tempo para eles. Girando o corpo, eu salto sobre Melkin enquanto ele ainda está tentando pegar a espada. Ele me vê e ataca com a faca. A lâmina atinge meu manto e abre um corte, mas isso não me detém.

Não consigo parar.

Pisando em seu pulso com a bota, eu faço força até lhe esmigalhar os ossos. Ele grita e solta a faca.

Bato com os dois joelhos em seu diafragma e sinto o ar lhe escapar dos pulmões.

Ele ergue o braço esquerdo e me dá um soco no rosto, e eu caio de costas sobre uma pilha de cinzas. Ele já está de pé. Já está avançando sobre mim. Não consigo ver suas armas. Não sei que mão ele vai usar. E não tenho tempo para me levantar.

Ele está no ar, com suas pernas longas pendendo para baixo e o rosto transformado em uma máscara de intenções assassinas.

Quebrei-lhe o punho direito. A arma deve estar na mão esquerda. Rolo para a direita quando ele toca o chão a meu lado, com o braço esquerdo já avançando. Girando minha lâmina, eu me levanto do chão com um salto e enfio a faca com força em seu peito.

Ele para de se mover, lentamente perdendo as forças e caindo sobre as cinzas que estão a meu lado. Ele ergue a mão esquerda, que está vazia, até a faca.

Não está empunhando a espada. Examino a área e a vejo reluzindo a alguns metros de nós. Sua faca está logo ao lado.

— Eu queria pegar a varinha. — Seus olhos fitam os meus como uma criança que tenta entender o que fez de errado. — Só isso.

— Você estava tentando me matar!

Ele estava. Eu sei disso. Eu tinha de saber. Eu não causei um ferimento fatal em um homem desarmado que não queria fazer nada além de roubar algo de mim.

O sangue de Melkin escorre pelo cabo da faca, grosso e quente, encharcando minhas mãos.

— Você tentou me matar. — Minha voz treme.

— Desarmar. Pegar a varinha. — Ele tosse, um som úmido e horrível que me cobre com respingos de sangue.

— Não. Não. — Eu puxo a faca quando ele tomba no chão. — Não.

Minhas mãos não conseguem estancar o sangramento, mas eu tento. Pressionando seu ferimento, tento entender o que ele fez. Entender o que eu fiz. O que nós fizemos.

O que eu fiz.

Ele ergue a mão. Os dedos longos são iluminados pela luz branca do luar.

— Eloise?

Não consigo olhar para ele. Não consigo. Mas já menti para ele antes, e posso mentir outra vez.

— Sim.

— Não posso salvar você. — Sua voz não é nada além de um sussurro que tenta suplantar o sangue que lhe preenche a garganta.

— Você acabou de me salvar. — Eu mal consigo falar, sufocada pela culpa que me estrangula. Eu *matei* Melkin. Um homem desesperado. Alguém que estava sendo usado pelo Comandante, que não queria nada além de salvar a esposa que tanto amava.

Ele não fala mais nada, e eu cubro seu ferimento com minhas mãos ensanguentadas até que o peito de Melkin pare de se mover.

CAPÍTULO 55

LOGAN

Ouço o batalhão de Rowansmark antes de avistá-los. Não é preciso ser discreto quando se tem uma vantagem numérica. Eles surgem aos montes por entre as árvores, carregando espadas e tochas. Eu rapidamente fecho os olhos antes que a luz do fogo prejudique minha visão noturna. Posso acompanhar seus movimentos apenas com os ouvidos.

Fica imediatamente óbvio que eles não estão tentando encontrar rastros. Estão caçando. Tentando encurralar sua presa. Caminhando com menos de cinco metros de distância entre um soldado e outro, batendo na vegetação rasteira com as espadas e observando as árvores por onde passam com suas tochas.

Vou ficar bem. Estou num ponto suficientemente alto para que a luz das tochas não me alcance. Acomodo-me sobre os galhos e espero enquanto eles se espalham pelas Terras Ermas abaixo de mim, chamando uns aos outros, brandindo suas espadas e fazendo barulho suficiente para anunciar sua presença a qualquer pessoa que esteja num raio de duzentos metros de nós.

Não demora muito e eles desaparecem. Espero até não conseguir mais ouvi-los entre os arbustos, até que seus gritos se mesclam ao silêncio, e espero que os ruídos normais da noite nas Terras Ermas voltem a encher o ambiente.

Mas eles não voltam.

O que significa que não estou tão sozinho quanto alguém espera que eu imagine.

É um plano engenhoso. Usar caçadores óbvios e barulhentos e esperar que, quando sua presa escapar deles, vai se sentir confortável e acabar denunciando sua presença. É a mesma tática que eu usaria no lugar deles.

Encostando-me lentamente contra a árvore, eu fico absolutamente imóvel, ignorando a dor na lateral do corpo que exige que eu me vire para tentar encontrar uma posição mais confortável.

Leva quase uma hora, mas eu finalmente o ouço. Um sussurro débil, um som fraco que quase poderia ser confundido com a brisa. Quase. Mas os pássaros ainda estão em silêncio, e a floresta parece estar prendendo a respiração.

Não tento procurar por ele. Se estiver avançando por entre os galhos das árvores, vou sentir quando ele chegar até esta onde estou. Mas, se eu me mover até uma posição em que posso ter uma visibilidade melhor, ele vai perceber o movimento. Mesmo que não consiga me avistar, certamente vai ouvir o ruído.

Em vez disso, eu espero. Não volto a ouvi-lo. Após algum tempo, os pássaros cantam, piam e gorjeiam. Ouço também a movimentação noturna dos guaxinins no chão da floresta.

Ele se foi.

Mas agora o rastreador e um batalhão inteiro de homens de Rowansmark estão entre o refúgio e o lugar onde estou.

A única opção que tenho é me mover com extrema cautela e tentar criar um plano conforme viajo. Não vou conseguir vencer um batalhão inteiro sozinho. Preciso ter a esperança de que posso enganá-los ou levar a melhor sobre eles de outra maneira.

CAPÍTULO 56

RACHEL

Fico sentada ao lado do corpo de Melkin até que a alvorada começa a tingir o céu. Quinn está ao meu lado enquanto Willow fica de guarda, escondida em algum lugar entre as árvores.

Não pedi a ele que ficasse sentado comigo. Mas, de alguma forma, tê-lo aqui, uma presença silenciosa que não julga minhas ações, faz com que os estilhaços dentro de mim comecem a se acomodar. Não falei nada desde as últimas palavras que troquei com Melkin, mas, conforme a escuridão nossa volta se desfaz, ergo os olhos e encaro Quinn.

— Eu o matei.

Ele confirma com um movimento de cabeça.

— Achei que ele iria me matar primeiro. Ele me atacou. Ele estava com as armas em punho. Eu tinha certeza de que ele iria me matar.

Eu *tinha* certeza, mas agora não tenho mais. Agora estou pensando no que aconteceu e lembrando que saltei com a faca em punho, pronta para entrar em combate, enquanto a de Melkin ainda estava apontada para o chão. Saltei contra ele, apontando-lhe a faca, bem antes que ele erguesse a espada.

Ele estava tentando me desarmar e se defender. E eu o matei.

Levanto-me com dificuldade e corro até o lugar onde as árvores se erguem. Caio de joelhos e vomito.

Eu o matei.

Meu estômago está vazio, mas os espasmos e as ânsias de vômito não param.

Eu o *matei.*

Estou tremendo. Meus dentes batem violentamente uns contra os outros, quando os braços fortes de Quinn envolvem o meu corpo por trás e ele me abraça contra seu peito quente.

— Você pensou que estava se defendendo.

Foi isso que pensei, realmente. Mas não serve para me confortar agora, e não vai servir para confortar Eloise.

— Aconteceu rápido demais. Você tomou a melhor decisão que podia com as informações que tinha?

Giro o corpo para encará-lo. Seus olhos escuros e cálidos estão fixos nos meus; seus cabelos negros e lisos brilham sob o sol da manhã.

— Não quero o seu perdão.

— Não estou lhe oferecendo o meu perdão. Assuma a culpa que lhe pertence, mas nada além disso. Estou pedindo a você que encare a sua culpa de frente e a aceite.

Mas não posso encará-la. É impossível. Se eu o fizer, se eu deixar que isso me afete da maneira que mereço, todo o resto vai sair do controle também. Oliver. Meu pai. Melkin. Logan, jogado na masmorra à mercê dos caprichos do Comandante. Tudo isso forma um imenso abismo de perda, destruição, tristeza e luto, e, se eu me permitir sentir tudo isso, nunca vou conseguir proteger o aparelho e usá-lo para exercer a justiça.

Não preciso nem mesmo pedir ao silêncio para tirar a culpa de mim. Ela já desapareceu. Sumiu no vazio antes que eu tomasse deliberadamente a decisão de afastá-la para longe; apenas me deixou ali, entorpecida.

Empurro Quinn para me afastar e ele não oferece resistência. E por que deveria? Não tenho qualquer importância para ele. Sou apenas uma garota despedaçada que perdeu o pai e que acabou de matar um homem. E estou prestes a matar outro.

Juntando meus pertences, eu os guardo na mochila e, ao me virar, percebo que Quinn e Willow já guardaram suas coisas também, e aguardam ao lado do corpo de Melkin.

Não posso abandoná-lo e deixar que os animais da floresta o devorem. Deixando a mochila ao lado da sepultura de meu pai, uso a faca para começar a cavar uma nova cova, a alguns metros de distância. Logo, Quinn e Willow se ajoelham a meu lado e me ajudam a cavar.

— Deixem que eu cuido disso. — Não quero a ajuda deles. Preciso fazer isso por Melkin. Sozinha. Um pequeno ato para demonstrar meu arrependimento diante de uma vida inteira que vou sofrer com a culpa pelo crime que cometi.

— Podemos ajudar. Você vai terminar o trabalho muito mais rápido — diz Willow, mas Quinn toca-lhe o braço e eles se afastam.

Levo quase uma hora para terminar. Uso a faca para abrir o buraco e depois retiro a terra com as próprias mãos, deixando que a poeira da cova se misture com as manchas de sangue de Melkin sobre minha pele. Em seguida, nós três o erguemos e o colocamos na sepultura cuidadosamente. Quando Willow pega o bastão de caminhada de Melkin para colocá-lo sobre seu peito, estendo a mão para pegá-lo.

No primeiro dia de nossa viagem pelas Terras Ermas, o Maldito incinerou tudo o que Melkin tinha, com exceção de suas armas. Sua espada é grande e pesada demais para que eu a leve pelas Terras Ermas, mas eu posso levar o bastão de volta. Uma lembrança das coisas que sou capaz de fazer. Um pequeno conforto para a esposa que ele deixou para trás.

Juntos, nós colocamos a terra novamente no lugar até que tudo o que resta é uma pequena elevação no terreno. Quinn está ao meu lado, uma presença sólida e tranquilizadora que eu me recuso a aceitar. Willow está à nossa frente, examinando as árvores que nos cercam, com o arco em punho. Eu deveria dizer alguma coisa. Uma eulogia. Um adeus. Mas Melkin merece ser homenageado por outra pessoa, não pela garota que tirou sua vida, e eu não sei definir em palavras o custo do que fiz.

Viro-me para o outro lado. Tenho uma missão a cumprir. Quando terminar, vou procurar pelo perdão. Quando terminar, vou tentar encontrar o conforto que me resta.

Recuso-me a limpar a sujeira das mãos. Pegando a mochila, coloco-a sobre as costas e prendo o Cajado em sua alça para que possa levar o bastão negro de caminhada de Melkin. Quando vejo que Quinn e Willow também colocam as mochilas nas costas, eu os encaro com uma expressão séria.

— Vocês não precisam vir comigo. Posso encontrar meu caminho de volta sozinha.

— Pode mesmo? — pergunta Quinn.

— Posso encontrar o que preciso.

— Vamos com você.

— Por quê? Vocês nem me conhecem.

— Eu conheci o seu pai. — A voz de Quinn é firme, mas percebo que há um toque de dor ao redor de suas palavras. — E você tinha razão quando disse que ainda tínhamos uma dívida com ele. Gostaria de pagar essa dívida, e acho que a melhor maneira de fazer isso é acompanhá-la pelas Terras Ermas.

Há uma insistência sutil em sua voz, e estou cansada demais para discutir. Além disso, por que eu devia me importar se dois membros do Povo das Árvores vierem comigo? Isso não vai me atrasar, nem fazer com que eu mude meus planos.

— Tudo bem. Mas lembrem-se de que foram vocês dois que insistiram em vir comigo quando se derem conta de que estamos indo diretamente para o meio de uma guerra.

CAPÍTULO 57

LOGAN

Estou viajando num ritmo forte há três dias e meio. Subindo nas árvores e saltando de uma para outra. Dormindo sob os galhos recurvos de um imenso carvalho coberto de musgo. Observando os fios em meu bracelete de rastreamento ficarem cada vez mais brilhantes a cada hora que passa conforme atravesso as trilhas seguras que Rachel usaria, ganhando tempo em minha jornada.

Estou chegando perto.

Mas o batalhão de Rowansmark também está. Vi os sinais que eles deixaram. Ouvi fragmentos de conversas que chegaram até meus ouvidos por entre a floresta. Não sei se estou próximo deles, mas eles ainda estão entre Rachel, Melkin e eu.

Não vi nenhum indício da presença do rastreador, e isso me preocupa. Talvez ele tenha dado a volta e esteja atrás de mim agora. Ou deixou o batalhão para trás e encontrou o refúgio. E alcançou Melkin e Rachel.

As possibilidades são infinitas, e todas elas indicam um desastre.

Quando paro para descansar nos galhos de outro carvalho conforme o sol se ergue rumo ao meio do céu, eu avalio minha estratégia. Seguir o batalhão não está me dando uma vantagem muito grande. Preciso flanqueá-los. Passar por eles. Interceptar Rachel e Melkin antes que os soldados os encontrem.

Movendo-me com cuidado, eu abro a mochila. Minha comida está quase acabando, pois não tive chance de descer ao chão e caçar, mas ainda tenho alguns potes de frutas em conserva e um pouco de carne de carneiro seca que tirei da despensa do esconderijo de Jared. Pegando uma pequena porção de cada um, eu como rapidamente e, a contragosto, engulo um pouco do remédio para a dor.

Vou ter de andar com rapidez. Não posso me permitir sentir o efeito total de minha jornada antes que ela esteja terminada.

Depois de fechar a mochila e avaliar os ruídos a meu redor para calcular se é seguro avançar, eu me viro para o sudoeste e começo a saltar de uma árvore para outra. Após vinte minutos, todos os sons do batalhão já desapareceram, e eu estou embrenhado na floresta coberta de musgo da parte sul das Terras Ermas, cercado apenas por pássaros, insetos e um coelho ou esquilo ocasional.

Quando julgo já haver avançado o bastante para o sul de modo que o risco de voltar a rumar para o oeste sem que minha presença seja percebida pelo batalhão não seja tão grande, eu paro por um momento para descansar, aproveito para recuperar as energias com um pouco de água e carne seca e volto a pular por entre as árvores, viajando pelo caminho formado pelos galhos.

O sol já está avançando para o poente e ainda há cerca de três horas antes do anoitecer quando eu olho para o bracelete de rastreamento que estou usando, e fico paralisado. Os fios estão brilhando na potência máxima. Meu coração salta dentro do peito, e eu preciso me lembrar de respirar.

Eu a encontrei.

Em algum lugar a meu redor, num raio de trinta metros, Rachel está viajando pelas Terras Ermas. Não cheguei tarde demais. Estou ocupado observando meus arredores, tentando determinar qual é a melhor direção a seguir, quando a ouço se aproximar.

Ela está discutindo com alguém. Melkin, provavelmente. Sou tomado por uma sensação de estranheza quando sua voz passa por entre os carvalhos espessos e a vegetação rasteira. Rachel sabe que não deve andar de maneira tão descuidada e barulhenta pela floresta.

Seu descuido acaba funcionando a meu favor, e eu me preparo para descer da árvore quando Rachel e um rapaz da minha idade entram na pequena clareira logo abaixo de onde estou. Ele a acompanha de perto, com a mão próxima das costas de Rachel como se quisesse tocá-la, mas sem a certeza de que seu gesto seria bem recebido. Eu o examino rapidamente. Cerca de um metro e oitenta de altura. Músculos fortes em um corpo esguio. Pele morena, olhos e cabelos castanhos e cordões de couro que prendem sua túnica e a calça ao corpo. Pertence ao Povo das Árvores. Não sei como ele conseguiu se aproximar de Rachel, mas, ao perceber a intensidade e o interesse com os quais ele a observa, eu sinto uma vontade enorme de mandá-lo de volta para seu vilarejo.

Imediatamente.

Melkin não está com ela. É possível que tenha sucumbido a um dos inúmeros perigos das Terras Ermas, ou que tenha tentado cumprir sua missão, obrigando Rachel a matá-lo.

Observo Rachel a seguir, e o choque faz com que pequenas ondas de pânico comecem a tomar conta de mim. Sua pele clara está suja com algo que parece ser fuligem. Seu manto está rasgado e amarrotado. E as mãos... as mãos de Rachel estão cobertas de terra e sangue ressecado. Ela segura com força um longo bastão de caminhada feito de metal negro, como se o instrumento fosse desaparecer se ela o soltasse.

Mas o pior de tudo é a expressão em seu rosto. Fria. Feroz. Vazia. Como se alguém houvesse matado a Rachel que eu conheço e deixado uma casca vazia em seu lugar. Seguro-me no galho por mais um momento, tentando me ajustar a essa nova Rachel, antes de finalmente descer ao chão da floresta e mostrar o choque estampado em meu rosto.

— Precisamos descansar — diz seu companheiro.

— Então descanse. Vou continuar em frente.

— Você não comeu nada hoje. E quase não dormiu. Se continuar assim, vai acabar caindo, exausta. E se isso acontecer, qual será o propósito de toda essa marcha? — ele pergunta, mas sua voz parece ter um tom genuíno de curiosidade em vez de demonstrar preocupação ou irritação. Como se não visse problemas em permitir que ela destrua a si mesma, desde que tenha tempo suficiente para pensar e analisar a questão. De acordo com os fatos que ele acabou de apresentar, se eu estivesse no lugar dele, meu tom de voz indicaria que Rachel precisaria levar uma boa sacudida se não desse ouvidos ao bom senso e cuidasse melhor de si mesma.

Ela não responde àquele convite para uma autorreflexão. Em vez disso, passa logo abaixo da árvore onde estou, seguindo para o norte, e finge que não está escutando o que o rapaz lhe diz. Ele a segue. Deixo que ambos passem por mim. Não vou deixar que meu primeiro contato com esse rapaz do Povo das Árvores envolva uma descida desajeitada de uma árvore, tentando não machucar minha costela. Eles estão quatro árvores adiante quando agarro o galho onde estou e me preparo para um pouso dolorido.

Um movimento sutil no canto de meus olhos paralisa meu movimento, e eu fico imóvel quando um homem vestido em tons de verde e marrom, com uma adaga na mão, surge silenciosamente das sombras entre as árvores e segue Rachel e seu parceiro silenciosamente.

O rastreador de Rowansmark.

Rachel deve estar com o pacote. Ou isso é o que ele pensa. E ele vai matá-la para conseguir recuperá-lo.

Exceto pelo fato de que ele não contava com minha presença.

Ele está se aproximando de minha árvore. Mais cinco passos e ele estará aqui. Só terei uma chance para agir.

Melhor das Hipóteses: eu o mato na primeira tentativa.

Pior das Hipóteses: eu erro o ataque e nunca mais terei outra chance.

Bem, prefiro contar com a Melhor das Hipóteses, então. Avaliando rapidamente os ângulos, o impulso e o estrago que posso causar sem precisar sacar minha espada, eu espero até que ele esteja bem abaixo de mim, solto o galho e salto.

CAPÍTULO 58

LOGAN

Ele sente minha presença e se vira, mas não tem tempo de reagir. Caio sobre ele com toda a força, ponho as mãos ao redor da sua garganta e vamos os dois para o chão.

A dor explode dentro de meu peito com a queda, e eu quase o deixo escapar. Ele ergue os braços e bate as mãos contra minhas orelhas, desorientando-me. Fico estonteado, incapaz de inspirar o ar que preciso, e estou perdendo a concentração rapidamente.

Forçando meus polegares contra a traqueia do rastreador, eu me obrigo a aguentar firme. Ele se debate por baixo de mim e me acerta nas costelas com uma cotovelada. A agonia da dor me queima por dentro, e minhas mãos escorregam. Batendo em meus braços para afastar minhas mãos da sua garganta, ele me joga no chão a seu lado, puxa uma faca e se ergue sobre mim.

Não consigo respirar. Nem sequer consigo me mover. Vou morrer se não descobrir uma maneira de reverter a vantagem que ele tem. E rápido.

A mão que empunha a faca sobe e seus olhos ficam fixos nos meus. Mas, antes que eu possa reagir, uma flecha se finca no espaço estreito que há entre os seus olhos com um impacto suave. Ele estremece, perde o equilíbrio e eu me arrasto de lado enquanto ele tomba.

Alguém assobia em uma árvore perto de onde estou, uma imitação quase perfeita de um pássaro negro, mas não consigo olhar. Não vou aguentar fazer qualquer movimento. Mal consigo respirar. Pegadas leves tocam o chão da floresta e vêm na minha direção. Em poucos segundos, uma garota da mesma idade de Rachel, com a pele morena e longos cabelos castanhos presos em uma trança, se ajoelha a meu lado, com um arco negro na mão.

— Você o pegou? — pergunta Rachel, em algum lugar a minha esquerda, e agora eu entendo por que ela estava falando e agindo de maneira tão barulhenta.

Era uma armadilha. Uma armadilha que funcionou. Quero cumprimentá-la por planejar de maneira tão eficiente, mas não consigo inspirar o ar que preciso.

— Eram dois? — pergunta o rapaz.

— Este aqui pulou de uma das árvores e tentou matar o rastreador. Decidi não atirar uma flecha nele.

Sinto-me aliviado. Espero que ela saiba disso. A dor queima outra vez em meu peito. Fecho os olhos, aperto os dentes e tento afastá-la.

— Quem é ele? — pergunta o rapaz.

Uma terceira pessoa se aproxima com passos suaves, ajoelhando-se a meu lado em seguida.

— Logan?

Abro os olhos. Rachel está agachada a meu lado, com aqueles cabelos ruivos gloriosos emoldurados pelo sol, as mãos sujas de sangue sobre mim como se tivesse receio de me tocar, e os olhos azuis tão cheios de dor que eu sinto vontade de abraçá-la até conseguir afastar um pouco da tristeza que a consome. Ergo a mão e a toco no rosto. Ela está tremendo.

— Este é Logan? — A garota com o arco parece estar surpresa. — Rachel disse que você estava preso em uma masmorra.

Minha voz chia quando eu respondo.

— Eu fugi.

— Como?

— Explodi uma parede. — Meus olhos ainda estão fixos nos de Rachel.

— Que maravilha — diz a garota, sorrindo para mim. — Gostaria de aprender esse truque.

— Logan. — Rachel coloca a mão sobre o meu ombro, como se quisesse ter certeza de que eu realmente estou ali.

— Eu disse que a encontraria.

Seus dedos apertam meu ombro, e ela lentamente se abaixa até se deitar de bruços sobre meu peito. O peso de seu corpo me machuca, mas eu não reclamo. Em vez disso, abraço-a com carinho e sinto que os pedaços de minha vida, que eu imaginava haver perdido, estão voltando a se encaixar firmemente em seus devidos lugares.

CAPÍTULO 59

RACHEL

Deito sobre o peito de Logan, escutando-o respirar, e meu corpo treme como se eu houvesse sido apanhada por uma tempestade de neve usando apenas uma túnica. Ele está aqui. Vivo. Quente e firme, junto de mim. Não perdi tudo o que tinha.

E, mesmo assim, com o sangue de Melkin nas mãos, não consigo me convencer de que isso é verdade. O silêncio interior me consome. Quero me aninhar nos braços de Logan e me sentir segura. Sentir a tristeza, a raiva, e, mais importante do que tudo, a esperança que eu sei que existe em algum lugar dentro de mim, mas que não consigo alcançar. Apertando os dedos ao redor do ombro de Logan, eu tento desesperadamente me sentir *real* outra vez.

A meu lado, o corpo do rastreador começa a emitir *bips* em sequência, um som alto e estridente que faz com que Logan me empurre para longe.

— Saia daqui!

Ele mal é capaz de obedecer a suas próprias instruções. Apoiando uma mão na terra, ele geme quando tenta se levantar. Passando o bastão de caminhada de Melkin para a outra mão, eu estendo o braço para ajudá-lo. Quinn se aproxima e, juntos, nós colocamos as mãos por baixo dos braços de Logan e o arrastamos para longe do cadáver.

Os *bips* começam a soar cada vez mais rápido.

— O que está acontecendo? — eu pergunto a Logan.

— Bomba — ele diz, com a voz rouca e o rosto pálido pelo esforço quando nós o puxamos para trás das árvores. — Um gatilho anatômico ativado por um circuito fechado.

— Deixe os detalhes técnicos para depois — diz Willow, aproximando-se de mim e curvando-se para ajudar a carregar Logan.

— Quando o coração dele parou de bater, o aparelho começou uma contagem regressiva.

— Por que alguém faria...

A explosão nos derruba no chão e joga sobre nós uma chuva de poeira, gravetos e uma névoa fina que, pelo que imagino, um dia foi o rastreador de Rowansmark. Caio com uma parte do corpo sobre o peito de Logan, e rapidamente me afasto quando ele grita de dor.

— O que houve com você?

— Costela quebrada.

— Precisamos subir. Agora. — Willow já está se movendo, agarrando o galho mais próximo e saltando para cima da árvore, com o arco preso ao redor do ombro. — Se essa explosão não atrair o Maldito, certamente vai chamar a atenção de todos os salteadores num raio de cento e cinquenta metros.

— Pior. — Logan parece não conseguir nem mesmo inspirar o ar em quantidade suficiente para falar. — Um batalhão. Rowansmark. Podem ter ouvido.

Quinn se levanta com um salto e vai até o outro lado de Logan.

— Consegue subir em uma árvore se nós o ajudarmos?

Ele assente, e cada um de nós toma um dos braços de Logan, ajudando-o a se sentar. Ele cambaleia, e fica claro que o orgulho é a única coisa que o impede de gritar de dor. Ele nunca vai conseguir subir em uma árvore. Vejo o momento em que ele se dá conta disso e decide se sacrificar para que eu, Quinn e Willow possamos nos salvar.

— Vou atrasá-los. Vocês, vão em frente — diz Logan.

Quinn franze a testa e olha para mim.

— Não ligue para ele. Ele não vai bancar o mártir hoje.

— Essa decisão não cabe somente a ele? — pergunta Quinn.

— Não enquanto eu ainda estiver respirando.

Logan se desvencilha de Quinn.

— Vão.

— Absolutamente não — eu digo.

— Rachel...

— Eu adoro o seu jeito de achar que, se me mandar fazer alguma coisa, vou simplesmente baixar a cabeça e cumprir suas ordens cegamente. — Tento incutir raiva em minha voz, mas tudo o que sinto é medo. Não consigo suportar a ideia de perdê-lo.

— Ei, seus idiotas que querem discutir enquanto há um desastre vindo em nossa direção! É melhor calarem a boca e subirem em uma árvore. — A cabeça de Willow aparece por entre as folhagens de uma árvore, observando-nos com uma expressão irritada.

— Escutem. — Quinn ergue a mão, pedindo silêncio. Ficamos quietos e percebemos que não há nenhum ruído. Nenhum rugido distante que se aproxima. O Maldito deve estar aterrorizando as pessoas do outro lado do continente ou dormindo em sua toca, pois não está se aproximando.

— Tudo bem. O Maldito não está chegando. Mas o batalhão ainda pode estar vindo atrás de nós, e não vou ficar observando você morrer enquanto esses dois decidem quem está no comando. — Willow acena para Quinn, mas ele olha para Logan outra vez. E eu percebo que ele não quer deixar Logan para trás.

— Vão. Estou bem. Eu vou atrasá-los para que vocês possam fugir. Ou vou me esconder. — Logan olha ao redor, e eu só resisto ao impulso de socá-lo porque ele já está bastante machucado.

— Você vem com a gente.

— Não vou.

— Então eu vou ficar, também.

— Eu não viajei até aqui para ver você morrer. Por favor, Rachel!

Ele é tudo que me resta, e está sentado no chão como se hoje fosse o dia em que vai morrer, e como se eu tivesse simplesmente de aceitar esse fato.

— Pare com isso! — Eu bato com o bastão de caminhada de Melkin no chão. Ele afunda cerca de dois palmos sob a superfície, e a terra sob nossos pés treme violentamente.

Ficamos paralisados, e todos olham fixamente para o chão, e depois para mim.

— O que você fez? — pergunta Quinn, com o pavor tomando conta da sua voz pela primeira vez desde que o vi.

Estou balançando a cabeça negativamente.

— Não sei. Eu não... Eu estava irritada. Bati no chão com o bastão, e ele se enfiou na terra, e depois houve...

— Um pulso sônico — diz Logan. — O Maldito certamente ouviu isso.

— Ah, agora vocês conseguiram. — Willow começa a subir mais rápido na árvore. — Quinn, suba logo.

— Eu não queria fazer isso. Eu não sabia. — Eu tiro o bastão do chão enquanto um trovão suave ressoa sob nossos pés. — É o bastão de Melkin...

Melkin, que enfiou o bastão no chão enquanto eu estava ocupada gritando com ele, e, momentos depois, me salvou do Maldito. Por quê? Por que ele iria chamar o monstro e nos colocar em perigo daquela maneira? Lembro-me de que ele disse que o bastão foi um presente. Não de Baalboden. Será possível que ele não tivesse noção daquilo que o bastão é capaz de fazer?

Não tenho as respostas, e não tenho tempo para tentar descobri-las. A vibração está se transformando em um rugido distante. Temos menos de um minuto para conseguir chegar a um lugar seguro.

— Levante-o. — Eu agarro um dos braços de Logan enquanto Quinn agarra o outro. Ignorando seu gemido de dor, nós o colocamos de pé.

Ele cambaleia e Quinn coloca um braço ao redor dele para ajudá-lo a se firmar, mas, quando começamos andar até a árvore mais próxima, descobrimos que o progresso lento de Logan é a menor de nossas preocupações.

O batalhão de Rowansmark está nos cercando, um círculo compacto de soldados em formação tripla que impede qualquer possibilidade de fugir do Maldito.

CAPÍTULO 60

LOGAN

Estamos cercados pelos soldados de Rowansmark, que sacam suas espadas enquanto estabelecem um perímetro a quarenta metros de onde estamos, encurralando-nos completamente. Seremos destruídos, ao mesmo tempo em que eles podem ficar relativamente em segurança se não se moverem depois que o Maldito romper o chão e surgir diante de nós.

Vamos morrer.

Willow desce da árvore com um salto, empunha o arco até a posição de disparo e se coloca ao lado de seu irmão, como se não quisesse deixá-lo morrer sem que ela esteja presente.

Eu também não quero morrer sem Rachel. Fui um idiota por não perceber antes. Não sonhei com ela, preocupei-me com ela e forcei-me a atravessar as Terras Ermas apenas para cumprir minhas responsabilidades. Tive de ser jogado numa masmorra para perceber que preciso dela.

Tenho de encarar uma morte iminente para perceber que a amo.

Eu a amo.

Uma luz intensa me consome, expandindo-se de dentro para fora. Ela brilha pelo meu corpo até eu imaginar que não há maneira de contê-la. E não quero contê-la. Quero que ela tome conta de mim e me domine, completamente. É ilógico. É maravilhoso. É quase doloroso.

E não vou morrer sem dizer isso a ela.

Ela se aproxima de mim e eu me viro em sua direção, esperando que ela caia em meus braços e me abrace com força enquanto o fogo nos consome. Em vez disso, ela pressiona o bastão de Melkin contra minha mão e diz:

— Segure.

Ela não espera para ver se eu segui sua ordem. Está puxando um rolo de tecido preto de dentro do bolso do manto, com uma expressão feroz no rosto.

— Rachel, eu...

— Você pode nos salvar — ela diz, e tira de dentro do pano uma flauta metálica de cor cinza-escuro, com três teclas perto de sua porção central.

Ela me entrega a flauta e volta a pegar o bastão de caminhada. Cada uma das teclas é decorada com um símbolo, mas eu não sei o que eles significam. O chão começa a tremer violentamente, e os homens de Rowansmark começam a recuar. Alguns deles olham furtivamente para cima, avaliando a segurança das árvores.

— Eu não sei...

— É um aparelho para controlar o Maldito com ondas sonoras. Aperte o botão que o manda para longe.

— Não sei qual é o botão que faz isso!

O chão começa a se abrir em zigue-zague, uma rachadura que se aproxima rapidamente de onde estamos.

— É melhor descobrir logo, inventor, ou vamos morrer. — Willow passa seu braço sob o do irmão e o puxa para trás, parando a cerca de quinze metros da linha de soldados que está atrás de nós.

— Não consigo entender esses símbolos. — O pânico está começando a me dominar.

— Experimente, então — diz Rachel. — Deduza. Faça conexões. Faça o que você sabe fazer melhor. — Ela segura meu rosto e olha para mim, com a mais absoluta confiança. — Tenho fé em você.

A vinte metros de onde estamos, o chão explode e cospe a forma negra e brilhante do Maldito no ar. Suas escamas brilham sob a luz do sol, e os olhos viram em nossa direção enquanto o monstro fareja o ar, bufando pequenas nuvens de fumaça e agitando-se estrondosamente, enfurecido.

Vamos morrer. Não sei como usar essa coisa que ela me entregou. Não consigo entender os símbolos que estão nas teclas. Nem mesmo toda a fé que existe no mundo vai mudar isso. Mesmo assim, vou tentar. Mas não antes de dizer o que preciso dizer a ela.

— Amo você, Rachel.

Os olhos dela se arregalam, e, antes que Rachel possa dizer qualquer coisa, eu me viro na direção do monstro e aperto um botão, com os dedos trêmulos.

CAPÍTULO 61

LOGAN

O monstro urra e agita o corpo. Suas escamas batem umas contra as outras como se fossem mil moedas caindo sobre um piso de pedra. Em seguida ele se ergue, aponta o focinho em nossa direção e ruge outra vez. Uma bola de fogo brilhante, vermelha e alaranjada, irrompe pela boca da criatura.

Mergulhamos para o chão e minha costela quebrada explode em dor outra vez enquanto o calor intenso passa por cima de nós e coloca os soldados de Rowansmark para correr.

Botão errado.

O pânico apaga qualquer pensamento lógico que ainda resta em minha mente. Respiro fundo e sinto o aparelho tremer em minhas mãos.

A fera encolhe o corpo e enfia as garras no chão enquanto vem em nossa direção, com os olhos amarelados focados em um ponto qualquer enquanto se aproxima de suas presas. Desesperado, eu aperto o segundo botão.

Nada acontece.

— Não está funcionando. Não está funcionando!

— Tem que funcionar. — Rachel estende o braço e soca as duas primeiras teclas ao mesmo tempo. A criatura se empina sobre as patas traseiras, move a cabeça para a esquerda e lança um jato de fogo que varre a linha de soldados de Rowansmark, de um lado para outro.

As chamas incineram quase todos eles de imediato, mas alguns caem no chão, gritando em agonia. As árvores ao redor explodem em chamas, um trovão ensurdecedor de madeira seca chiando e estalando.

A esperança começa a lutar contra o pânico dentro de mim, e eu seguro o aparelho com força, apertando a segunda e a terceira teclas de baixo ao mesmo tempo. A fera se vira para a direita e cospe uma bola de fogo sobre os soldados que estão daquele lado.

O caos é total. Há homens gritando, correndo, subindo em árvores e fugindo para tentar encontrar um lugar seguro. Não há mais um perímetro de espadas a nosso redor. O que restou do batalhão está se espalhando pelo terreno, fugindo e tentando se salvar enquanto seus camaradas se desintegram em cinzas, e as árvores à nossa volta queimam com uma voracidade impressionante. O Maldito urra e retesa o corpo para atacar outra vez.

— Mande-o embora — diz Rachel, como se eu soubesse o que estou fazendo.

Aperto o primeiro e o terceiro botões ao mesmo tempo e o monstro recua, afastando-se de nós e cuspindo fogo. Não resta nenhuma mais combinação de teclas a não ser pressionar as três juntas, e tenho medo de que isso atraia a fera diretamente para onde estamos. É a única direção que resta para ele avançar.

Não tenho muito tempo até que o Maldito perceba que somos a última presa que resta na área. Minhas mãos ainda tremem com o medo que toma conta de mim, mas eu seguro o aparelho com força, até as articulações de meus dedos ficarem brancas com o esforço.

Pressionar o primeiro botão parece irritar a criatura. Pela lógica, isso indica que este som é usado para chamá-lo à superfície. O segundo botão não teve qualquer efeito observável, a menos que seja usado em conjunto com um dos outros.

Isso faz com que o terceiro seja a escolha mais razoável para forçar o monstro a voltar para seu covil no centro da Terra. Murmuro uma prece e o pressiono.

A criatura estremece e golpeia a floresta com sua enorme cauda cheia de esporões, erguendo uma quantidade enorme de galhos e cadáveres no ar, e depois desliza em direção ao túnel que criou, desaparecendo de nosso campo de visão. Continuo apertando o aparelho com toda a minha força, até que não consiga mais sentir as vibrações de seus movimentos no chão.

À nossa volta, faíscas sibilam e crepitam conforme o fogo devora os carvalhos antigos, e os poucos soldados de Rowansmark que sobreviveram gemem de dor no chão da floresta. Eles não têm muito tempo; logo as chamas ou a fumaça vão acabar definitivamente com sua agonia. O fogo está se espalhando para o oeste, embora isso possa mudar de acordo com os caprichos do vento. Temos de nos afastar deste lugar. Não somente por causa do fogo, mas porque, assim que perceberem que o Maldito se foi, os soldados restantes do batalhão de Rowansmark vão voltar até ali para cumprir as ordens que receberam.

— Me ajude a levantar.

Rachel, Quinn e Willow se aproximam. Minha cabeça está girando pela dor que sinto na lateral do corpo, e a pele queimada pelo ferro quente lateja quando o calor do fogo aumenta. Não vou conseguir me afastar nestas condições. Devolvo o aparelho para Rachel e pego o pacote com o remédio para a dor. Não resta muito, e não sei o que mais vamos ter de enfrentar entre este lugar e Baalboden. Mesmo assim, se eu não abrandar um pouco da dor agora, nunca terei a chance de descobrir. Encosto o pacote nos lábios e deixo o restante do pó cair sobre minha língua. Um momento depois, Rachel já guardou o aparelho dentro do bolso do manto outra vez, e a pior parte da dor está começando a passar. Dou mais uma olhada para o fogo que se ergue entre nós e os soldados que sobreviveram; em seguida, desaparecemos nas Terras Ermas, deixando os restos incinerados do batalhão de Rowansmark para trás.

CAPÍTULO 62

RACHEL

Viajamos o mais rápido que conseguimos, levando em conta as limitações causadas pelos ferimentos de Logan. Pouco antes de o sol se pôr nós paramos para acampar em uma cabana sólida de madeira que encontramos escondida no meio de um grupo de abetos cobertos por trepadeiras. Nuvens cinzentas como o aço trazem uma chuva forte que escorre por minha pele com dedos frios e suaves. A tempestade é uma bênção inesperada que servirá para apagar as chamas que deixamos para trás e apagar nossos rastros.

Quinn e Willow voltarão a Baalboden conosco. Quinn, porque sua honra lhe pede que pague a dívida que tem com meu pai prestando ajuda a Logan em sua árdua jornada. Willow, por sua vez, se recusa a sair de perto do irmão, e a ideia de acompanhar a tentativa de derrubar nosso líder a fascina de uma maneira que eu poderia até achar um pouco perturbadora, se tivesse energia suficiente para me importar com isso.

Mas não tenho. Quero apenas retomar a viagem para que possamos montar uma armadilha para o Comandante. Temos o aparelho. Sabemos como usá-lo. Ele não tem a menor chance.

A cabana é um esconderijo muito conveniente para nos proteger da chuva, e Logan adormece minutos depois de nos acomodarmos ali. Faço uma refeição rápida e fria, enrolo o manto ao redor do corpo e sento-me ao lado dele. Não tivemos nenhuma chance de conversar a sós desde o momento em que fugimos do fogo, mas suas palavras ganham vida dentro de mim a todo momento, com uma persistência gloriosa.

Amo você, Rachel.

Antigamente, talvez eu considerasse que essas palavras eram apenas um conto de fadas romântico e açucarado, e construiria um castelo de sonhos sobre elas. Mas agora elas são uma promessa séria forjada com o fogo e a sensação de perda por um homem que é sincero em tudo o que diz. Quero marcar aquelas palavras a ferro quente em minha pele para provar que ainda existe alguma coisa pela qual eu possa lutar.

Gostaria de ter a coragem de repetir aquelas palavras para ele, mas a sensação de estar quebrada por dentro me impede. Não sou a mesma garota por quem Logan se apaixonou. Não sou a mesma garota que ele lutou para alcançar. Sou uma versão vazia de mim mesma e não tenho direito de buscar a felicidade depois de toda a dor que causei às pessoas à minha volta. Esse pensamento me atravessa como uma faca, mas o silêncio acaba engolindo a dor antes que eu consiga realmente senti-la.

Aproximo-me ainda mais de Logan e observo seu rosto enquanto ele dorme. Hematomas arroxeados e amarelos, que já estão começando a desaparecer, florescem logo abaixo da pele do lado direito de seu rosto; cortes marcam suas mãos e braços, e uma bandagem de gaze suja envolve uma área do tamanho de um palmo em seu pescoço. Reviro a mochila dele, encontro um pequeno kit de primeiros socorros e pego as coisas de que preciso para limpar e reaplicar o curativo que está por baixo daquela bandagem.

Tiro as faixas imundas de cima de sua pele, removo a gaze e imediatamente sinto uma onda de náusea. A insígnia do Esquadrão dos Brutos está queimada na lateral do pescoço de Logan, em carne viva e infeccionada. A pele ao redor da marca já está ficando enegrecida.

Ele foi marcado a ferro. Marcado para o resto da vida, pelo homem que eu desejo destruir com todas as minhas forças. Sempre que as pessoas olharem para Logan, saberão que o Comandante já o dominou e provou ser o mais forte.

Aplico um antisséptico sobre a ferida, arrancando os pedaços de carne morta e tentando não engasgar com a imagem. Sinto vontade de torturar o Comandante antes que ele morra. Ouvi-lo gritar, implorar por perdão e saber que eu tenho o poder de negar isso a ele. É uma ideia que me preenche com uma forte sensação de poder, e meus lábios se entreabrem para mostrar os dentes em um rosnado enquanto eu gentilmente corto a pele enegrecida nas bordas da ferida.

Logan se mexe, inquieto, mas não acorda enquanto eu aplico o unguento sobre a queimadura e o cubro com uma camada limpa de gaze. Deito-me, encosto o corpo no dele e ignoro Quinn e Willow, que estão juntos em outro canto da cabana, conversando em voz baixa.

Talvez eu não seja capaz de torturar o Comandante. Talvez eu não seja capaz de forçá-lo a implorar por sua vida. Quando o Maldito for chamado, a destruição será rápida e implacável. Mas vou me certificar de que a morte do Comandante será tão horrível e tão memorável que, pelo resto da vida de Logan, sempre que as pessoas avistarem a marca em seu pescoço, não verão um homem que um dia foi esmagado por seu líder. Verão a marca de um homem que ajudou a destruir a pessoa mais poderosa de nosso mundo, e vão agir com cautela quando Logan estiver por perto.

Apegando-me ferrenhamente àquele pensamento, fecho os olhos e me permito adormecer enquanto Logan respira num ritmo constante a meu lado. Quinn e Willow ficam em silêncio do outro lado da sala, e a chuva bate suavemente contra o telhado coberto de musgo da cabana.

Quando amanhece, após um rápido café da manhã de frutas secas, eu ajudo Logan a guardar suas coisas e enfio metade da carga de sua mochila na minha enquanto ele está distraído. Ele não quer que eu saiba o tamanho da dor que está sentindo, mas eu percebo.

Ele ergue a mão, toca a gaze do novo curativo que protege seu pescoço e olha para mim.

— Esse curativo é novo.

— Eu o troquei ontem à noite, enquanto você dormia.

— A marca... é muito feia?

— Um pouco.

— Provavelmente é permanente.

— Vai lhe dar mais charme. — Meu sorriso vacila nos cantos da boca, então eu enrijeço meus lábios antes que ele perceba.

— Pelo menos isso vai desviar a atenção do meu rosto. — O sorriso dele não vacila nem um pouco.

— O que há de errado com o seu rosto? — Eu o observo cuidadosamente, procurando por ferimentos que talvez tenha deixado passar na noite de ontem, sob a luz fraca do entardecer.

— Nada. — Ele ri. — Foi só uma piada. Você sabe, as pessoas não terão que olhar para a minha cara feia porque estarão ocupadas demais, admirando a obra de arte que o Comandante deixou no meu pescoço.

Faço uma careta.

— O seu rosto está bonito como sempre foi. E, se fizermos isso do jeito certo, ninguém vai olhar para o seu pescoço sem estremecer um pouco quando pensar no líder que tombou em meio às chamas.

— Você acha que eu sou bonito? — Um sorriso hesitante começa a se formar nos lábios de Logan.

— O quê? Não sei. — De repente, estou bastante interessada no estado das botas dele. Observando-as com bastante atenção, espero ansiosamente que ele mude de assunto. Mas ele não muda.

— Foi o que você disse.

Uma onda de calor toma conta de meu rosto e eu viro de costas.

— Eu também disse que vamos acabar com o Comandante. Provavelmente essa é a parte mais importante de toda a conversa.

— Não necessariamente. Rachel, podemos conversar sobre o que aconteceu durante o ataque do Maldito?

Amo você, Rachel.

O calor em meu rosto começa a descer pelo pescoço e, quando Willow e Quinn colocam as mochilas nas costas e vêm em nossa direção, eu me sinto aliviada por sermos interrompidos. Um facho suave de luz do sol invade a cabana pela janela suja perto da porta da frente e brilha ao incidir no adorno que Willow tem na orelha. Ela já está com o arco em punho.

— Estão prontos? Ou ainda precisam de alguns minutos? — Ela olha para meu rosto enrubescido como se estivesse vendo algo engraçado.

Abaixo-me, recolho as mochilas e entrego a bolsa de Logan a ele. Seus dedos roçam nos meus, e ele diz em voz baixa:

— Vamos ter que conversar sobre isso, cedo ou tarde.

Sei que teremos de fazer isso. Mas quero mais alguns momentos para guardar aquelas três palavras preciosas comigo antes que ele veja quem é a garota em que me transformei. Sem olhar para ele, eu ajusto a mochila nas costas e sou a primeira a sair pela porta.

CAPÍTULO 63

RACHEL

Caminhamos em silêncio por entre os carvalhos cobertos de musgo. Willow e Quinn preferem viajar pelos galhos das árvores acima de nós. Percebo que Logan tenta não mancar, embora cada passo faça seu peito doer.

— Pode levar isto para mim? — Eu seguro o bastão de caminhada de Melkin perto dele. Se ele se apoiar na extremidade que não penetra no chão, talvez possa usá-la como se fosse uma bengala.

— Por quê?

— Porque quero levar isso de volta para a esposa de Melkin.

— Você está fazendo um ótimo trabalho. Pode continuar a levá-la.

Que homem teimoso. Orgulhoso.

— Mas esse bastão pertencia a Melkin. E eu não quero mais tocá-lo. — Percebo que as palavras são verdadeiras no momento em que saem por minha boca. — Não quero ficar com o bastão dele. Não quero lembrar da amargura e da tristeza em seu olhar quando ele me perguntou se o Comandante pouparia a sua esposa se ele cumprisse as ordens que recebeu.

E não quero me lembrar do fato de que a faca dele estava apontada para o chão enquanto eu o atacava.

Logan pega o bastão e vira a ponta perigosa para cima.

— Vamos falar sobre Melkin?

— Não.

— É melhor eu dizer isso de outra forma. O que eu quis dizer é o seguinte: Nós *vamos* falar sobre Melkin.

— Não, não vamos.

Damos a volta ao redor da base de um enorme carvalho, com o tronco retorcido e cheio de marcas, e entramos num bosque de pinheiros. Willow avança por cima de nós, saltando pelos galhos das árvores até não ser nada além de um lampejo distante de movimento no meio do silêncio da floresta. O ar vai ficando mais quente conforme avançamos, embora as sombras ainda guardem o frio da madrugada.

— O que aconteceu com Melkin?

— Que parte da frase "não vamos falar sobre isso" é a mais difícil de entender?

A voz de Logan é gentil.

— Como vou poder ajudá-la se você não me disser o que aconteceu?

O que aconteceu? Eu estava tomada por uma sensação de esperança. Uma esperança ardente e brilhante que se transformou em cinzas ao lado da sepultura de meu pai. Em seguida, matei meu companheiro de viagem pelo crime de querer desesperadamente salvar sua esposa. E não consigo sentir nada além de um silêncio gelado por causa de tudo isso.

Deixamos os pinheiros de aroma pungente para trás e entramos num campo coberto por capim alto, entremeado com flores do campo. Willow já está no meio daquele terreno com uma flecha pronta para ser disparada; sua cabeça vira de um lado para outro, sem parar, constantemente procurando por ameaças. O sol é uma esfera forte e brilhante sobre nós, e eu sinto o rosto enrubescer pelo calor.

— Eu sei que ele foi mandado para as Terras Ermas para matar você e voltar com o pacote para o Comandante. A mulher dele estava na cela diante da minha. Ela está grávida. Isso é motivação suficiente para forçar qualquer homem a fazer o impensável.

Não consigo suportar o calor em minha pele, e começo a soltar o manto que me cobre.

— O que aconteceu com as suas mãos?

A presilha está emperrada e eu a puxo desesperadamente. Ele se aproxima e segura meus dedos.

— Suas mãos estão manchadas de sangue. — O toque de Logan é suave.

Sinto vontade de estapear aquelas mãos e ouvi-lo me condenar. Dizer que mudou de ideia. Dizer que não me ama agora que sabe o que eu fiz.

Mas ele não sabe. Porque não lhe contei.

— Por favor — diz ele.

Respiro fundo, apego-me àquelas três belas palavras por mais um momento — *Amo você, Rachel* — e conto a verdade.

— Eu o matei. — Minha voz soa fria e vazia, ecoando pelo campo florido. A mão de Logan segura a minha com mais força.

— Por quê? — pergunta ele. Não há qualquer indício de censura em sua voz.

— Porque eu achei que ele estava me atacando.

— Então foi em legítima defesa.

— Não. — Mais adiante, uma grande quantidade de água cintila sob o sol da manhã, uma beleza tão marcante que machuca meus olhos. — Não foi.

— Rachel, ele recebeu ordens para matá-la quando você encontrasse o pacote. Foi em legítima defesa.

— Ele não ia me matar. Achei que fosse, mas não ia. Estava tentando me desarmar. Roubar o pacote e me deixar para trás. Viva. — Aquelas palavras me causam um enjoo forte. Pensei que ficaria aliviada quando colocasse tudo para fora, mas não é isso que acontece.

Logan fica em silêncio, embora seus dedos ainda estejam envolvendo os meus quando nos aproximamos da superfície de um lago que brilha como um enorme diamante. Willow se livrou de todas as suas roupas, com exceção da túnica que usa por baixo do traje, e já entrou na água. O arco e a flecha ainda estão firmes em suas mãos.

— Se você pensou que ele estava tentando lhe matar, é compreensível que tenha tentado se defender, Rachel. Eu faria o mesmo.

— Não, você não faria o que eu fiz. — Eu giro para ficar de frente para ele, repentinamente desesperada para forçá-lo a enxergar. — Você manteria o controle. Eu o conheço.

Por baixo da firmeza do olhar de Logan, a dor está à espreita.

— Assim como eu mantive o controle quando o Comandante lhe deu um tapa durante a cerimônia da Toma, não é?

— Não é a mesma coisa.

— Não consigo perceber a diferença. — Ele se aproxima de mim. — Você estava com medo. Sabia que não poderia deixar que ele pegasse o aparelho e o levasse para o Comandante. Seu instinto entrou em ação e você fez o que tinha de fazer.

Eu nego com um movimento de cabeça.

— Você conseguiria ver os sinais, e pararia antes que o pior acontecesse.

— Querida, você não consegue interpretar os sinais das pessoas desde que Oliver morreu.

Minha voz é um sussurro rouco.

— E o meu pai, também.

Estamos quase na beira do lago. Logan para de andar e me encara.

— O que houve com o seu pai?

As palavras não vêm. Talvez não existam. Me esforço para sentir. Deixar que me cortem para que eu possa chorar. Para que eu seja capaz de compartilhar o luto com a única pessoa que vai entender a enormidade de minha perda.

— Por favor, não. — A voz dele está baixa. Carregada de dor. Seus dedos se fecham ao redor dos meus e os forçam a se abrir, e eu percebo que estou apertando o punho com tanta força que minhas unhas quebradas entalharam quatro luas crescentes e vermelhas na palma da mão. Meu sangue se mistura com o de Melkin e eu não consigo desviar o olhar.

— Ele está morto, não é? Jared está morto.

Eu olho para Logan.

— Eu lamento muito. — Ele me puxa para si, e eu me apoio em seu ombro.

— Por que você não está chorando? — Ele se afasta e toca meu rosto com as duas mãos. A dor está visível em sua expressão.

— Não posso.

— Por que não? — Ele está acariciando minhas bochechas com os polegares, como se pudesse transferir sua tristeza viva e ardente para dentro de minha pele, fragmentando o silêncio gelado que existe dentro de mim em algo que ele seja capaz de compreender.

Não posso permitir que isso aconteça. Se eu deixar que as emoções e o luto tomem conta de mim, como vou conseguir me afastar disso tudo a tempo de cumprir as promessas que fiz?

— Porque não restará nada de mim se eu chorar. — Olho para minhas mãos, sangrando e manchadas de sangue. A terra da sepultura do meu pai misturada com a da cova de Melkin. — E porque eu não mereço isso. Mereço sangrar.

Ergo as mãos para que ele veja.

— É isso que eu mereço. Fui eu quem causou tudo isso. Mereço ficar marcada.

— Não. — Ele segura minhas mãos. — Não diga isso.

É inútil discutir. Eu sei o que me tornei por dentro. Se ele não for capaz de enxergar isso agora, não vai demorar muito até que consiga.

Não protesto enquanto ele tira meu manto e insiste que eu tire o resto das roupas, até ficar somente com a túnica que uso por baixo das outras peças. Ele tira toda a sua roupa, com exceção da calça; e eu gemo ao avistar os hematomas negros e roxos que se espalham como flores apodrecidas pelo seu peito. Em seguida, ele tira a pequena bolsa de couro com a terra da sepultura de meu pai de meu pescoço, coloca-a sobre as outras peças e me leva até o lago.

Não quero deixar que ele lave minhas mãos, mas ele as puxa para dentro da água e cuidadosamente remove o sangue, a sujeira e a evidência de tudo o que aconteceu.

O vermelho já está entranhado em minha pele. Já penetrou em minhas veias e se tornou parte do que resta de mim. Ele pode esfregar o quanto quiser, mas nunca vai conseguir apagar isso.

— Ontem, quando o Maldito saiu de debaixo da terra, eu disse que a amava.

— Não estou pronta para falar sobre isso.

— Ah.

Ele parece magoado. Não quero magoá-lo. Simplesmente não sei como me livrar do silêncio que está me consumindo e encontrar qualquer coisa que se pareça com esperança.

Ele limpa a garganta.

— Eu não queria... bem, acho que eu pensei que...

— Está tudo bem. — Pelo canto do olho, eu vejo Quinn saltar do alto de uma rocha e mergulhar, caindo na água quase sem fazer barulho ou levantar respingos.

— Não, não está *nada* bem.

Aperto os olhos para evitar os reflexos de luz que dançam sobre a superfície da água.

Ele parece estar machucado.

— Imaginei que você poderia ao menos estar um pouco mais receptiva.

Não consigo olhar para ele.

— Eu estaria. Eu *estava*. Antes.

— Antes? Antes do quê?

Viro o rosto na direção dele com um movimento abrupto.

— Antes de tudo! Antes de ver Oliver ser assassinado bem na minha frente. Antes que eu soubesse que meu pai estava... morto. Antes de Melkin. Antes que eu me tornasse *isto*. — Aponto para mim mesma, imaginando como ele é capaz de pensar que lavar o sangue de minhas mãos vai fazer com que toda essa situação pareça menos real.

Ele se aproxima. Seus olhos brilham com uma convicção feroz.

— Você ainda é a mesma Rachel, bonita, teimosa, forte e fascinante. A mesma que era antes de tudo isso acontecer.

A risada que sai pelos meus lábios parece quase um soluço, e eu fecho a boca com força.

— Escute-me. Sei que tudo isso é horrível para você. Estou vendo que é. Mas afastar-se de algo bom por causa de tudo de ruim que lhe aconteceu é injusto. É injusto para nós dois. — O rosto dele parece escurecer, e seus olhos se afastam dos meus. — A menos que você não sinta o mesmo e que esta seja a sua maneira de tentar me afastar sem me magoar, o que significa que estou agindo como um idiota.

Ele solta minhas mãos, deslizando os dedos molhados por seus cabelos loiros, e não olha para mim.

— Estou agindo como um idiota, não é mesmo?

— Não.

— Sim, é isso que aconteceu. — Ele se afasta. — O que é que existe em você que faz com que seja tão difícil pensar de maneira racional? Deixe para lá. Esqueça o que eu perguntei. Você está certa. Está tudo bem.

Mágoa e constrangimento estão estampados no rosto de Logan, e eu percebo que quem está agindo como idiota sou eu. Ele está me oferecendo a única coisa bonita que ainda posso dizer que é minha. Tenho de valorizar esse sentimento se quiser encontrar uma maneira de voltar a ser a garota que eu era. E não é justo que eu negue a verdade para Logan apenas por me preocupar que isso não tem o mesmo significado, já que vem de uma pessoa que está totalmente destruída por dentro como eu estou.

— Não, não está. Não está nada bem, de jeito nenhum — eu digo.

— Podemos interromper esta conversa agora mesmo.

— Não quero que isso aconteça.

O riso de Logan demonstra seu cansaço.

— Bem, pelo menos um de nós não quer. Pelo menos eu entendo, agora, como você se sentia há dois anos.

— Posso me sentir assim de novo. — As palavras saem antes que eu consiga prendê-las. Não sei como farei isso. O amor é uma dor cortante que se recusa a se acomodar no silêncio. Fico aliviada por poder me apegar a algo real, mas não sei o que fazer para que ele perceba isso.

Ele para de se afastar e olha para mim.

— Sentir-se como, de novo?

Tenho vontade de dizer algo carinhoso e sincero como "com vontade de lhe dar o meu coração". Algo que possa acabar com o medo que ele sente, e que nos dê um momento perfeito no meio de tudo o que está acontecendo.

Em vez disso, eu vou na direção dele e tropeço em uma pedra que está no fundo do lago, perdendo o equilíbrio. Caio sobre ele, batendo em seu peito e fazendo com que nós dois afundemos.

A água está fria na superfície e turva no fundo do lago, onde nossos pés espalham montes de areia e pedras. Ele me agarra, com as mãos ao redor de meus braços enquanto afundamos. Meus cabelos flutuam e o cercam, e ele olha para mim enquanto, acima de nós, o sol atravessa a superfície com fachos dourados.

Talvez isso seja melhor do que as palavras. Talvez isso seja tudo de que eu preciso para mostrar a Logan que ele não me ofereceu seu coração em vão.

Ele me solta, e eu tento abraçá-lo. Entrelaçando meus dedos por entre os dele, sinto algo suave que aquece um pouco o silêncio dentro de mim quando as pernas de Logan enlaçam as minhas, e não consigo saber onde um de nós termina e o outro começa.

Mas isso não é suficiente. O desejo que sinto cresce dentro de meu peito, espalha-se pelos meus braços e dói nas pontas de meus dedos. Preciso de mais. Preciso desaparecer no que somos, os dois juntos.

Preciso *dele*.

Puxo-o contra mim quando começamos a flutuar de volta à superfície e ele sorri.

Emergimos juntos, e o ar parece estar vivo de uma maneira que não estava antes. Ele alisa meus cabelos para afastá-los dos olhos e eu, sem qualquer paciência, tiro as mãos dele de mim para poder alcançá-lo.

— Me beije — eu digo, e não tenho tempo para enrubescer com a audácia daquelas palavras antes que ele entrelace os dedos nos cabelos que cobrem minha nuca e me puxe contra seu corpo.

Nossos narizes se chocam e o riso dele parece não ter fôlego suficiente.

— Desculpe.

— Não se desculpe. Ande logo com isso e me beije.

Ele aperta o abraço ao redor de meu corpo e encosta os lábios nos meus. O beijo é tenso, tem gosto de água do lago e... e é a melhor coisa que já senti. Aperto meu corpo contra o dele, consumindo-o como se nunca fosse conseguir ter o bastante... quando nos separamos, minha pulsação ribomba em meus ouvidos, e o peito de Logan arfa como se ele estivesse correndo.

— Já terminaram? — Willow chama de algum lugar atrás de onde estou. Ouço quando Quinn a manda ficar quieta, mas não me importo.

Porque Logan está olhando para mim como se eu fosse preciosa para ele. E o silêncio que existe em mim parece rachar, mesmo que apenas um pouco. Apenas o bastante para deixar que uma pequena porção de esperança flutue e chegue à superfície. Eu me agarro a esse sentimento com dedos desesperados.

Ele toca minhas costas na altura da cintura com uma das mãos, e usa a outra para seguir o contorno do nó celta no colar que me deu no dia da cerimônia da Toma.

— Eu prometi que sempre iria encontrá-la, lembra?

— Lembro, sim.

— Prometi que sempre iria protegê-la. Você foi ferida profundamente porque eu não consegui cumprir essa promessa.

Eu balanço a cabeça para negar essa afirmação, e as lágrimas começam a rolar, escaldando minha face com seu calor.

— Mas não vou falhar com você assim, Rachel. Não importa o que aconteceu. Não importa o que você fez. Não importa o que você fará. Eu sempre amarei você. Eu juro.

A mão de Logan se fecha sobre o pingente, e ele aproxima o rosto para capturar meu olhar com o seu.

— Eu sempre amarei você.

Seus braços se flexionam, puxando-me para junto de si, e sinto os lábios dele pairando logo acima dos meus. Nossos hálitos se mesclam em meio ao sol da manhã.

— Amo você — ele sussurra e me beija novamente, seus lábios ásperos contra os meus, a respiração entrecortada enquanto devora meu medo e acende o desejo de me sentir assim para sempre.

CAPÍTULO 64

LOGAN

Não forçamos tanto a marcha no retorno a Baalboden. Digo a Rachel que estamos fazendo isso para dar tempo de minha costela quebrada sarar, e acho que ela acredita em mim. Mas, na realidade, tudo o que quero é poder passar mais tempo em sua companhia. Ter tempo para me deitar a seu lado à noite e abraçá-la enquanto observo a rotação das estrelas. Tempo para caminhar a seu lado durante o dia e tentar puxar conversa para que ela consiga expor aquilo que a machucou tanto, e para que esses ferimentos possam começar a se curar.

Sinto uma vontade irrefreável de ouvi-la dizer que me ama, mas forçá-la a traduzir seus sentimentos em palavras faz com que ela se feche ainda mais no silêncio no qual encontra conforto para se refugiar. Digo a mim mesmo que é importante ser paciente e compreensivo, mas, por dentro, há um vazio que apenas aquelas palavras são capazes de preencher. E dói muito ter de ignorar esse fato.

Estou agitado. Querendo algo que ela insiste em manter longe de mim. Ter Quinn e Willow viajando conosco não ajuda muito. Por mais que eu seja grato pela ajuda que eles nos dão, ter outras pessoas por perto acaba inibindo significativamente as coisas que eu gostaria de compartilhar com Rachel. Assim, ao final de mais um dia de jornada, quando Willow anuncia que quer carne para o jantar e que vai sair para caçar, eu encaro Quinn, olhando-o nos olhos, e digo:

— Seria melhor você ir com ela.

— Logan. — Rachel coloca a mão em meu braço.

— Não preciso de ajuda para caçar um coelho — diz Willow.

— Mas pode haver salteadores à espreita. Ou outros rastreadores de Rowansmark. Cautela nunca é demais. — Volto a olhar para Quinn. — É melhor você *ir*.

Todos olham para mim fixamente por alguns momentos. Willow quebra o silêncio e diz:

— Por que você não diz "Ei, quero ficar sozinho com Rachel para poder enchê-la de beijos, como aconteceu no lago" de uma vez?

— Willow! — Quinn a olha com uma expressão séria.

— Não foi isso que ele quis dizer! — diz Rachel, recusando-se a olhar para mim.

Willow ri.

— É claro que foi. Ele está louco para colocar as mãos em você sem que haja outras por perto para servir de plateia.

— Não foi *isso* que ele quis dizer — repete Rachel, enquanto seu rosto fica corado.

— Na verdade, o que eu quis dizer é... — eu começo a falar, mas Willow me interrompe.

— O que foi? É verdade. Ele olha para você como se quisesse cobri-la de açúcar e devorá-la aos poucos.

— Willow Runningbrook, já chega. — Os olhos de Quinn brilham, e eu percebo um toque de algo selvagem por baixo de seu exterior tranquilo. Essa impressão desaparece assim que eu a vejo, submersa sob a calma com a qual ele se recobre, como se fosse uma segunda pele.

Willow ergue as mãos.

— Aparentemente, a sinceridade é um crime neste grupo. Olhe só. — Ela aponta para Rachel. — Você só sabe falar "Vingança é tudo que eu quero! Vou deixar para entender o que quero da minha vida amorosa depois!". E ele... — Willow agora aponta para mim — ... tem medo de que a vingança acabe por destruir Rachel, antes que ele tenha a oportunidade de tocá-la de verdade.

— Não, não é assim.

Dou um passo à frente.

— Willow até que tem razão.

— Willow precisa aprender a expressar apenas as observações que as pessoas quiserem que ela compartilhe. — Quinn também dá um passo à frente.

Willow dá de ombros e apoia o arco sobre o ombro.

— Fiquei cansada de ficar pisando em ovos quando tudo é tão óbvio. — Ela pisca o olho para mim. — De quanto tempo você precisa para enchê-la de beijos?

— Ele não vai me...

— Uma hora, pelo menos — eu digo, puxando Rachel para mim e beijando-a antes que ela possa dizer mais alguma coisa.

Não ouço Willow sair ou Quinn segui-la. Não consigo ouvir nada além das batidas fortes de meu coração e o gemido suave de Rachel quando pressiono as mãos em suas costas e a puxo contra mim, como se não conseguisse suportar a ideia de que há qualquer espaço entre nós, por menor que seja.

— Logan. — A voz de Rachel está tão trêmula quanto a mão que toca meu peito, e eu não consigo suportar aquilo. Não consigo suportar ouvi-la me dizer para parar. Para me afastar. Não consigo suportar a ideia de me separar de Rachel quando ela é tudo o que eu tenho.

— Não — eu digo, e ela inclina a cabeça para trás, olhando-me com mais atenção. — Não saia de perto de mim.

— Quem disse que eu vou sair de perto de você? — O sorriso continua a iluminar seu rosto.

Mas, quando ela se aproxima para me beijar outra vez, sou quem recua. Subitamente, o simples fato de estar com ela não é o suficiente. Com certeza não é.

— Logan?

Fecho os olhos e procuro a coragem de pedir a ela que me dê as palavras que eu preciso ouvir.

Seus lábios tocam os meus, doces e hesitantes, e eu abro os olhos. Tudo o que vejo é ela. Tudo o que sinto quando inspiro o ar. Seu corpo se molda ao meu como se ela houvesse sido feita para mim, e eu quero que ela sinta o mesmo. Quero que reconheça isso.

Que tenha alguma esperança em meio a tanta tristeza e desespero.

— Rachel, eu preciso... — As palavras não vêm. Não sei como vou dizer que preciso de tudo que ela é, que ela pense que isso seja mais do que ela pode dar. Espero que isso não seja mais do que ela possa me dar.

— Do que você precisa? — O rosto dela está iluminado sob os fachos dourados do sol poente.

De repente, as palavras estão ali, brotando e se encaixando como se eu sempre soubesse qual é a melhor maneira de me aproximar dela.

— Preciso saber do que você precisa. O que você quer. Não do aparelho nem do Comandante, mas de mim.

O corpo de Rachel se enrijece, e os ombros se erguem como se ela quisesse se proteger de uma pancada. Mas ela precisa saber que esse é um golpe que eu nunca vou desferir.

— Por favor. — Eu mal consigo pronunciar aquelas palavras. — Por favor, Rachel. Olhe para o que existe além da sensação de perda, além da tristeza e do luto. Olhe para *mim*.

Ela fecha os olhos. Sinto-me como se houvesse sido esfaqueado por dentro, como se estivesse sangrando em um ponto que ninguém é capaz de ver. Mas, logo em seguida, ela respira fundo, relaxa e olha para mim, com os olhos se enchendo de lágrimas.

— Preciso de *você*, Logan. Apenas de você.

Seguro na túnica dela com mais força.

— Por quê?

— Porque eu ainda amo você. — A voz dela fica estrangulada por um momento. — Nunca deixei de amá-lo. Achei que isso havia acontecido. Eu quis que acontecesse. Mas, de alguma maneira... é como se uma parte importante de você vivesse dentro da parte mais importante de mim. E eu não sei como separar as duas. — As lágrimas rolam pelo rosto dela, formando caminhos reluzentes. — Eu amo você, Logan.

Uma alegria imensa explode dentro de mim, brilhante e arrebatadora. Toco o rosto de Rachel com as duas mãos e enxugo suas lágrimas.

— Amo você também, Rachel. Para sempre.

Em seguida, esforço-me ao máximo para usar bem a hora que tenho à disposição para enchê-la de beijos.

CAPÍTULO 65

RACHEL

Não consigo dormir. Meus lábios ainda estão inchados pelos beijos de Logan, e o desejo que sinto por ele quer romper minha pele frágil, transbordar, me cobrir e me provocar a esquecer tudo que ainda há pela frente.

Mas não posso deixar que isso aconteça. Por baixo do desejo, o silêncio continua a existir dentro de mim, exigindo justiça pelo que houve com meu pai. Com Oliver. Com todos nós. Willow me acusou de não querer nada além de vingança. Mas ela estava errada.

Quero a redenção.

Entretanto, não acredito que seja possível consegui-la sem que a vingança aconteça primeiro.

Depois de virar de um lado para outro várias vezes na cama macia de musgo que fiz para nós, eu desisto de tentar dormir. Tomo cuidado para não acordar Logan quando me levanto. Ele parece dormir tranquilo sob a luz pálida das estrelas. Quero deslizar meus dedos pelas linhas de seu rosto e memorizar a sensação de ter sua pele sob as pontas de meus dedos, mas não faço isso. Ele precisa descansar até que chegue a hora de cumprir seu turno de vigília para que Quinn possa dormir.

Afasto-me alguns passos e sento-me com as costas apoiadas em um carvalho grosso com o tronco iluminado pelo luar prateado. Alguns metros à minha esquerda, Willow dorme no berço que construiu sobre as árvores, com o arco em punho. Não enxergo Quinn, mas isso não tem importância.

Não me levantei para conversar. Além disso, aquela calma que ele sempre demonstra é enervante, e eu nunca sei o que dizer a ele.

Sento-me em silêncio, escutando o piado distante de uma coruja e o sussurro ocasional de uma brisa conforme ela agita as folhas acima de mim. É a primeira vez em vários dias que não há alguém falando comigo, me vigiando ou esperando que eu faça ou diga alguma coisa. Não demora muito até que meus pensamentos encham o vazio com imagens violentas. Os olhos de Oliver ficando cada vez mais distantes conforme seu sangue escorre sobre mim. A mãe de Logan deitada aos pés do Comandante com as costas em carne viva após ser chicoteada, sua vida se esvaindo diante do filho pequeno até que não reste mais nada. Meu pai arriscando tudo para impedir que o Comandante consiga uma nova arma para destruir qualquer um que se oponha a ele, sacrificando a vida para salvar Quinn e Willow e confiando em Logan e em mim para terminar sua missão.

— Quer companhia? — pergunta Quinn, em voz baixa. Não sei há quanto tempo ele está diante de mim, em pé.

Estou com um "não" pronto na ponta da língua, mas percebo que estava enganada. Eu realmente quero conversar. Mesmo que seja com Quinn. Qualquer coisa que possa me salvar das imagens horríveis que enchem minha cabeça.

— Claro — eu digo, e ele se senta de frente para mim, apoiando as costas em outra árvore e cruzando as pernas longas sob o corpo. Seus olhos examinam cuidadosamente a área antes de me encarar.

— Eu odeio quando as pessoas me perguntam como eu estou — diz ele, como se aquela frase usada de maneira tão trivial para iniciar uma conversa fizesse sentido para mim. Estranhamente, percebo que faz sentido. Porque a última coisa que eu quero que me perguntem nesta noite é como estou.

— Eu não ia lhe perguntar isso.

Ele sorri, um lampejo de dentes brancos contra a pele escura.

— Vou retribuir o favor.

Ficamos sentados em silêncio por algum tempo. Em seguida, ele diz:

— Você é muito parecida com o seu pai, sabia?

As palavras ferem e curam ao mesmo tempo, e eu não sei como responder.

— Ele sempre parecia estar muito seguro de si, não é? — pergunta ele.

— Porque ele sempre sabia o que devia fazer.

Quinn sorri outra vez, mas eu juro que consigo ver um toque de tristeza em seu rosto.

— Ninguém sabe o que fazer o tempo todo, Rachel. Todos nós fazemos apenas o melhor que podemos com aquilo que temos. Às vezes dá certo. Outras vezes, arruinamos tudo.

Ele desvia o olhar e a brisa agita seus cabelos negros.

Eu digo as palavras antes que consiga pensar no que estou fazendo.

— O que você fez para estragar tudo?

— É complicado dizer.

Conheço essa sensação. Estou prestes a terminar essa conversa com a justificativa de precisar dormir mais um pouco, mas Quinn respira fundo e olha para mim.

— Eu também matei um homem. Pensei que tinha que fazer isso. Ainda não sei se eu estava certo, mas Willow e eu fomos expulsos do nosso vilarejo por causa disso. — A voz dele é baixa e firme, mas a tristeza envolve aquelas palavras. Ele fica em silêncio por alguns momentos e depois prossegue. — O que está feito está feito. Tive que aprender a viver com o que restou.

O choque me deixa sem palavras por um instante. Inclino-me para a frente para observar seu rosto, procurando pela mentira. Indícios de que ele está dizendo o que acha que eu preciso ouvir, apenas para ganhar minha confiança. A única coisa que consigo encontrar em sua expressão é uma verdade nua e crua. Sinto-me como se fosse uma intrusa.

— Desculpe. Não tive a intenção de bisbilhotar a sua vida.

Ele também se inclina para a frente e começa a traçar desenhos na terra que está a seus pés.

— Você não está bisbilhotando. Você perguntou porque conhece a sensação de achar que estragou tudo. Você espera que, se a minha história tiver um final feliz, a sua também poderá ter.

Mexo o corpo contra o tronco da árvore, sentindo-me desconfortável. Não tenho certeza se realmente quero saber, mas preciso perguntar.

— A sua história tem um final feliz?

O dedo que faz os desenhos na terra fica imóvel enquanto ele ergue a cabeça lentamente para olhar para mim.

— Não sei. Ainda não cheguei ao final.

— Ah. Acho que pensei que... bem, você parece bastante tranquilo. Parece se sentir muito confortável consigo mesmo e com as outras pessoas. Achei que você, talvez...

— ... tivesse respostas? Talvez eu tenha. — Ele dá de ombros. — Mas são respostas que eu tive que achar sozinho. Não acho que elas servirão para outras pessoas.

Talvez eu devesse me sentir constrangida, sentada no meio da floresta, diante de um rapaz que eu mal conheço e conversando sobre as coisas que nos assombram. Mesmo assim, sinto uma leve sensação de conforto. Diante de mim está uma pessoa que entende. Que sabe o que é ter as mãos manchadas de sangue e não saber se a culpa que sente deve pesar apenas sobre seus ombros. E ele não parece estar despedaçado por dentro. Quinn encontrou um pouco de paz, consigo mesmo e com as outras pessoas.

Isso me traz a esperança de que, algum dia, depois de acabar com o Comandante, eu consiga finalmente quebrar o silêncio que existe dentro de mim, chorar pelas pessoas que perdi e encontrar uma maneira de perdoar a mim mesma pelo que causei. Algum dia talvez eu consiga encontrar minha própria paz.

Ele volta a se recostar no tronco da árvore e nós ficamos juntos, num silêncio amistoso, enquanto os galhos das árvores rangem e estalam ao sabor do vento e as estrelas cruzam lentamente a vasta escuridão do céu sobre nós.

CAPÍTULO 66

LOGAN

— De maneira nenhuma. — A voz severa de Quinn não permite qualquer argumentação.

— Mas eles podem precisar de nós. — Willow se levanta e cruza os braços diante do peito, encarando seu irmão por cima da fogueira no último acampamento que erguemos antes de chegarmos a Baalboden.

Aquela discussão não me interessa nem um pouco. Não me importa se eles virão conosco ou se continuarão a viajar sozinhos. Estou ocupado demais com a elaboração do plano que vamos executar amanhã, procurando por pontos falhos.

— Você não quer ir a Baalboden porque eles podem precisar de você — diz Quinn. — Você quer ir até lá apenas para ver se eles são realmente capazes de derrubar o líder da cidade.

— Definitivamente, isso seria interessante.

— E é exatamente por isso que estou dizendo que não vamos com eles.

Ela revira os olhos.

— Você não é mais tão divertido quanto era antigamente, sabia?

Ele fica paralisado por um momento e uma sombra passa rapidamente pelos seus olhos. É a segunda vez que eu percebo algum indício de que aquilo que se passa por baixo da superfície nem sempre corresponde à tranquilidade que ele demonstra por fora. E isso não terá qualquer importância se ele decidir continuar a viajar sem nós.

Mas, se ele ficar em Baalboden depois que o Comandante for derrotado, terei que ficar de olho nele.

Willow lentamente relaxa os braços e diz:

— Não foi isso que eu quis dizer.

— Eu sei. — Ele se vira e começa a recolher os materiais de que precisa para montar uma cama nas árvores para ela.

— Quinn... — Ela corre até onde ele está e coloca os braços ao redor dos ombros do irmão.

— Acha que eu não sei que você está pagando o preço pelas minhas ações? — pergunta ele em voz baixa, e a dor em sua voz parece atingir Willow com força. — Todos os dias da minha vida eu carrego o peso por fazer com que você seja uma pária, assim como eu.

Definitivamente, há mais coisas acontecendo abaixo da superfície do que ele está disposto a nos revelar. Pergunto-me o que poderia ter acontecido para que os dois fossem castigados dessa maneira.

Os lábios de Willow tremem e ela fica de frente para Quinn, falando em voz baixa. Decido parar de especular sobre o tipo de crime que faria com que um vilarejo do Povo das Árvores expulsasse dois de seus membros e começo a repassar algumas das Piores Hipóteses para o dia de amanhã. Depois de alguns momentos, Willow desaparece por entre os galhos de uma árvore e Quinn retorna, com uma expressão séria no rosto.

— Não vamos acompanhá-los além deste ponto. Nossa dívida com Jared foi paga. — Os olhos dele buscam os de Rachel. — Cuidem-se.

Coloco um braço ao redor dos ombros de Rachel e puxo-a para perto de mim.

— Vamos nos cuidar.

— Para onde vocês vão? — pergunta Rachel.

Ele dá de ombros.

— Encontraremos outro vilarejo do Povo das Árvores que nos aceite. Em algum lugar bem distante do nosso primeiro lar.

— Mas o vilarejo mais próximo do Povo das Árvores fica a duas semanas de viagem para o leste — diz ela, e olha para mim. — Eles poderiam morar em Baalboden, não é? Depois que o Comandante estiver morto?

Eu não percebi que Rachel desenvolveu um apreço por Quinn e Willow, e gostaria que ela pudesse se desapegar deles com mais facilidade. Eu poderia mentir e dizer que não poderemos garantir que haverá estabilidade em Baalboden até conseguirmos reestruturar o governo, mas a verdade é que não gosto do interesse que vejo nos olhos de Quinn quando ele olha para Rachel.

Não posso dizer isso a ela, mas olho para Quinn e faço questão de que a expressão em meu rosto não combine com as palavras que digo:

— É claro que podem. Mas não sei se eles acharão confortável viver no chão.

Quinn sorri.

— Vamos passar alguns dias aqui, acampados. Veremos o que acontece em Baalboden. Podemos decidir o que fazer ao final da semana. — Os olhos dele ainda estão fixos em Rachel.

Ela sorri.

— Ótimo. Quando o Comandante estiver morto, nós vamos encontrar um lugar para você e para Willow. Há muitas árvores em Baalboden.

Meu sorriso fica nitidamente forçado quando eu digo:

— Obrigado por ajudarem Rachel e a mim. Não vou me esquecer disso. — Eu me levanto e aperto a mão que Quinn estende. Seus olhos passam rapidamente por mim e depois voltam a se concentrar em Rachel. Ele faz um sinal afirmativo com a cabeça e sai da clareira para assumir o primeiro turno de guarda da noite.

Eu coloco mais lenha no fogo e sento-me ao lado de Rachel para repassar nosso plano pela última vez. Mal comecei a descrever as possíveis complicações quando ela me interrompe.

— Você não é alto o bastante para se passar por Melkin.

É o mesmo argumento que ela vem repetindo há várias horas.

— Sou alto o suficiente. Além disso, Melkin era o único que sabia o sinal que deveria enviar.

— Ele não era o único. A esposa dele também sabia. E ela estava ao seu lado na masmorra. Não acha que o Comandante pode estar esperando que você apareça desse jeito?

Ela não deixa de ter razão, mas, como a única outra solução é deixar que ela enfrente o Comandante diretamente, eu continuo a discutir.

— Não interessa o que ele espera. O que ele quer é isto aqui — eu digo, apontando para o aparelho que está sobre um pedaço de tecido entre nós. — Ele quer demais esse aparelho, para conseguir se manter longe dele. Quando perceber que sou eu, ele verá que estou com o aparelho e vai começar a negociar.

O riso de Rachel é amargo.

— Ele não negocia, Logan. Ele executa.

— É por isso que sou eu quem vai assumir os riscos. Só por precaução.

— Sou capaz de cuidar disso.

É claro que é. Mas *eu* não conseguirei aguentar a situação se tudo der errado, e terei de assistir enquanto ela morre.

— Preciso que você chame o Maldito para mim. Preciso que você fique escondida e use o bastão de Melkin para chamar o Maldito antes que o Comandante tire o aparelho de mim.

— Ah, isso é perfeito. Fazemos um plano para nos vingar do Comandante e tudo o que eu tenho que fazer é enfiar um bastão no chão? Não. Prometi a Oliver e ao meu pai que eu o mataria. Não vou abrir mão disso.

— E eu prometi que sempre a protegeria. Por isso...

— Então use o bastão de Melkin para chamar o Maldito antes que...

— Não!

— Eu tenho que matá-lo. Eu preciso fazer isso. É a única maneira que eu tenho de conseguir paz.

Ela está tremendo. Talvez nós dois estejamos. Minhas emoções estão tão intensas que eu quase não consigo pensar direito. Não posso permitir que Rachel se arrisque tanto, mas, se eu realmente a impedir de agir como deseja, provavelmente ela nunca vai me perdoar.

Melhor das Hipóteses: ela consegue evitar as possíveis artimanhas do Comandante e lembra a combinação de teclas que controla o Maldito, de modo que possa usar o monstro contra ele sem morrer no processo.

Pior das Hipóteses: Todo o resto.

A menos que...

— Não acho que o Comandante saiba qual é o formato do aparelho.

— Por que você diz isso?

— Melkin fazia ideia do que estava procurando?

Ela franze as sobrancelhas e balança a cabeça negativamente.

— Acho que não.

— Posso garantir que, se o Comandante tivesse a oportunidade de ver essa coisa em primeira mão, ele já haveria tomado posse dela e a pessoa que a mostrou estaria morta.

— Tem razão.

— Assim, na melhor das hipóteses, ele tem apenas uma ideia geral da aparência e formato do aparelho.

O sorriso de Rachel parece um rosnado.

— Então, faça uma duplicata.

— E você pode ficar com o aparelho verdadeiro enquanto estiver escondida. Vou ficar com o bastão de Melkin para que o meu disfarce pareça mais autêntico.

— E, quando o Maldito vier, eu vou matar o Comandante.

— Sim. — Eu puxo Rachel para meus braços para que não precise ver a fúria insana em seu rosto e espero que, dando-lhe o que ela quer tão desesperadamente, não tenha destruído ainda mais a garota que amo.

Tiramos a corda do arco de Rachel e usamos a madeira leve e negra para fazer uma cópia do aparelho. Ainda tenho alguns fios de cobre escondidos entre os bolsos e as costuras de meu manto. Alguns minutos depois, consigo criar uma imitação passável do aparelho de Rowansmark.

Repassamos as minúcias do plano outras três vezes, até que Rachel se recusa a discuti-lo outra vez. Não a pressiono. Puxando-a para junto de mim, aninho-me em seus braços e escuto sua respiração enquanto a escuridão esconde o aparelho, a fúria terrível em seus olhos e a evidência de que esta pode ser a nossa última noite juntos.

A respiração de Rachel fica mais lenta, uma cadência constante que me reconforta. Toco sua orelha com os lábios e sussurro promessas pelas quais estou disposto a morrer para poder cumprir.

CAPÍTULO 67

RACHEL

O amanhecer é uma mancha tênue e suave no horizonte quando chegamos ao enorme carvalho que marca o limite entre o lado leste do perímetro de Baalboden e as Terras Ermas. Logan anda com as costas encurvadas sob o manto, com o capuz erguido sobre a cabeça para lhe cobrir a maior parte do rosto. A imitação do aparelho de Rowansmark está em uma de suas mãos e o bastão de Melkin na outra.

Fico para bem para trás do perímetro, entre as árvores, com o aparelho verdadeiro guardado no bolso de meu manto e uma expressão triunfante de fúria que aquece meu corpo por dentro.

Repassamos o plano, a lista de tudo que Logan imagina que pode dar errado, e nós dois estamos tão preparados quanto podemos. Podemos morrer. Pode ser que tudo exploda debaixo de nossos narizes, e podemos fracassar. Mas não importa. O que importa é que estamos aqui. Estamos nos levantando contra ele. Comprometidos em trazer a justiça a esta terra, não importa o custo.

Logan olha para mim. Seus olhos azuis estão iluminados com algo que eu agora reconheço ser somente meu.

— Está pronta?

— Estou.

A tocha é enfiada no coração da árvore, bem abaixo dos galhos altos. Ele bate na tocha com as pederneiras e o fogo se acende imediatamente, lançando sombras sobre seu rosto enquanto ele espera.

Volto a me mesclar com a floresta, longe o suficiente para que não possa ser vista por alguém que decida se aproximar de Logan, mas perto o bastante para que ainda possa ver e ouvir o que está acontecendo, e subo em uma árvore. Leva duas horas, mas nós finalmente avistamos o Comandante e os oito membros do Esquadrão dos Brutos que sobreviveram avançando pelo perímetro da cidade até o carvalho.

Está fácil demais. O Comandante certamente suspeita de que há algo errado. Ele sabe que Logan escapou. Provavelmente não tinha certeza se Melkin de fato seria capaz de cumprir suas ordens contra mim. Mesmo assim, ele vem até nós como se não tivesse qualquer outra preocupação no mundo.

Os pelos de minha nuca se eriçam, e, alguns segundos depois, um destacamento de guardas sai do meio das árvores e converge para o lugar onde Logan está.

Eis aí a razão pela qual o Comandante levou duas horas para aparecer. Ele precisava de tempo para que seus soldados saíssem pelo portão, entrassem nas Terras Ermas e dessem a volta até onde estamos. É uma armadilha, mas sabíamos que seria assim. O Comandante nunca teve a intenção de deixar viva a pessoa que trouxesse o pacote de volta. Mesmo assim, nunca imaginamos que haveria tantos soldados. Logan pensava que o Comandante traria apenas o Esquadrão dos Brutos para acabar com a pessoa insignificante que lhe traria o pacote.

Logan se vira, dá uma rápida olhada nos guardas que se aproximam por trás dele e segura o bastão com mais força.

De acordo com nosso plano, Logan recuaria para as árvores durante a confusão causada pela chegada do Maldito, mas agora há guardas demais atrás dele. Não há para onde fugir. Ele não vai poder chamar o Maldito e sobreviver, a menos que suba no carvalho onde enfiou a tocha e comece a saltar de uma árvore para outra. Em nossos planos, isso seria um dos últimos recursos, pois há muitas maneiras de tudo terminar em um desastre. No momento em que ele tiver de concentrar sua atenção em subir pelo tronco da árvore e desviar da tocha acesa, o Comandante pode matá-lo. Qualquer um dos guardas poderá matá-lo. Não, ele vai precisar encontrar uma maneira de escapar. Encontrar um jeito de usar o aparelho para conseguir uma vantagem. Talvez ele admita que está com uma imitação e obrigue o Comandante a deixá-lo vivo, porque ele sabe onde o aparelho real está escondido.

Todas essas ideias são frágeis demais para que se tornem um plano. Não vão funcionar. Nenhuma delas vai funcionar. Não consigo pensar em uma saída, mas Logan certamente conseguirá. Ele sempre consegue. Estico o pescoço para vê-lo por trás das três fileiras de guardas uniformizados entre nós.

O Comandante continua andando, mas fica a alguns metros de distância. Logan está olhando para o chão, mas eu percebo o momento em que ele tem a ideia. Ele endireita os ombros. Ergue a cabeça. Tira o capuz e olha nos olhos do Comandante.

Em seguida, ele bate o bastão contra o chão, com força.

A fúria que sinto pelo Comandante se transforma em temor pela vida de Logan. Ele não criou um novo plano. Ele simplesmente chamou o Maldito sem que haja qualquer chance de escapar, e vai morrer bem diante de meus olhos.

Meus dedos tremem quando eu tiro o aparelho do bolso do manto.

O Comandante ri, um som cruel que tinge o ar da manhã com malícia.

— Logan McEntire. Creio que você acha que estou surpreso por ver você em vez de Melkin.

Os primeiros dois botões juntos viram o monstro para o leste. Os dois botões de baixo viram o monstro para o oeste. Queria que minhas mãos parassem de tremer.

Logan mostra a cópia falsa do aparelho.

— Eu trouxe o que você quer. Mas isso vai lhe custar caro.

O sorriso do Comandante está cheio de ódio.

— Não, vai custar caro para *você*. — Ele manda os guardas avançarem com um gesto. Espadas brilham, uma fileira enorme de dentes prateados e afiados que se aproximam de Logan. — Você perdeu a utilidade que tinha para nós. Para toda a Baalboden. Faz dezenove anos que aguardo o retorno do meu investimento, e mal posso esperar para poder livrar a minha cidade da sua presença fétida.

Esqueço-me do aparelho por um momento enquanto absorvo as palavras do Comandante, e Logan fica pálido. O que ele quer dizer? O Comandante estava esperando por isso? Quando Logan nasceu, ninguém fazia ideia de que, algum dia, ele estaria nesta posição. Um tremor faz a terra balançar. Não consigo pensar nas palavras do Comandante agora. Tenho problemas maiores.

Minhas mãos estão úmidas ao redor do aparelho. O primeiro e o terceiro botões atraem o monstro para o norte. Os três juntos o mandam para o sul.

O chão treme. Um rugido distante se aproxima. Os guardas param de avançar e olham ao redor, com o medo estampado em seus rostos.

— Você vai morrer. — A voz de Logan soa claramente.

O sorriso do Comandante repuxa a cicatriz e se transforma em uma máscara predatória. Ele avança contra Logan, arranca a réplica de suas mãos e recua. Os guardas aproveitam para recuar também, com as espadas empunhadas como se pudessem se proteger do que está chegando, mas ainda há muitos deles entre Logan e a segurança.

O solo se racha. Os guardas correm. O Comandante ri. E Logan se vira para subir no carvalho quando o Maldito irrompe pelo chão, as escamas negras retinindo umas contra as outras em uma harmonia ensurdecedora, a bocarra já cuspindo jatos alaranjados de fogo.

Torrões de terra, raízes e galhos voam pelos ares, uma chuva de detritos e escombros que derruba alguns guardas no chão. Procuro pelo lugar onde o Comandante está e tento respirar em meio ao pânico que toma conta de meu peito.

Norte. Preciso mandar o monstro para o norte. Sinto um vazio tomar conta de minha mente por um segundo crucial, e a criatura ruge para o carvalho, incendiando-a por inteiro.

— Logan! — eu grito, correndo sobre o galho onde estou até o lugar onde o vi pela última vez.

Ele já está saltando para outra árvore. Os guardas que estavam atrás dele já abandonaram suas posições e estão correndo para salvar suas vidas. Logan se embrenha na floresta a toda a velocidade. Ele me avista e grita:

— Norte! Mande-o para o norte!

Meus dedos encontram a primeira e a terceira tecla antes que meu cérebro seja capaz de traduzir o pensamento. O monstro se vira na direção do Comandante enquanto ele foge rumo à parte norte da cidade. Labaredas saltam pela boca da criatura. Dois membros do Esquadrão dos Brutos são incinerados e posteriormente esmagados sob o corpo imenso do monstro conforme ele ganha velocidade. Agora não há nada entre o Maldito e o Comandante.

Uma sensação de triunfo imprudente toma conta de mim. Nós o pegamos. Não há como fugir. É impossível deter o Maldito. Logan sobe até o galho e fica a meu lado. Juntos, nós observamos aquela cena, ignorando os gritos dos guardas enquanto eles se embrenham nas Terras Ermas por trás de nós. Ignorando as chamas crepitantes que devoram aquele carvalho antigo. Observamos o desenrolar dos acontecimentos e esperamos que a justiça seja feita.

O Comandante para, empunha o aparelho falso e tenta manipular as engrenagens que Logan prendeu a sua superfície com os fios de cobre.

Solto uma gargalhada, mas engasgo quando o Comandante joga o aparelho falso no chão, abre o jaquetão do uniforme com um puxão brusco e segura uma corrente pesada de prata com o que parece ser uma grossa garra de dragão curvada diante de uma bola prateada.

O monstro para com um movimento brusco, e ele bufa.

— Não. — Eu pressiono os dois botões de baixo outra vez. O Maldito ruge, mas não avança. — Por que ele não está atacando? — Eu pressiono as duas teclas repetidamente e a fera se abaixa, encolhendo o corpo, com as escamas batendo umas contra as outras. Ele agita a cabeça e incinera o chão a sua frente com uma rajada de fogo.

Está disposto a atacar a si mesmo. Mas não vai atacar o Comandante.

— Não consigo fazer isso funcionar!

— Há alguma coisa naquele medalhão que impede que o monstro ataque — diz Logan.

O Maldito estremece quando eu aperto mais teclas, tentando forçá-lo a superar qualquer resistência em relação ao Comandante e destruí-lo com o fogo. O corpo gigantesco estremece, com fortes espasmos agitando-o da cabeça à ponta da cauda, mas se recusa a atacar.

— Aquele colar o protege. Onde ele o conseguiu? — resmunga Logan em voz baixa, enumerando opções, tentando estabelecer conexões.

— Quem se importa com o lugar onde ele encontrou o colar? Vamos até lá arrancar aquilo do pescoço dele.

— Ele tem esse colar há muito tempo. Nos desenhos que o mostram protegendo os primeiros sobreviventes há cinquenta anos é possível ver a corrente ao redor do seu pescoço, embora o medalhão esteja escondido debaixo do casaco. Isso foi logo depois que o seu pelotão retornou do covil do monstro. Quanto você quer apostar que os líderes de todas as cidades-estado têm medalhões iguais àquele?

— Não quero apostar nada. Quero que o Comandante sofra e morra. Nós mesmos vamos ter que matá-lo. — Já estou levando a mão até a faca, mas Logan toca em meu pulso.

— Mantenha o Maldito bem perto do Comandante, o máximo que você conseguir, para distraí-lo. — Logan tira o manto e desce do galho, caindo no chão da floresta. — Vou até lá.

— Espere!

Ele olha para mim com uma determinação fria no rosto, e os cabelos loiros tingidos de vermelho pelo fogo que arde atrás dele.

— Sei que você quer ser a pessoa que vai matá-lo. Mas, por favor, não me peça para mandá-la contra o Comandante, na presença do Maldito, armada apenas com uma faca.

Eu realmente quero ser a pessoa que vai matá-lo. Mais do que isso, porém, quero vê-lo *morto*. Minha faca não é páreo para o Comandante. Logan tem uma chance maior de conseguir.

— Eu não ia discutir.

— O que você ia fazer, então?

O fogo chia e crepita conforme o carvalho enfraquece e começa a tombar, e eu desço para o chão da floresta, ficando ao lado de Logan. Arrependo-me de todas as coisas que nunca disse a meu pai ou a Oliver. Não vou me arrepender por este momento também.

Coloco os braços ao redor do pescoço dele.

— Amo você, Logan. Para sempre.

Um sorriso feroz ilumina o rosto dele por um momento. Ele agarra a parte da frente de minha túnica, me puxa contra seu corpo e me beija.

— Também amo você. Para sempre.

Em seguida ele desaparece, e eu começo a apertar os botões com dedos frenéticos, tentando manter o Maldito perto do Comandante pelo máximo de tempo possível para dar a Logan a oportunidade de se aproximar.

CAPÍTULO 68

LOGAN

Dou a volta por entre as árvores para conseguir ficar atrás do Comandante. Ninguém vem me interceptar. Todos os guardas que estavam aqui estão fugindo para salvar suas vidas ou já morreram.

O Maldito ruge, cuspindo fogo em todas as direções, chamuscando e enegrecendo o perímetro de terra que circunda Baalboden.

O Comandante segura o medalhão diante do monstro e ri.

Desembainho a espada atrás da proteção das árvores, a menos de vinte metros do Comandante. Toda a minha fúria, dor e as pessoas que perdi se juntam em uma determinação implacável.

Ele é meu. Farei isso por Oliver. Por Jared. Por Rachel. Pela minha mãe. Pelos cidadãos de Baalboden que desejam a mudança.

Por mim mesmo.

Minha espada reflete a luz do sol quando me afasto das árvores e calculo minha aproximação. Posso avançar correndo. Enterrar minha lâmina em sua nuca antes que ele saiba que estou ali. E pegar o talismã que impede que o Maldito ataque, de modo a conter o ataque do monstro até que Rachel o mande de volta às profundezas da Terra.

Empunhando a espada, eu a ergo até a posição desejada, respiro fundo e começo a correr. Já estou na metade do caminho quando o plano inteiro vai por água abaixo.

O Maldito ergue a cabeça com um movimento abrupto e salta para o oeste.

Está indo direto para Baalboden.

O Comandante grita, deixa o talismã cair sobre o peito e corre na direção da cidade. Rachel sai de trás das árvores em disparada, o rosto coberto pelo terror enquanto ela aperta o segundo e o terceiro botões do aparelho. Os mesmos que deveriam impedir que a criatura avançasse sobre Baalboden.

O Maldito não se desvia de seu alvo.

O fogo lhe explode pela boca e atinge a Muralha. As pedras ficam enegrecidas, mas a Muralha é forte demais, mesmo para o Maldito tentar destruir. Qualquer alívio que eu sinta desaparece no instante em que a fera se ergue sobre as patas traseiras, mergulha no chão e emerge do outro lado da Muralha, criando uma tempestade de pedras, terra e chamas.

— Não!

Rachel está gritando. Correndo na direção da Muralha. Apertando a terceira tecla sem parar. A tecla que *deveria* mandar o Maldito de volta às profundezas da Terra.

Corro para me juntar a ela enquanto nuvens de fumaça negra começam a se erguer no meio da cidade. A torre de guarda mais perto de onde estamos explode em chamas e lentamente desaba no chão, espalhando uma chuva de faíscas e pedaços flamejantes de madeira.

O Comandante desvia para o norte, aparentemente pensando em dar a volta em todo o contorno da Muralha para chegar ao portão. Ele é um idiota. Quando conseguir alcançar a entrada, a cidade não será nada além de um monte de escombros.

— Não está funcionando! Me ajude! — Raquel empurra o aparelho em minhas mãos, e eu largo a espada para poder pressionar as teclas.

Estamos suficientemente próximos da Muralha para ouvir os gritos que vêm do seu interior. Não há como passar por cima da Muralha. Só conseguiremos chegar ao portão mais próximo se começarmos a correr pela circunferência da cidade como o Comandante está fazendo. Rachel não vacila. Chegamos ao buraco deixado pelo Maldito e ela salta para dentro.

Eu a sigo. Escorregamos por cerca de quinze metros sob a terra antes que o túnel volte a apontar para cima.

Ela está usando as mãos e as unhas para conseguir subir à superfície. Estou procurando apoios para os pés, logo atrás. Acima de nós, os moradores da região de East Quarter estão gritando em agonia.

Saímos pela cratera deixada pelo Maldito e meu estômago se revira quando vejo o caos. Tudo está queimando. *Tudo*. Chamas brilhantes, vermelhas e douradas, devoram as casas, cospem uma fumaça grossa e espessa contra o céu e avançam com voracidade sobre o próximo pedaço de madeira seca. Janelas explodem para fora, mandando centenas de estilhaços de vidro, reluzentes como diamantes, pelo ar da cidade. E, no meio de tudo, a forma demoníaca do Maldito se move, agitando a cauda para destruir carroças, casas e pessoas. Cuspindo paredes de fogo que incendeiam ruas inteiras. Urrando um grito gutural e rouco, tão intenso que chega a fazer o chão tremer.

As poucas pessoas que continuam em pé estão correndo de um lado para outro, em um pânico cego. Conforme o fogo salta de uma casa para outra, de uma rua para outra, cada vez mais próximo de destruir todo o East Quarter, o Maldito avança subitamente rumo a North Hub, cuspindo fogo sobre qualquer coisa que ouse se mover.

— Faça-o parar, Logan! Mande-o para longe daqui!

Eu tento. Aperto o botão e a criatura para por um momento; balança a cabeça e bate no chão com a cauda cheia de esporões, arrebentando o calçamento de pedra das ruas. Em seguida, volta a avançar para o norte, espalhando a destruição e a morte por onde passa.

Talvez o nosso aparelho não esteja funcionando direito, ou então há outra pessoa por perto com outro dispositivo capaz de emitir um sinal mais forte do que este. Mas não interessa. O resultado é o mesmo. A Muralha que devia proteger Baalboden se transformou em uma armadilha e prendeu todas as pessoas em seu interior.

— Não podemos fazê-lo parar.

Ela gira sobre os calcanhares para olhar para mim, com os olhos cheios de lágrimas.

— Nós temos que detê-lo!

— É impossível. Tudo o que podemos fazer é resgatar o máximo de pessoas que pudermos.

Ela não discute quando a levo para uma rua lateral que ainda não está em chamas. Demoramos três minutos agonizantes para encontrar o que precisamos. Durante esse tempo, o Maldito transforma North Hub em um inferno flamejante. Oro silenciosamente para que os cidadãos que moram lá tenham ouvido os gritos de seus vizinhos e fugido de casa enquanto ainda podiam.

O quarto quintal que eu examino tem uma carroça e um cavalo amedrontado batendo os cascos dentro de um pequeno estábulo. Entrego o aparelho a Rachel e prendo o cavalo à carroça, o mais rápido que consigo. Ela fica a meu lado, olhando para a carroça e tremendo, mas, quando eu estendo a mão para que ela suba e se sente a meu lado, Rachel não hesita.

Saímos pelo beco e viramos para o norte. O céu está coberto por uma névoa fumarenta e escura. Ruas inteiras se transformaram em paredes de fogo. Bato as rédeas contra o lombo do cavalo, e começamos a trotar rumo à destruição.

Algumas pessoas ainda cambaleiam pelas ruas, e nós paramos para trazê-las para a parte de trás da carroça. A maior parte do East Quarter está em ruínas, com exceção do quartel do Comandante, que não foi tocado pelo fogo. Calculo que há menos de cinco minutos até que as chamas avancem até lá e comecem a destruí-lo. E isso significa que Eloise e os outros prisioneiros sofrerão uma morte horrível se eu não conseguir descobrir uma maneira de libertá-los a tempo.

Um homem passa por nós a galope em um jumento de aparência robusta. Eu o reconheço como um dos companheiros de Drake que ficava no Thom's Tankard.

— Ei, você! — eu grito, e ele se vira para mim.

— Logan? Logan McEntire?

— Os prisioneiros na masmorra. Eles não vão conseguir escapar sem ajuda. Você poderia...

Ele vira o jumento na direção do quartel sem esperar para ouvir o resto da minha frase.

— Deve haver um buraco na parede da última cela! — eu grito enquanto ele se afasta.

As ruas da parte norte estão praticamente intransitáveis. Assim, viro a carroça e vamos para o sul. O chão treme quando o Maldito muda sua trajetória para o sudoeste e grita outra vez, golpeando as casas e prédios com a cauda. As ruas diante de nós estão abarrotadas por carroças, pessoas montadas em jumentos ou cavalos, e também por famílias inteiras correndo a pé para fugir pelo portão da cidade. Atrás de nós, uma muralha de um calor insuportável anuncia as chamas que correm em nossa direção.

Nós fracassamos. Toda essa destruição ocorreu por nossa culpa. Pensamos que iríamos destruir o líder que tanto os atormentou, mas, em vez disso, trouxemos a destruição diretamente sobre toda a cidade. Rachel está sentada a meu lado, com o dedo pressionando o terceiro botão continuamente. Suas lágrimas já desapareceram. Em seu lugar há uma palidez e uma expressão de choque que eu vi pela primeira vez quando fui buscá-la na loja da Madame Illiard após o assassinato de Oliver.

Avançamos lentamente pelas ruas, cercados por pessoas que choram e gritam, e pelo estrondo trovejante de Baalboden, que sucumbe ao fogo atrás de nós. O Maldito é uma mancha negra ao longe — retorcendo-se, atacando e rugindo em triunfo ao consumir a região de South Edge. A multidão fica mais densa, e é quase impossível passar por todas aquelas pessoas conforme avançamos para o oeste, e, quando chegamos ao portão, eu fico olhando sem acreditar.

O portão está fechado. Trancado. E não é possível ver os guardas. Não há nenhum deles por perto.

Abruptamente, uma menina se aproxima da carroça, correndo, agarra a tábua que está a meu lado e salta para a plataforma. Olho para ela e a reconheço; era ela que vinha me visitar na masmorra. Seu rosto está marcado com uma determinação firme quando ela olha para mim.

— Consegue nos tirar daqui?

Será que ela está louca? Há uma tonelada de aço e concreto bloqueando nosso caminho. O que eu poderia fazer para mover toda essa estrutura?

O chão sob nossos pés treme quando o Maldito arrebenta South Edge com uma explosão e invade o Mercado Baixo, cuspindo fogo.

Somos os próximos.

— Logan! — Ela estala os dedos diante de mim. — Você consegue nos tirar daqui?

Uma tonelada de aço e concreto. É impossível fazer com que todas essas pessoas passem por cima do portão. Ou por baixo dele. Teremos de passar pelo meio.

— Terei que construir uma bomba.

— Diga-me do que precisa.

— Há um galpão abandonado atrás do armorial. Há dois barris negros cheios de líquido. Preciso dos barris e de uma boa quantidade de potes de conserva, com as tampas. Pode me ajudar a conseguir tudo isso?

Ela coloca as mãos em concha ao redor da boca e assobia, uma nota estridente que arde nos ouvidos e silencia momentaneamente as pessoas que estão a nosso redor.

— Logan pode nos tirar daqui. Pai — ela chama alguém à minha direita, e eu vejo que Drake está ali, com a túnica remendada e manchada de fuligem. Vejo também que um pedaço de sua barba foi queimado e desapareceu. — Reúna um grupo para ir até o galpão abandonado atrás do armorial e trazer os barris de metal cheios de líquido que estão lá.

Ele assente. Em seguida, agarra um homem enorme que está a seu lado e os dois seguem na direção do armorial.

— O restante de vocês, revistem as casas das redondezas e me tragam todos os potes e tampas que encontrarem. Esvaziem-nos, se for preciso.

Algumas pessoas seguem imediatamente as ordens da garota, mas a maioria apenas olha para nós. A confusão está explícita em seus rostos.

— Vocês querem viver? — ela grita para eles, e mais pessoas começam a se mover. Não demora muito tempo até que uma fila de pessoas se aproxima e coloca potes e tampas de todos os tamanhos na traseira da carroça.

North Hub e East Quarter não são mais nada além de nuvens espessas de fumaça negra. South Edge é um inferno de chamas atrás de nós. Os sobreviventes daqueles três distritos se misturam aos cidadãos da parte ocidental da cidade, apinhados contra a Muralha como se fossem ovelhas prontas para o abate. Vejo Thom, com suas roupas ainda soltando fumaça, puxando um jumento pelas rédeas com Eloise sobre o lombo do animal. Ele abre caminho entre a multidão com os cotovelos para chegar até nós.

Outra explosão rasga o ar atrás de nós, acompanhada por um coro de gritos. O Maldito está vindo em na nossa direção. Estimo dez minutos até que ele chegue ao portão e destrua os cidadãos de Baalboden, transformando-os em uma reles lembrança.

Será um milagre se conseguirmos sair daqui vivos.

— Qual é o seu nome? — eu pergunto à garota.

— Nola.

— Obrigado, Nola. — É menos do que ela merece, mas é o melhor que posso lhe dar.

Restam oito minutos. Rachel ainda está pressionando o botão. Beijo-a na cabeça, entre os cabelos e digo:

— Amo você.

Ela olha para mim com os olhos cheios de lágrimas.

— Eu também amo você.

Seis minutos. O chão vibra, com tremores violentos que fazem as pessoas cair de joelhos. As chamas estão bem próximas agora. Podemos ouvir o crepitar se aproximando.

Cinco.

— Abram caminho! — Drake e três outros homens se aproximam por entre a multidão. Suas roupas estão chamuscadas. Cada par segura um barril.

Afasto-me de Rachel.

— Abra os potes — eu digo a Nola, e grito para as pessoas que estão à minha frente para saírem do caminho enquanto Drake e seus ajudantes colocam os barris na carroça.

As pessoas se afastam aos trambolhões quando minha carroça começa a avançar. Rachel solta o aparelho e vai até a traseira da carroça para ajudar Nola a abrir os potes.

Quatro minutos.

Puxando as rédeas do cavalo para fazê-lo parar a vinte metros do portão, eu olho para Nola.

— Tire aquelas pessoas da frente do portão. Mantenha-as perto o bastante para que possam sair correndo assim que ele se abrir, mas longe o suficiente para que não sejam atingidas pelos escombros da explosão.

Enquanto Nola grita ordens para os cidadãos que enchem as ruas, eu salto para a traseira da carroça e aponto para Drake e um dos outros.

— Encham tantos potes quanto puderem com o líquido que está no seu barril. Tenham cuidado, é ácido. Vai queimar a sua pele.

— É melhor do que morrer — diz Drake, ocupando-se com sua tarefa.

— Vocês dois, encham o resto dos potes com o líquido que está no seu barril. É glicerina. Tenham cuidado para não deixar que entre em contato com o ácido, ou isso vai matar a todos nós.

— O que eu posso fazer? — pergunta Rachel, ficando a meu lado. — Me dê algo para fazer.

— Aperte o botão. Continue apertando.

Ela volta para o banco do condutor da carroça e agarra o aparelho outra vez. Três minutos.

Plumas de fumaça negra se erguem do lado oeste da cidade agora, e as chamas de North Hub começam a devorar a cidade com uma velocidade assustadora. Para alguém que esteja observando do lado de fora da muralha, deve parecer que a cidade inteira está em chamas.

Dou uma olhada no progresso que os homens estão fazendo na traseira da carroça. Cada dupla já encheu e tampou nove potes até agora. As mãos de Drake estão em carne viva e cheias de bolhas, mas ele se recusa a deixar que seu parceiro mergulhe os potes no ácido para ele.

Nove é um bom número, mas não sei se será o suficiente.

— Todos que ouviram o que eu disse já se afastaram da zona de perigo. — Nola aparece ao lado da carroça. — Estoure o portão, Logan.

— Continuem enchendo — eu digo aos homens, e puxo a adaga que trago na bota para libertar o cavalo das rédeas que o prendem. Ele sai correndo assim que está livre, e eu olho para Rachel. — Venha, saia da carroça.

Ela salta para o chão e fica a meu lado. Ainda está com o aparelho na mão.

— Vamos virar a carroça e usá-la como escudo.

Dois minutos.

Grito um aviso para os homens, e eles tiram os potes cheios e os barris da traseira da carroça. Em seguida, viramos a carroça até ela ficar apoiada sobre sua própria lateral e nos agachamos atrás do veículo. Uma rápida contagem revela que temos quase vinte potes de cada líquido agora. Dezoito de ácido. Dezenove de glicerina.

Vai ter que ser o bastante.

Pegando um dos potes de ácido, eu o arremesso contra o portão. Ele explode em uma chuva de cacos de vidro e um líquido corrosivo e borbulhante ao bater contra as pedras. Abaixo-me e pego mais dois. Outros dois homens pegam potes de ácido e nós lançamos os seis contra o portão. Quando eles fazem menção de pegar mais, eu os impeço.

— Deixem esses aí. Vamos usá-los mais tarde.

Um minuto.

Pego dois potes de glicerina. Os homens fazem o mesmo.

— Abaixem-se — eu digo para Rachel e Nola. Em seguida, arremessamos os potes.

Os projéteis de vidro descrevem um arco no ar, batem contra o concreto úmido e se estilhaçam. O portão explode em uma tempestade brutal de blocos de concreto, estilhaços de vergalhões de aço e uma poeira sufocante. As pessoas gritam quando toneladas de escombros começam a cair ao nosso redor. Algumas são esmagadas, outras são derrubadas no chão. Outras ainda acabam sendo estraçalhadas pela torrente mortal.

É um mar de destroços, sangue e caos, mas agora há um buraco suficientemente grande no portão para que três carroças possam atravessá-lo lado a lado. Além das ruínas, as Terras Ermas brilham como um farol verde que indica a trilha rumo à segurança. Atrás de nós, o rugido do monstro se aproxima.

— Tirem da cidade todos que conseguirem — eu digo a Nola, Drake e aos outros. Eles correm para obedecer, e eu pego um pote de cada líquido enquanto o Maldito incinera o último grupo de casas entre seu corpo e o portão. Em seguida, ele parte para cima de nós.

CAPÍTULO 69

RACHEL

Agacho-me ao lado de Logan e pego dois potes quando o monstro se aproxima. Uma determinação ferrenha me ancora ao chão enquanto o fogo toma conta do Mercado Baixo e as pedras da rua tremem sob o peso da aproximação do Maldito.

Fomos nós que causamos tudo isso. Nós o trouxemos para cá. Temos de fazer tudo o que pudermos para destruí-lo. É a única chance que as pessoas que estão do lado de fora do portão têm de sobreviver.

— É melhor você sair com eles, também — diz Logan.

— Não seja idiota. Se vamos morrer ou viver, pelo menos vamos estar juntos.

Ele não discute.

Esperamos até que a criatura rasteje pela rua até onde estamos com movimentos espasmódicos, como se houvesse alguém controlando seus movimentos. Esperamos até que o Maldito castigue o gramado da clareira entre a torre de vigia e o portão com fogo. E esperamos até conseguir ver o amarelado leitoso de seus olhos.

Seguro os potes com força, até ficar com os dedos embranquecidos pelo esforço.

— Agora! — grita Logan.

Atiramos os potes e eles explodem contra as escamas impenetráveis do monstro. A força derruba a criatura no chão, fazendo-a cair de costas. Ela urra, levanta-se e avança sobre nós.

— De novo!

A segunda onda de explosões arrebenta um pedaço de sua cauda. Uma sensação selvagem de triunfo cresce dentro de mim.

Podemos vencê-lo.

— Ele pode morrer. Você viu aquilo? Ele pode morrer! — Pego outros dois potes e o Maldito se detém, como se algo o prendesse. Jogo os potes e o monstro grita quando eles o atingem na lateral do corpanzil, arrancando uma boa quantidade das escamas de ébano que o recobrem e revelando uma pequena área de pele cinzenta por baixo.

— Ele está vulnerável! — eu grito, suplantando o som das chamas e o rugido do monstro.

A determinação se transforma rapidamente num impulso de luta animalesco quando olho para a pele exposta da criatura. Não posso vingar Oliver. Não posso acabar com o Comandante. Mas posso destruir a criatura que tirou meu pai de mim.

Logan iria discutir. Calcular ângulos e probabilidades. Esperar um momento e planejar. Mas, se eu fizer isso, posso perder a chance. A fúria dentro de mim clama por vingança. Promete que, se eu conseguir aniquilar a causa de minha dor, poderei encontrar a paz. Agarro-me às bordas estilhaçadas e brilhantes dessa ideia e permito que o pensamento tome conta de mim, até não ser capaz de ver mais nada.

E então, quando Logan se abaixa para pegar mais potes, eu saco minha faca de sua bainha e saio em disparada, indo diretamente contra o Maldito.

— Rachel! — Logan grita meu nome, mas eu continuo correndo.

O monstro urra outra vez, um som torturado cheio de dor e fúria.

Meus pés deslizam sobre os escombros.

Ele vira a cabeça em minha direção com um movimento abrupto.

Seguro a faca com dedos firmes.

Ele ergue o nariz, cheirando o ar.

Mais nove metros. Empunho a lâmina.

A fera finca as garras no chão.

Oito metros.

— Rachel, não! — Logan grita outra vez.

Sete.

A cauda do monstro bate contra o chão.

Seis.

Ele estremece e aponta os olhos sem vida para mim.

Cinco.

Preparo-me para saltar para a frente. Ele baixa o focinho e ruge, cobrindo-me com um jato ardente de chamas.

CAPÍTULO 70

LOGAN

— Não! — Eu tropeço, bato o joelho contra o pavimento e grito. — Rachel!

Há um segundo ela estava ali, correndo na direção do Maldito, com a faca erguida acima da cabeça. No momento seguinte, não havia nada além de chamas.

Não consigo respirar. Não consigo pensar em nada. Minha mente está tomada por uma enxurrada cada vez mais forte causada por uma agonia insuportável que cresce sem parar, tentando me sufocar.

Ela está morta.

Morta.

Arrancada de mim, assim como aconteceu com Oliver e Jared. Assim como aconteceu com a minha mãe.

— Rachel! — o ar entra e sai de meus pulmões aos soluços enquanto o nome dela me estrangula. Enfio as unhas nas pedras da rua sob meus joelhos. A base sobre a qual construí o meu mundo se transforma apenas em cinzas.

Não me resta mais nada. Nada além da criatura implacável diante de mim, ainda cuspindo aquele jato de fogo que matou Rachel. Nada além da necessidade terrível de levar o monstro comigo quando eu morrer.

Ela prometeu que ficaríamos juntos. Viver ou morrer. Faríamos isso juntos.

Vou obrigá-la a cumprir sua promessa.

E vou levar o Maldito comigo.

Erguendo-me com esforço, eu encaro o monstro e ergo os potes acima da cabeça. Vou enfiá-los pela garganta da criatura e apegar-me à esperança de encontrar minha família à minha espera quando eu morrer.

O desespero não é nada além de uma determinação fria e quebradiça que me empurra para a frente. Um último plano. Um último cálculo. Um último esforço e minha vida vai finalmente ter algum valor quando eu me juntar a ela.

Saltando por cima de uma pilha de vergalhões de aço quebrados, eu me preparo para saltar direto para dentro da boca do monstro. Mas vejo algo impossível.

Rachel.

Ela está rastejando de bruços sobre a imensa muralha de fogo, com a faca apontada diretamente para o flanco desprotegido do Maldito. Está coberta de fuligem; suas roupas estão chamuscadas e rasgadas.

É a coisa mais linda que eu já vi.

O jato de fogo que explode da boca da criatura chia e se transforma em uma pequena nuvem de fumaça malcheirosa. O Maldito gira a cabeça na direção de Rachel e inala o ar.

Não vou deixar que ele a mate.

— Ei! — eu grito e corro na direção do monstro. — Aqui! Olhe para mim!

Mas ele me ignora.

Rachel para de avançar quando chega até as escamas que foram arrancadas do corpo da criatura pela explosão. Ela não vai conseguir lhe cravar a faca antes que o Maldito perceba que está ali. Não vai conseguir, a menos que eu o distraia.

Calculo as trajetórias, rezo silenciosamente para que não tenha errado ao estimar a velocidade de que preciso, e jogo os potes que estou carregando. Eles explodem alguns metros à frente do Maldito, e a força do impacto me faz voar para trás, derrubando-me sobre uma pilha de destroços.

A criatura vira a cabeça na direção do ruído da explosão e ruge um jato de fogo na direção do barulho. Rachel rasteja sobre os destroços, apoia a mão esquerda no chão para se equilibrar e ergue a faca. A lâmina brilha, refletindo a luz vermelha e dourada do fogo, e Rachel a enterra no corpo do monstro.

O Maldito cospe fogo enquanto se encolhe sobre si mesmo. Rachel está tentando arrancar a faca da carne do monstro, mas sua cauda a atinge e a joga para longe. Eu me levanto do meio dos escombros e corro na direção dela. Agarrando-a por baixo dos braços, eu a puxo para trás quando a criatura grita outra vez.

— Pegue uma espada. Outra faca. Vamos acabar logo com ele — diz ela.

Mas já é tarde demais. A fera ergue a cabeça com um movimento súbito, estremecendo como se ainda estivesse sendo controlada contra a sua vontade, e mergulha no chão; escamas e destroços caem no buraco aberto no solo conforme o Maldito penetra nas profundezas da Terra, rumo a seu covil.

Ajudo Rachel a se levantar e aperto-a com força contra meu corpo. Ela me envolve com os braços e se agarra em mim como se eu fosse a única coisa que a impede de se afogar. Minhas mãos tremem, minha garganta está rouca após gritar tanto, mas, no meio de toda a destruição que nos cerca, tudo que consigo sentir é alívio por Rachel ainda estar viva. Quero abraçá-la até meu corpo parar de tremer, até que o pânico horrível que eu senti ao pensar que ela estava morta desapareça, mas não posso. Estamos cercados pelo fogo por três lados.

— Temos que sair daqui — eu digo, e começo a levá-la na direção do portão destruído.

— Não entendo o que aconteceu.

— Eu também não. Ele foi embora sem tentar acabar conosco. O Maldito nunca vai embora quando sabe que suas vítimas ainda estão vivas.

Rachel tropeça em um bloco de concreto e se agarra em mim para não cair.

— Parecia que ele não tinha escolha. Estava agindo da mesma maneira que fez há alguns dias, quando você o controlou nas Terras Ermas.

— Mas, se ele não estava obedecendo ao nosso aparelho, quem o estava controlando? Será que Rowansmark tem dispositivos ainda mais potentes do que o aparelho que o Comandante tentou roubar?

Ela balança a cabeça negativamente.

— Não sei. — Olhando para a carnificina a nosso redor — as chamas, os escombros, os corpos presos sob os destroços que se transformaram em suas piras funerais —, ela estremece.

— Não importa quem o controlava. Fomos nós que causamos isso tudo, Logan. Fomos nós que o trouxemos para cá.

Na verdade, isso importa. Se o objetivo era a aniquilação total de Baalboden, a pessoa que controlava o Maldito pode trazê-lo de volta para acabar com os sobreviventes. Além disso, eu não tenho qualquer dúvida de que o Comandante e qualquer pessoa com sede de poder farão qualquer coisa para colocar as mãos em um aparelho com esse poder todo. Não podemos deixar que isso aconteça. Os eventos de hoje são provas vivas.

Mas ela tem razão. Fomos nós que chamamos o Maldito. Nós começamos isso. E precisaremos viver com isso. Não sei se vamos conseguir. Estou exausto, por dentro e por fora. Quero segurar a mão dela. Deixar essa destruição para trás. Desaparecer pelas Terras Ermas. Podemos passar semanas viajando. Meses. Encontrar um lugar tranquilo onde não haja líderes com sede de poder, onde não haja cidades ou lembranças prontas para se erguer e nos castigar quando menos esperamos.

Poderíamos fazer isso, mas quem iria buscar e destruir a tecnologia que causou a devastação de hoje? Quem honraria a memória e o sacrifício de Jared? Quem forçaria o Comandante a enfrentar a justiça por suas ações? O peso do que deve ser feito dói sobre meus ombros quando seguro a mão de Rachel.

Subimos por cima dos destroços e atravessamos o buraco no portão. Em seguida, viramos para olhar para a cidade. Ela se encosta em mim e eu a envolvo em um abraço enquanto assistimos Baalboden queimar.

CAPÍTULO 71

RACHEL

A cidade queima por três dias. A maioria dos cidadãos não consegue escapar. Os que conseguem estão divididos entre beijar o chão por onde Logan e eu passamos porque os resgatamos, ou nos culpar por havermos causado todo esse desastre quando nos rebelamos contra a proteção do Comandante.

Não conseguimos encontrar o Comandante. Não imagino como ele conseguiu voltar à cidade, já que tivemos de explodir o portão para conseguir sair; mesmo assim, imagino que ele seja um dos corpos carbonizados que jazem dentro dos limites da área que costumava ser Baalboden.

Acho muito mais provável que, quando percebeu que sua cidade estava fadada à destruição, ele tenha fugido para as Terras Ermas com seus guardas, já que não passa de um covarde. Essa ideia faz surgir uma chama fraca de fúria dentro de mim, mas estou exausta demais para mantê-la viva.

Sylph conseguiu escapar, junto com seu novo marido. Reconheço alguns outros rostos das meninas que frequentavam as aulas de Habilidades Caseiras. A esposa de Melkin também conseguiu sobreviver. Fico feliz por isso, embora seja tomada por um pavor sufocante toda vez que a vejo.

Quando aqueles que nos odeiam decidem partir para procurar asilo em outra cidade-estado, eu não tento impedi-los. Logan também não o faz.

O restante elege Logan como seu novo líder. Alguns, simplesmente porque ele os resgatou com o plano de explodir o portão. Mas a maioria o quer como líder porque ele enfrentou publicamente o Comandante durante a cerimônia da Toma, um ato de coragem sem precedentes que ele mesmo conseguiu suplantar quando escapou da masmorra.

As pessoas falam sobre reconstruir a cidade em algum outro lugar. Quinn e Willow se unem a nosso grupo, e Willow rapidamente faz amizade com Nola, já que parecem ter muito em comum. Enquanto Drake, Logan, Willow e Nola organizam equipes de sobreviventes para revistar as ruínas em busca de coisas que possam ser recuperadas, eu me afasto deles discretamente e entro no que resta de Baalboden.

A cidade é uma carcaça de ossos e cinzas. Como se seu núcleo houvesse sido arrancado e devorado. Todos os vestígios de vida foram queimados até restar apenas o silêncio.

E nós nos entendemos.

A magnitude do que causei é um peso esmagador que eu me recuso a tirar dos ombros. Deixo que ele me consuma. Deixo que me coloque de joelhos. É menos do que eu mereço.

Deixo os escombros do portão para trás e caminho pelas ruas devastadas e chamuscadas, até chegar às ruínas da casa que eu dividia com meu pai. O lar onde Logan se juntou a nós há tantos anos, como aprendiz. O lugar que Oliver vinha visitar tantas vezes com pães doces e contos de fadas.

A fuligem se prende a meu corpo quando eu me sento no lugar onde a mesa de nossa cozinha ficava. Se eu fechar os olhos, tudo pode voltar a ser como era. Se eu fechar os olhos, poderei ver meu pai, seus olhos cinzentos brilhando com orgulho quando eu acerto meu primeiro alvo com um arco e uma flecha. Oliver abrindo os braços para me abraçar quando entra pela porta da frente.

Se eu fechar os olhos, ainda estou inteira.

Mas não posso fechar os olhos. Não me atrevo. Eu *preciso* ver isso. Marcar essa imagem a ferro e fogo em minha mente para nunca mais esquecê-la. Ao perceber que ver não é o bastante, enfio os dedos nas cinzas e deixo que sua textura sedosa se prenda a mim como uma cicatriz que vou exibir pelo resto da vida.

— Rachel.

Logan se ajoelha sobre as cinzas a meu lado e pega um punhado delas, também.

— Foi neste lugar que eu assinei um contrato com Jared. Tive que me esforçar muito para olhar somente para o papel e não deixar que ele me apanhasse olhando para a sua bela filha. — Ele olha para a direita. — E foi ali que sofri a minha primeira derrota em combate quando estava lutando contra uma garota dois anos mais nova do que eu. Você golpeou as minhas pernas e me derrubou. Não vi o golpe chegar, porque nunca me ocorreu que uma garota saberia lutar.

Eu sigo o olhar dele e vejo nós dois. Lutando. Rindo. Vivendo.

Não há mais vida neste lugar agora.

— Alguém queria que isso acontecesse. Alguém manipulou os controles que jogaram o Maldito contra a cidade. Não foi culpa sua — diz ele, e o silêncio dentro de mim estremece como se fosse um amontoado de cacos de vidro.

— Fui eu que comecei isso tudo. Não percebe? Tentei passar por cima da Muralha e fui apanhada. Veja o que aconteceu. — Ergo a mão com um gesto enérgico para indicar as ruínas enegrecidas a nosso redor. O vento sopra suavemente as cinzas que estão em minhas mãos, e elas flutuam pelo ar como limalhas de prata.

— Não — diz ele, aproximando-se de mim, tocando meu queixo com o polegar e o indicador. — Você não tentaria saltar sobre a Muralha se eu houvesse lhe contado no que estava trabalhando. Achei que, se ficasse em silêncio, eu estaria lhe protegendo, mas devia ter confiado em você.

Seus olhos estão firmes, e um mundo inteiro de dor e determinação vive dentro deles.

— Mas, além de tudo isso, nada disso aconteceria se o Comandante não houvesse tentado roubar algo que não lhe pertencia. Isso ainda não terminou, Rachel. Ele precisa ser encontrado e impedido de continuar com seus planos. As outras cidades-estado precisam ser avisadas sobre as armas que Rowansmark possui. Se houver uma máquina em algum lugar que seja capaz de controlar o Maldito, nós precisamos encontrá-la e destruí-la. E há pessoas que confiam em nós para liderá-las. — Ele olha para trás, por cima do ombro.

Sigo seu olhar e vejo Sylph, com a determinação estampada no rosto, e uma nova maturidade entalhada em sua expressão por tudo o que ela perdeu. A seu lado está Smithson, com o corpo emproado numa posição resoluta, com o braço ao redor dos ombros da esposa. Nola, Willow, Quinn estão a seu lado, com expressões ferozes nos rostos e dando a impressão de que estão preparados para qualquer coisa. Drake e Thom estão um pouco mais para trás, com os olhos fixos em mim. Mais adiante, grupos de sobreviventes reviram as ruínas em busca de qualquer coisa que possamos usar para recomeçar nossas vidas. Olho para eles e percebo em seus rostos algo que nunca imaginei que voltaria a ver.

Esperança.

Eles estão abalados, mas não estão abatidos pela derrota. Querem viver. Não apenas respirar, inalando e exalando o ar enquanto os dias passam. Eles querem *viver*.

E querem nossa ajuda para fazer isso.

Estou muito cansada. Quero me deitar, afundar entre as cinzas, deixar que elas entrem lentamente em meus pulmões e me levem para junto de meu pai e de Oliver. Eu quero, mas não posso deixar que isso aconteça. Porque Logan tem razão. Temos de encontrar o Comandante. Avisar os outros líderes. E colocar de joelhos a pessoa que inventou o aparelho infernal que causou tudo isso.

Ainda preciso pagar minhas dívidas.

Abrindo a pequena bolsa de couro que trago ao redor do pescoço, eu deixo que as cinzas que tenho nas mãos se misturem lentamente à terra da sepultura de meu pai. Logan estende a mão para mim, e nós nos levantamos e caminhamos para nos juntar ao grupo que espera por nós. Enlaçando meus braços por entre os de Logan e os de Sylph, eu apoio a cabeça no ombro dele nas ruínas da cidade que não existe mais enquanto o sol se põe pela última vez sobre Baalboden.

AGRADECIMENTOS

Tenho muito medo de agradecer as muitas, *muitas* pessoas que ajudaram a transformar este livro em realidade e acabar me esquecendo de alguém. Meu marido garante que isso não vai acontecer. Mas nós dois sabemos que eu sou aquela que se esquece constantemente de carregar o celular e que nunca consegue se lembrar dos nomes das pessoas. Então... se você contribuiu para a execução de *Desafio* e, por algum acaso, eu esqueci de incluir o seu nome nesta lista de agradecimentos, peço mil desculpas e prometo trazer biscoitos e barrinhas de limão para compensar

Em primeiro lugar, preciso agradecer a Deus por me dar a capacidade de contar histórias e por ser o alicerce sob meus pés.

E, como dedicar o livro a meu marido não é o bastante, quero também agradecer a ele. Clint, obrigada por permitir que eu desaparecesse por algumas horas enquanto você trocava fraldas, preparava o jantar e fazia com que fosse possível eu cumprir meus prazos. Este livro não poderia acontecer se você não apoiasse meus sonhos. Amo você.

Agradeço também a Zach, Jordan e Tyler por cuidarem do bebê para que eu pudesse escrever, por perguntarem ansiosamente sobre minha história e por anunciar orgulhosamente a todos que o livro que sua mãe escreveu seria publicado. Também agradeço a você, Johanna. Trazê-la de volta para casa após o tempo que você passou na China me deu muito incentivo para escrever o livro que imaginei ser grande demais para mim. Vocês são filhos maravilhosos, e eu me sinto abençoada por ser sua mãe.

Obrigada também a minha mãe e meu pai, por alimentarem meu amor pela leitura e por me criarem com a ideia de que eu seria capaz de fazer qualquer coisa se me esforçasse.

Também tenho uma enorme dívida de gratidão para com minha incrível agente, Holly Root, que sempre acreditou e sempre torceu por mim. Você é uma estrela do rock no meu mundo.

Este livro não seria o que é hoje sem a ajuda de minha incrível equipe de leitores da fase preliminar e dos parceiros de crítica literária. Vocês não apenas ajudaram a dar forma a este livro de diferentes maneiras, mas são todos excelentes amigos também. M. G. Buehrlen, obrigada por ler, reler e reler novamente. E pela conversa que me ajudou a perceber que eu precisava incluir o ponto de vista de Logan. Quantas horas nós passamos discutindo este livro ao telefone? Agradeço por todas elas! Myra McEntire, você é a rainha das cenas de beijos atrapalhados! Perguntar a mim mesma *O que Myra faria?* transformou-se em minha solução para criar todas as situações românticas fictícias. Obrigada também por ficar tão alegre por mim durante todas as etapas do caminho. K. B. Wagers, você esteve a meu lado quase desde o início. Obrigada por ser minha especialista em armas e combate, minha fã número 1 e minha amiga. Heather Palmquist, você não é apenas uma fabulosa leitora das fases preliminares, mas é também uma irmã ainda mais fabulosa. Estou muito feliz por tê-la meu lado durante esta jornada. Sara McClung, você também é uma excelente leitora preliminar. Obrigada por ficar tão empolgada com este livro. Shannon Messenger, obrigada por ler as cenas mesmo quando estava atolada até o pescoço com seus próprios projetos, e por ser tão implacavelmente honesta. Jodi Meadows, obrigada por me ajudar a dar nome ao Cajado. E por ser uma enorme fã de cenas onde um beijo quase acontece. Beth Revis, obrigada por me estimular quando meu primeiro prazo de entrega se aproximava. Embora você quase tenha me matado com tanta Nutella.

Tricia Bentley, embora você não tenha lido *Desafio* enquanto eu o escrevia, você foi minha primeira leitora (há muitas e muitas luas), e, enquanto insistia em dizer que eu não preciso me desculpar pelo livro bagunçado que leu, eu me sinto realmente grata por você ter tanto interesse e por pedir cada vez mais. Você ajudou a aumentar a motivação para eu conseguir terminar de escrever o primeiro livro. Obrigada.

Agradeço de coração, também, a toda a equipe da Balzer + Bray por abraçar o *Desafio* por me receber tão bem em seu grupo. Kristin Daly Rens, eu soube desde a primeira vez que conversamos que você seria a editora perfeita para mim. A lhama serviu apenas para confirmar meu pressentimento. A atenção incrível que você dedica aos detalhes e seu entusiasmo descarado por Rachel e Logan me desafiaram e estimularam a fazer mais do que eu pensei que seria capaz. Obrigada. Sara Sargent, você é definitivamente ninja em muitas coisas! Agradeço por você me manter no caminho certo e fazer com que minhas interações com a B+B fossem tão divertidas.

Obrigada a Alison Klapthor e Alison Donalty pela linda capa. Vocês conseguiram realmente capturar o espírito feroz junto com todos os elementos-chave do livro. Eu quase lambi o monitor quando vi a capa pela primeira vez. Obrigada também a Emilie Polster e Stefanie Hoffman pelo incrível trabalho de marketing, e a Caroline Sun e Olivia de Leon, por serem minhas gurus na área de divulgação e promoção.

Obrigada também às minhas incríveis irmãs Pixies. Vocês foram minhas torcedoras, minhas leitoras, minha fonte de inspiração e minhas amigas desde aquele verão maravilhoso em São Francisco, em 2008. Não consigo imaginar minha jornada pelo mundo editorial sem vocês a meu lado.

Enquanto eu estava escrevendo *Desafio*, fui a um retiro para escritores com vários membros da filial local do grupo Music City Romance Writers. Escrevi onze mil palavras naquele final de semana, e do lado de fora de meu quarto havia a trilha sonora de vinte e duas mulheres cantando ótimas músicas no karaokê. Arrebentem, MCRW! (E obrigada por serem uma fonte constante de estímulo.)

Agradecimentos imensos à talentosa Tashina Falene, por fazer o *design* das joias usadas pelos personagens do livro e por ficar tão empolgada com a história. Também quero mandar um abraço para dois blogueiros especializados em literatura que leram capítulos para mim, ou que me inspiraram enquanto eu estava escrevendo os primeiros rascunhos: Catie S. e Julie Daly. Vocês me fazem querer escrever histórias maravilhosas. Obrigada.

Finalmente, obrigada a todos os leitores do meu blog, os seguidores do Twitter e os amigos do Facebook que ficaram empolgados com este livro e contaram a um amigo. De blogueiros literários a escritores e leitores entusiasmados, vocês sempre conseguem me deixar maravilhada. Ainda tenho de me beliscar quando percebo que há pessoas fora de meu círculo de amigos e familiares que adoram este livro. Sou a garota mais sortuda do mundo.